JN045250

「くだらない」文化を考える

ネットカルチャーの社会学

平井智尚

七月社

「くだらない」文化を考える

——ネットカルチャーの社会学

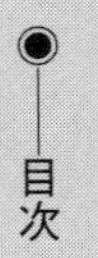

——目次

序論

本書では、日本社会を文脈とするインターネット空間においてネットユーザーの活動を通じて形成されてきた独特な文化、いわゆる、「ネットカルチャー」について考察する。

インターネットが商用化された一九九〇年代以降、人々はインターネットを通じて相互行為を展開するようになり、そこからネットカルチャーと呼びうる独特な文化が形成されていった。そうした文化は、日本社会において必ずしも肯定的に評価されたわけではなかったが、一定の関心を集めてきた。それは学術分野も例外ではなく、とりわけ二〇〇〇年代前半には数多くの研究が実施された。つまり、ネットカルチャーに関する研究はすでに一定の蓄積がある。そうした中、なぜ本書でネットカルチャーを研究対象とするのだろうか。その理由は三つ挙げられる。

第一に、ネットカルチャーと呼びうる現象を記述することにある。前述のとおり、ネットカルチャーに関する研究は（それらを「ネットカルチャー研究」と呼ぶか否かは別として）すでに手掛けられてきた。だが、その範囲は十分とは言い難い。ネットカルチャー研究が活発に展開された二〇〇〇年代前半、主たる議論の対象は電子掲示板サイト「2ちゃんねる」の現象であった。[*1] 2ちゃんねるに見られた現象が日本社会を文脈とするネットカルチャーの根幹をなしているのは確かであり、本書においても2ちゃんねるの現象は逐一取り上げる。だが、ネットカルチャーの問題は2ちゃんねるの現象に限られるわけではない。2ちゃんねるの開設以前、そして、2ちゃんねるの勢いが相対的に低下した二〇〇〇年代後半以降にも、ネットユーザーたちの相互行為を通じて独特な文化が形成され、再生産されてきた。だが、それらに関する学術的な議論は充実していない。それゆえ、ネットカルチャーに関連する現象を記述する試みは、既存研究の不足を補うという点で一定の価値を有すると考える。

　第二に、ネットカルチャーの考察を通じて、社会科学に即したインターネット研究の発展を図るためである。文化（史）の記述は確かに意味がある。だがそれだけでは、ホームページ、ブログ、ウィキペディアなどに掲載されている情報でも事足りる。すなわち、学術的な観点から評価しえない。そこで本書ではネットカルチャーを記述したうえで、メディア研究、コミュニケーション研究、文化研究、社会学といった社会科学の研究蓄積を摂取しながら考察を展開していく。この試みが社会科学に即したインターネット研究の発展に寄与すると考えるのは次のような理由による。ネットカルチャーは「取るに足らない」あるいは「くだらない」と見なされるものも少なくない。このことは、ネットカルチャー研究が活性化しない理由の一つでもある。こうした課題に取り組むうえで、社会科学の研究蓄積、そして、その蓄積が反映された概念や理論に依拠した考察は重要な意味を持つ。本書では筆者独自の概念や理論を提示することを主眼とはしていない。それゆえ、出来合いの概念・理論に依拠した単なる説明に過ぎないと受け取られるかもしれない。しかし、そのような説明を通じて、「取るに足らない」あるいは「くだらない」と見なされるネットカルチャーが社会科学の研究対象であることを示すことができる。この試みは、インターネットの社会科学の発展のみならず、メディア研究、コミュニケーション研究、文化研究、社会学の発展にもつながることが期待される。

第三に、ネットカルチャー、および、その研究から社会的な意義や含意を見出せると考えるためである。「科学とは、研究対象となった特定のことがらに関する一連の知識を生むために、経験的調査という系統だった方法を用い、データを分析し、理論的な考察をおこない、立論を論理的に査定することである」〔Giddens 2006=2009: 92〕。前述した本書の狙いはアンソニー・ギデンズの言う「科学」の条件とも対応している。ただし社会科学は、ある物事を科学的な手続きに即して論ずるだけにとどまらず、その作業をふまえたうえで社会的な意義や含意を検討することが求められる。すなわち、「社会の現象を的確に理解しようと務め、そしてその知見を活用して現在および未来の社会に役立つべく〔略〕論じ合う」〔西原 二〇〇七：六六九〕、「政策科学としての側面」、「「世のため人のため」に「役に立つ」（と思われている）」〔稲葉 二〇〇九：二二〕、「社会に存在する規範、制度、秩序の有効性や正当性を検討し、社会事象に対する政策的判断や価値判断を下す」〔友枝 二〇〇六：二四〇〕といった「当為」が求められるのである。こうした社会科学の「使命」を既存のネットカルチャー研究が怠ってきたというわけではない。ただやはり、ネットカルチャーは「取るに足らない」あるいは「くだらない」がゆえに、社会的な意義や含意を見出しづらいのも確かである。それでも、多くの人々の関与を通じてネットカルチャーが形成され、そうした文化が再生産されてきたことをふまえるのであれば、そこには何かしらの意義や含意を見出すことができるのではないか。こうした社会科学の根本的な課題に対して、本書で手掛けるネットカルチャーの研究は、わずかばかりではあるが貢献できると考える。

本書でネットカルチャーに焦点を当てた研究に着手する理由は以上のようにまとめられる。つまるところ、社会科学に立脚したネットカルチャーの研究を通じて、ネットカルチャー研究の発展、ひいては、関連する研究分野の発展を図ることが本書の主眼ということになる。

次いで、本書の構成と概要を説明する。

第一章では、ネットカルチャーを参加文化という観点から把握する。日本社会を文脈とするネットカルチャー研究は少なからず行われてきた。しかし、それらは主に2ちゃんねるの現象に焦点を当てた研究によってまかなわれてきた。そうした問題を乗り越え、ネットカルチャー研究の発展を図るために、ポピュラー文化の議論、その中でもヘンリー・ジェンキンスが提示した「参加文化」の議論を軸としながら考察を進める。インターネットを通じた一般の人々の草の根的な活動を通じて形成される参加文化は、本書で対象とするネットカルチャーの特徴と通じており、参加文化の知見を参照することで、ネットカルチャーを個別ではなく、包括的にとらえる視座を得ることができる。また、参加文化がまとう理念は、ネットカルチャーの意味を考察する際の手がかりを与えてくれる。こうした一連の考察を通じて、以下の章で展開するネットカルチャー研究の発展に向けた大まかな方向性を示していく。

続いて、第二章から第四章では、第一章で示した参加文化の視座を念頭に置きながら、狭義のネットカルチャー、すなわち、「コンテンツ」の問題に焦点を当て、ネットユーザーのコンテンツをめぐる草の根的な関与について考察を展開していく。

第二章では「ニュース」をめぐる関与に焦点を当てる。具体的には、アニメ、ゲーム、漫画などの情報、インターネット上の話題、「ネタ」とも呼ばれるような嘘や冗談、あるいは卑猥な話題といった「ポピュラー」な情報を「ニュース」として扱うアマチュアによる草の根的な活動に着目し、ジョン・フィスクのポピュラーニュースの議論を参考としながら、インターネットにおけるニュースの問題を考察する。考察に際しては、東京都青少年健全育成条例改正をめぐる動向を事例として取り上げる。

第三章では「テレビ（番組）」をめぐる関与に焦点を当てる。家庭という私的な領域で主に展開されてきたテレビ・オーディエンスの活動はこれまで「不可視」であった。だが、インターネットを通じてテレビ・オーディエンスの様々な活動が可視化されるようになった。そうした活動の類型を整理したうえで、本章では公共性という観点から把握を試み、インターネットを通じて活動を展開するテレビ・オーディエンスの活動の意味を考察する。

第四章では「インターネット動画」をめぐる関与に焦点を当てる。インターネットやオンラインサービスの普及によりアマチュアによる制作・公開が活性化したコンテンツの一つとして映像コンテンツ、いわゆる「動画」が挙げられる。そうした動画、ならびに、動画をめぐる人々の関与については多くの関心を集めてきたが、本章では特定の圏域以外では言及がはばかられるような動画に関する考察を行う。その際には、「カルト」の要素を含むメディア・コンテンツの議論を参照しながら、言及がはばかられるアマチュア動画を「カルト動画」と位置づけ、「淫夢」や「尊師ＭＭＤ」関連の動画を事例として考察を展開する。

第五章以降は、「文化」に焦点を当てた議論の範囲を、狭義の「コンテンツ」から、広義の「生活様式」へと拡大し、ソーシャルメディアの普及に伴い変容したインターネット空間におけるネットカルチャーの位置づけを考察していく。

第五章では、ソーシャルメディアの利用が進んだインターネット空間におけるオンライン・コミュニティの問題を考察する。オンライン・コミュニティの問題はインターネットの普及前から数多くの言及がなされてきた。しかし、ソーシャルメディアの普及により、インターネット空間へと参加する人々が増加し、オンライン・コミュニティの多様化が進んだ。こうした変化を本章では、都市社会学の知見を参照しながら説明し、以下の章で展開する考察の枠組みや問題意識を提示する。

第六章では、ソーシャルメディアを通じた一般の人々による情報発信を端緒とする「炎上」を考察する。炎上については、マス・メディア、ニュースサイト、新書、あるいは、学術研究でも取り上げられ、その現象は今や広く知られている。本章では、「2ちゃんねるの文化」と「若年層の携帯電話の文化」という、それぞれの文化圏の接触・衝突という観点から炎上を論じていく。このアプローチは、炎上が起こる仕組みの理解に資すると同時に、ソーシャルメディア普及後のインターネット空間の変容についても示唆を得ることができる。後者に関しては、都市社会学の下位文化理論を参照しながら考察を展開していく。

第七章では、インターネット空間の特定の文化圏で使用される独特な言葉、いわゆる「ネットスラング」に関する考察を行う。ネットスラングは、「2ちゃんねる用語」のように、インターネット上の一部の文化圏で使用される言葉であったが、ソーシャルメディアの普及以降、インターネット空間で拡散し、広く認知・使用されるネットスラングが認められるようになった。本章ではそうしたネットスラングの広がりに関して、「リア充」というネットスラングを事例としながら考察を展開していく。考察に際してはサブカルチャー研究の知見を参照しながら、ネットスラングの拡散という現象から、ネットカルチャーの商品化やインターネットの大衆化の問題へと接近していく。

第八章では、インターネット上のコンテンツをめぐるネットユーザーの関与を批判的な観点から考察する。かつて「受け手」とされていた一般の人々によるコンテンツの生産、発信、流通への関与は、ソーシャルメディアの普及に伴い増加した。ただし、そうした「関与」は、利益を追求する企業や、インセンティブ（主に金銭的報酬）の獲得をもくろむアマチュアによって利用される場合も多々ある。こうした現象については、批判的な視座に立つ研究者によって指摘されているが、同様の問題はネットユーザーの一部も認識し、批判的な振る舞いが表面化するケースも認められる。本章では「2ちゃんねるのまとめサイト」をめぐって生じた騒動を事例として取り上げ、一連の騒動におけるネットユーザーの活動を「新しい社会運動」の議論を参考にしながら批判的な考察を展開していく。

そして最後の第九章では、インターネット空間におけるネットユーザーのやりとりに見られる「ネタ」の問題を、主に社会学の文脈で論じられてきた「遊び」の研究に依拠しながら考察する。嘘、冗談、悪ふざけを含む言動を意味する「ネタ」という言葉は俗語である。しかし、日本社会を文脈とするインターネット空間で展開されるネットユーザーのやりとりや文化を理解するうえで「ネタ」への着目は重要であり、一定の議論も蓄積されている。しかし、ソーシャルメディアの普及後、インターネット空間では「ネタ」が成立しづらくなった。こうした変化は「ネタ」に言及する必要性が薄れたことを意味する。だが他方で、新たな論点も生起する。そこで本章では「遊び」の研究を参照しながら、改めて、インターネット空間に見られる「ネタ」の問題を論じていく。一連の議論を通じて、ソーシャルメディアの普及に伴い変容したインターネット空間の動態を描写し、そこに見られる「ネタ」を交えたやりとりの位置づけや意味を明らかにしていく。その考察は、本書の目的の一つであるネットカルチャー研究の社会的な意義や含意の提示へと至るための試みでもある。

　繰り返し述べるように、ネットカルチャーというのは、結局のところ、「取るに足らない」ものであり、「くだらない」ものである。ネットカルチャーを研究する際には、そうした見方と向き合わねばならず、それはネットカルチャー研究の足枷となってきた。ただし、その足枷を外すことはできない。また、足枷を外すとネットカルチャーの意味は損なわれ、研究の意味も失われる。本書では、ネットカルチャー研究が抱える問題を受け入れながら、議論を展開していく。その試みが成功するか否かはわからない。だが、ネットカルチャー研究が抱える問題と向き合い、社会科学に即した研究を試みることは成果となる。本書の試みが、仮に失敗したとしても、あるいは不十分であっても、失敗や不十分であることが指摘され、後続のネットカルチャー研究、ならびに、より広義のインターネットの社会科学の足がかりとなるのであれば、本書は研究の発展にいくばくか寄与できたということになる。そうした希望を抱きながらネットカルチャーの研究を展開していく。

1――「2ちゃんねる」(2ch.net)は二〇一七年に「5ちゃんねる」へ名称を変更している。ただし、本書では広く知られ、馴染みのある名称である「2ちゃんねる」を使用する。

第一章

ネットカルチャー研究の発展に向けて

——ポピュラー文化と参加文化の視点から

はじめに

本書では日本社会を文脈とするインターネット空間で主として面識を持たないネットユーザーの活動を通じて形成されてきた独特な文化、いわゆる、ネットカルチャーについて、その研究の発展可能性を検討する。[*1]

インターネットが商用化され、Windows95の発売によりパーソナル・コンピュータ(パソコン)の利用も進んだ一九九〇年代後半以降、インターネットを介した人々の交流が活発となり、ネットカルチャーと呼びうる独特な文化が形成されていった。[*2] ネットカルチャーは次第に社会的な関心を集めるようになり、その評価は肯定的とは言えなかったものの、雑誌、書籍、新聞などのマス・メディアでも言及されるようになった。それは学術的な分野においても例外ではなく、とりわけ二〇〇〇年代前半には電子掲示板サイト「2ちゃんねる」を対象とした議論を中心に様々な研究が展開された。それらの研究は、ネットカルチャーの説明や理解に寄与すると同時に、メディア研究、コミュニケーション研究、情報社会論、文化社会学といった研究領域の発展にも貢献した。しかし二〇〇〇年代後半以降、ネットカルチャー研究は次第に停滞していった。

その理由として一定の研究成果が蓄積されたことも挙げられる。だが、それ以上にネットカルチャーと呼びうるような現象が相対的に影を潜めていったことが影響している。二〇〇〇年代後半以降、インターネットを介した人々の交流は、ソーシャル・ネットワーキング・サービス（SNS）やメッセンジャー（コミュニケーションアプリ）の利用が主流となっていった。これらのサービスは、すでに面識のある者同士の交流や、利用者が属する集団・組織を基盤とする交流を促進した。そうした活動の中にも「文化」は認められる。しかしそれは、程度の差はあれども、対面的な関係に基づく文化や、集団・組織の文化が反映されており、面識を持たないネットユーザーの活動を通じて形成される独特な文化とは異なる。インターネットを通じて展開される人々の活動を対象とする研究には発展の余地がある。しかし、その際にネットカルチャーはもはや論点とはならないのかもしれない。

ただし、ネットカルチャーが消失したわけではない。同様に、ネットカルチャー研究についても、2ちゃんねるの問題を扱った二〇〇〇年代の議論だけで十分にまかなわれているわけではない。こうした問題意識に基づき、本書では、ネットカルチャーを「一般の人々」に端を発した文化としてのポピュラー文化と位置づけ、その文脈に位置づけられる研究として人々の草の根的な活動に焦点を当てる「参加文化」の議論を手がかりとしながら、ネットカルチャー研究の発展の方向性を探っていく。

一　日本社会を文脈とするネットカルチャーの歴史

本書で考察の対象とする「ネットカルチャー」は、日本社会を文脈とするインターネット空間で主として面識を持たないネットユーザーの活動を通じて形成されてきた独特な文化を指す。ただし、「ネットカルチャー」という言葉が広く認識されているわけではなく、具体的にどのような文化を指すのか想起しづらい。そこでまず歴史を振り返りながらネットカルチャーの諸相を明らかにしていく。

日本におけるインターネットの歴史を手短に概観すると、UNIXのプロトコルで研究機関を結んだコンピュータ網「JUNET」の運用開始（一九八四年）をインターネットの「起源」と位置づけ、以降、インターネットサービスプロバイダ（ISP）によるインターネット接続サービスの開始、阪神・淡路大震災におけるインターネット利用、Windows95の発売、ポータルサイトの登場、高速ブロードバンドの普及、携帯電話のインターネット接続サービスの開始、ブログ、SNS、動画投稿サイトの登場、スマートフォンの普及といった流れでまとめることができる。ただし、日本におけるインターネットの歴史は、右のような「正史」とは異なる観点から整理することもできる。そのアプローチの一つとして、インターネット上におけるネットユーザーの活動に焦点を当てた歴史、すなわち、ネットカルチャー史が挙げられる。

ネットカルチャー史については、すでにいくつかの文献で整理されている［ばるぼら 二〇〇五、二〇一四／ばるぼら・さやわか 二〇一七ほか］。そのため、子細に歴史を記述する作業は要しない。ただし、ネットカルチャーの諸相を把握するうえでは、その原点と位置づけられる、一九九〇年代後半のインターネット空間に見られたネットユーザーの活動、および文化は把握しておく必要がある。

一九九〇年代後半は、Windows95の発売やインターネット接続サービスの拡大に伴い、インターネット利用者が増加した時期にあたる。[*3] 当時のインターネットは、通信環境、サービス、機能のいずれの面でも発展途上の段階にあった。しかし、ネットユーザーは「新しい」技術を駆使して、様々な活動を展開した。それらの中にはネットカルチャーの萌芽とも呼べるような活動が認められた。その代表的なものとして「個人サイト」、「アングラ（サイト）」、「電子掲示板（ＢＢＳ）」の三つを挙げることができる［ばるぼら 二〇〇五、二〇一四］。

まず、「個人サイト」とは、アマチュアの「個人」が運営するウェブサイトを指す。個人サイトの具体的な形態としては、「E-ZINE」、「ウェブ日記」、「個人ニュースサイト」、「テキストサイト」などが挙げられる。*4 各々の活動内容は異なるものの、アマチュアの個人が自身の管理するウェブサイトに、自らが作成、あるいは収集した情報をコンテンツとして掲載していたという点では共通している。

次いで、「アングラ（サイト）」とは、法律に抵触したり、道徳・倫理的に不適切と見なされたりする「アンダーグラウンド」な情報や著作物を扱うウェブサイト、および、それらに関連する活動を指す。「ＵＧ（サイト）」と略されることもある。活動の主流はハッキング・クラッキング（ハッククラック）で、「WAREZ」、「Proxy」、「掲示板荒らし」といったハッキング・クラッキングと関連する活動も一定の割合を占めていた*5［ばるぼら 二〇〇五］。

最後に、「電子掲示板（ＢＢＳ）」とは、周知のとおり、インターネットにおける記事の掲載・投稿・閲覧システムで、掲載・投稿された記事への返答や、ユーザー間での交流や議論が展開されることもある。電子掲示板はインターネット以前のコンピュータ通信システムである「パソコン通信」でも設置・利用されていたが、インターネットの普及とともに数や規模が拡大していった。その中でも注目すべきは、多数の匿名掲示板によって構成される掲示板サイト（群）である。代表的なサイトとして、「あやしいわーるど」、「あめぞう（リンク）」、「なみかれ（涙枯れるまで泣く方がいいかも）」、「2ちゃんねる」などが挙げられる。[*6]

一九九〇年代後半のインターネット空間に見られるネットユーザーの活動や関連する現象については、これまでさほど言及されてこなかった。それゆえ、「個人サイト」、「アングラ（サイト）」、「電子掲示板（BBS）」を取り上げ、説明するだけでもそれなりの意義はある。ただし本書ではネットカルチャーの萌芽という観点でこれらの現象をとらえる。個人サイトからは、ネットユーザーによるコンテンツの生産、発信、流通の問題について、アングラ（サイト）からは、著作物の流用や共有、ならびにそうした活動をめぐる慣習、規範、価値観の問題について、そして、電子掲示板（BBS）からは、ネットスラングや絵文字といった表現形態やそれらを用いた参加者間のやりとりといった問題について、それぞれ示唆を得ることができる。これらはいずれも「文化」と呼びうるものであり、ネットカルチャー研究の対象となる。

日本社会を文脈とするネットカルチャーに関する考察を展開する際には、先行研究の整理という手続きの一環として、右のような歴史や活動をふまえておくべきである。しかし、一部のネットカルチャー史を除いて、一九九〇年代後半のネットカルチャーを取り上げた議論は皆無と言ってよい。それゆえ、その欠落を埋めるような研究も十分に価値がある。ただし、後の研究により問題点はある程度まで解消されている。ここで言う「後の研究」とは、電子掲示板「2ちゃんねる」に焦点を当てた研究である。

二　電子掲示板2ちゃんねるに関する研究

「2ちゃんねる」とは、一九九九年五月に開設された電子掲示板サイトである。サイトの開設当初は先行する電子掲示板サイト「あめぞう」を補完する位置づけであったが、あめぞうの不具合や、掲示板への書き込みを行いたくなるような事件・出来事が発生し、多くのユーザーを集めるようになった[*7]［ばるぼら 二〇〇五］。そうした中、二〇〇〇年五月に発生した「西鉄バスジャック事件」の犯人とおぼしき人物が掲示板に犯行を示唆する書き込みを行い、マス・メディアで報道されたことで2ちゃんねるは社会的な関心を集めるようになった。[*8] 以降、2ちゃんねるのユーザーは増加していき、同サイトをめぐって多くの出来事や騒動が発生した。[*9] あわせて、学術的な観点から2ちゃんねるの問題を扱う研究も散見されるようになった。

鈴木謙介［二〇〇二］は、インターネットのコミュニティと公共性を論じる中で、2ちゃんねるで展開されるコミュニケーションに言及し、悪ふざけ、冗談、嘘といった、いわゆる「ネタ」を前提とする参加者同士のやりとりを「ネタ的なコミュニケーション」や「コミュニケーションのためのコミュニケーション（自己目的化）」と説明し、インターネットが普及した社会における新たな対人間のつながりという観点から、その意味や可能性を論じている。

遠藤薫編［二〇〇四］では、複合的なメディア環境におけるメディア間の相互参照（間メディア性）を通じて、インターネット上の言説が人々の集合的意見として可視化されていく過程を論じる中で、「塩爺ブーム」、「西鉄バスジャック事件」、「湘南ゴミ拾いオフ」といった2ちゃんねると関連する現象を事例として取り上げている。また、顔や名前が定かではない人たちによる創作活動「クリエイティブ・モブ」の文化実践を論じる中で、2ちゃんねるの書き込みをもとに構成された物語「電車男」や、2ちゃんねるに関連する出来事をもとに作成された「フラッシュ」、ならびに、2ちゃんねる内で共有されているネタをきっかけとする「オフ会（ネタオフ）」などの事例を挙げている。[*10]

北田暁大［二〇〇五］は、「ポスト八〇年代」のアイロニズムの誕生を論じる中で2ちゃんねるのやりとりに着目し、その中に見られるマスコミを嘲笑（「嗤(わら)い」）や「ネタ」）する態度について、一九八〇年代の日本社会のテレビ文化（純粋テレビ）に対する「反省」、ならびに、一九九〇年代のコミュニケーション技術やコミュニケーション構造の変容という観点から考察している。その考察の中で用いられた「内輪での接続志向」、「アイロニカルな視線」、「《繋がり》の社会性」といった概念は、2ちゃんねるで展開される参加者同士のやりとりの特徴を理解するうえで示唆を与えてくれる。

濱野智史［二〇〇八］は、二〇〇〇年代の日本社会を文脈とするインターネット空間で多くのユーザーを集めたソーシャルウェアの進化を「アーキテクチャの生態系」という観点から論じる中で2ちゃんねるを取り上げ、鈴木の「ネタ的なコミュニケーション」や、北田が示した「繋がり」や「アイロニカル」といった議論を参照しながら考察を展開し、「内輪空間」としての2ちゃんねるが日本社会を文脈とするインターネット空間で成長してきた理由を論じている。

この他にも、テレビ番組の視聴と並行しながら番組に関連する話題を掲示板に書き込む行為である「実況」に着目した研究［西田 二〇〇九／山本 二〇一二］、「新しい新しい社会運動」という観点からフラッシュモブ現象を考察する際の事例として2ちゃんねるを起点とするオフ（会）を取り上げた研究［伊藤 二〇一二］、2ちゃんねるにおける参加者同士のやりとりが盛り上がる理由を計量的に分析した研究［松村ほか 二〇〇四］など、2ちゃんねる内で展開される参加者たちの活動に焦点を当てた研究は数多く実施されてきた。

これらの先行研究は、本書で主題としているネットカルチャーの考察を主眼としているわけではない。だが、それぞれの研究成果は日本社会を文脈とするネットカルチャーの説明や理解にも寄与した。つまり、2ちゃんねるの現象に焦点を当てた研究により、ネットカルチャー研究は結果的に進展したと言える。前述のとおり、2ちゃんねる以前のネットカルチャーを扱った研究はほとんど存在しない。しかし、2ちゃんねるの現象を扱った研究によって、その欠落はおおむね補填されたのである。

三　ネットカルチャー研究の停滞

2ちゃんねるの現象に焦点を当てた研究によってネットカルチャー研究は進展した。しかし、その後ネットカルチャー研究にさほどの進展は見られない。その理由はいくつか考えられる。

第一に、ネットカルチャー研究の発展を結果的に担った2ちゃんねるの現象に焦点を当てた研究が減少していった。その理由として、研究成果がある程度蓄積されたことが挙げられる。だがそれ以上に、2ちゃんねるへの社会的な関心が低下したことが理由としては大きい。例えば、検索サイト「Google（グーグル）」における「2ch」の検索件数の推移を調べてみると、二〇〇四～二〇〇五年をピークに減少している。[*11] こうしたデータだけでなく、ニュースサイト、ウィキペディア、ブログ、そして、2ちゃんねる内でも、「2ちゃんねるの存在感の低下」や「2ちゃんねる離れ」といった言及がなされている。[*12] こうした社会的な関心の低下は、学術的な関心や取り組みにも影響を与え、研究の停滞を招いたと考えられる。

2ちゃんねるに関する学術的な研究が二〇〇〇年代前半を中心に実施されたのは、同時代における社会的な関心の高まりとともに2ちゃんねるのユーザーが増加し、そのやりとりから「興味深い」現象が生じ、それらが研究対象に値すると評価されたからである。とりわけ社会科学の研究対象としてうってつけであった。だが、2ちゃんねるの現象は新鮮さも社会的関心も徐々に低下していき、研究対象としても扱われなくなった。その結果、2ちゃんねるの現象に焦点を当てた研究の「副産物」として発展したネットカルチャー研究も停滞していったのである。

第二に、2ちゃんねるへの関心の低下と反比例する形で、ブログやSNSといった新たなオンラインサービスが流行・普及した。こうした情報通信環境の変化もネットカルチャー研究に影響を及ぼした。

二〇〇〇年代前半以降、インターネットを通じた情報発信や他者との交流を促進するサービスが次々と登場した。そうしたサービスは新しさや機能面で注目を集めただけでなく、容易に利用できることから、従来、インターネットを通じた情報発信や他者との交流にさほど積極的ではなかった人たちの参入を招いた。また、SNSのように友人・知人間のインターネットを介した交流を促進するサービスの流行・普及によって、物理的な場所を文脈とする関係性がインターネット空間に組み込まれていった。いわゆる「ソーシャル化」の進展である。他方、個人のホームページや電子掲示板といった「古い」サービスへの関心や利用は相対的に低下し、そうしたサービスにおけるやりとりを通じて形成されてきた独特な文化も影を潜めていった。このような変化は言うまでもなくネットカルチャー研究にも反映される。ブログやSNSの利用、そして、それらを総称するソーシャルメディア、ならびにソーシャル化に焦点を当てた研究が日本で活発に展開されたか否かを判断するのは難しい。しかし、ネットカルチャーに焦点を当てた研究と比べれば多く手掛けられたと言えるだろう。

第三に、右と関連して、モバイル化の進展もネットカルチャー、ならびにその研究が停滞した理由の一つとして挙げられる。一九九〇年代後半から二〇〇〇年代前半にかけてのインターネット空間におけるネットユーザーの活動は、主にパソコンを通じたインターネットへのアクセスに基づいていた。しかし二〇〇〇年代後半以降は、携帯電話（フィーチャーフォン）やスマートフォンといったモバイル端末を通じたインターネットへのアクセスが主流となっていった。そのようなモバイル端末を介したインターネットへのアクセスは、「（ネオ）デジタルネイティブ」とも呼ばれるような比較的若い世代が多くを占め、彼ら・彼女らはケータイメール、ミニブログ、プロフといったサービスを通じて、近しい関係にある友人・知人間の交流を展開してきた。そうしたやりとりからは「ケータイ文化」とも呼びうるような文化が形成された［松田 二〇〇八／橋元ほか 二〇一〇／岡田・松田編 二〇一二ほか］。さらに二〇一〇年代以降、スマートフォンの普及に伴い、SNSやコミュニケーションアプリを通じた友人・知人間の交流がさらに進展していった。こうしたモバイル化の進展は、やはりその新しさから社会的な関心を集め、学術的な分野も含めて活発な議論を喚起した。他方、相対的に古いインターネットの系譜にあるネットカルチャーは目新しい動きもなく、社会的にも学術的にも言及されることはほとんどなくなったのである。

四　ネットカルチャー研究の発展を図るための視点

1　ポピュラー文化と参加文化

前節で述べたように、ネットカルチャーは影を潜め、ネットカルチャーの問題を扱った研究も停滞している。情報通信環境の進展に伴い関心が低下し、もはや過去、あるいは歴史として扱われるネットカルチャーが研究対象とならないのは不思議ではない。しかし、ネットカルチャーと呼びうる現象が消滅したわけではなく、研究の余地も残されていると考える。ただし、個別の現象についての記述だけでは研究の発展は望めない。なぜならば、ネットカルチャーに限らず、インターネットに関連する現象は「足が早い」ためである。それゆえ、情報通信環境の変化にもある程度耐えうるような研究が求められる。この課題に応じる一つの方法として、ネットカルチャーを一定の蓄積を持つ研究領域の文脈に位置づけ、関連する概念や理論を手がかりとしながら考察を進めていくというアプローチが挙げられる。このアプローチをとる場合、改めて考えるべきは、ネットカルチャーはどのような文化なのか、という問題である。

本書では、冒頭でネットカルチャーを「インターネット空間で主として面識を持たないネットユーザーの活動を通じて形成されてきた独特な文化」と定義した。この定義に基づくならば、ネットカルチャーは「「人々」に端を発する文化」[Storey 2015]としての「ポピュラー文化」と位置づけられる。

> ポピュラー文化は「一般の人々〔民衆〕」に端を発した文化として定義される。〔略〕この定義に準拠するならば、ポピュラー文化という用語は、「一般の人々〔民衆〕」がかかわる「本物の」文化であることを示唆するときのみ使用されることとなる。ポピュラー文化は民俗文化を意味する。すなわち、民衆による民衆のための文化なのである。
>
> [Storey 2015 : 9]

ポピュラー文化は、その言葉の意味合いの捉え方によって評価が異なる。「高級文化の残余カテゴリーに属する文化」や「大衆文化」[Storey 2015 : 5-8]としてポピュラー文化を把握するならば、そこには悲観的・批判的な意味合いが伴う。本書で問題とするネットカルチャーも肯定的に評価されてこなかった、むしろ、低俗と見なされることが多かった。それゆえ、悲観的・批判的な観点から論じることも可能であろう。だが「ネットユーザーの活動を通じて形成されてきた独特な文化」というのがネットカルチャーの神髄であり、重視すべきは、「文化を享受する人たちのもっと積極的な側面や、みずからつくりだす可能性が意味されていて、民衆文化とのつながりでみつめようとする視点」[渡辺・伊藤編 二〇〇五：三四]なのである。

ネットカルチャーを人々に端を発する文化としてのポピュラー文化と位置づけることで、ポピュラー文化に関する研究の蓄積を援用することが可能となる。だが、ポピュラー文化の捉え方と同様に、ポピュラー文化の研究も多岐にわたるため、依拠する議論を定めづらい。本書では、ネットカルチャーの定義にある「ネットユーザーの活動を通じて形成されてきた独特な文化」という点に焦点を当て、その関連する議論として「参加文化（Participatory Culture）」の研究を参照する。

「参加文化」とは、ファン研究の分野で多くの蓄積があるヘンリー・ジェンキンスが著書『テクスト密猟』[Jenkins 2013]で最初に使用した概念とされる。ジェンキンスは、メディア産業によって生産されるドラマ、映画、書籍といったポピュラーな作品、ならびに、作中の登場人物やキャラクターの愛好者である「ファン」について、従来のようなテクストを消費する「観客」としてではなく、ファンの集まりである「ファンダム」において、新たなテクストの生産に携わる「参加者」として記述するために、参加文化という概念を使用したと述べている[Jenkins 2013]。

〔略〕ファンダムは参加文化となる。メディアの消費経験は、新たなテクストの生産をもたらす。さらには、新たな文化や新たなコミュニティを生み出すのである。［Jenkins 2013 : 46］

その後もジェンキンスは著作の中で参加文化という概念をたびたび使用し、考察を重ねている。ポピュラーなコンテンツをめぐるオーディエンスの草の根的な活動に着目するという視座は一貫しているものの、議論の範囲は、当初のようにファンの活動だけでなく、情報端末やインターネットが広く普及した環境において、コンテンツの生産、流通、共有といった過程にオーディエンスが集合的に携わる様子へと拡大している。

二〇〇六年の著書『コンバージェンス文化』［Jenkins 2006］では、オーディエンスの草の根的な活動とメディア産業が連携・融合する文化、すなわち、「コンバージェンス文化」を論じる中で、コンバージェンス文化を構成する重要な要件として「メディア融合」や「集合的知識」と並んで「参加文化」を挙げている。「参加文化という用語は受動的なメディアの傍観者という古い概念とは対照的である。メディア生産者と消費者の役割をそれぞれ分けて考えるのではなく、両者を誰も完全には理解していない新たな規則に即して互いに相互作用を行う参加者として把握する」［Jenkins 2006 : 3］。

また、ネットワーク化された環境における草の根的なコンテンツの拡散を主たる考察対象としている『スプレッタブル・メディア（拡散するメディア）』［Jenkins, Ford and Green 2013］では、参加文化は中心的な概念として位置づけられ、デジタル・ネットワーク（インターネット）時代への対応が図られている。「〔略〕〔参加文化は〕もともとファンの活動を観客という形態から分かち、検討するための概念であった。参加文化という概念は発展を遂げ、現在は、広範囲にわたる多様な集団が自分たちの集合的な利益のためにメディアの生産や流通を展開する活動を指す概念となった。〔略〕本書では、ネットワーク化されたコミュニティがメディアの循環を作り出す際に果たす役割を考察する論理へと参加文化の議論を拡大する」（〔 〕内は筆者補足、以下すべて同じ）［Jenkins, Ford and Green 2013 : 2］。

そして、参加文化に言及した「三部作」をふまえて、ジェンキンスは次のように概括している。

> 〔略〕『テクスト密猟』、『コンバージェンス文化』、ならびに最新のプロジェクト『スプレッタブル・メディア』という非公式「三部作」のうち、最も新しい著作〔スプレッタブル・メディア〕では参加文化の概念を中心に据えている。主たる関心は、受容や生産からネットワーク化された文化の内部における草の根的な流通の考察へと移行している。それぞれの著作を通じて、文化の働きが、数十年の年月を経て、より参加的なモデルへと変容していった様子を概観することができる。
>
> ［Jenkins 2013 : xxi-xxii］

インターネットを介したコンテンツの生産・流通過程への広範なオーディエンスの草の根的な関与を意味する参加文化は、本書で対象としている日本社会を文脈とするネットカルチャーにも認めることができる。例えば、先に取り上げた2ちゃんねるの文化は参加文化の一種として把握することができる。ただし、参加文化と呼べるのは、2ちゃんねるの文化に限られるわけではない。2ちゃんねる以前の文化や、2ちゃんねる以降の、例えば、ニコニコ動画、まとめサイト、ツイッター（Twitter）、あるいはそれらが複合した文化も参加文化に該当する。すなわち、ポピュラー文化に焦点を当て、その一つの形である参加文化という視座を取り入れることで、個別の現象の記述にとどまらない、ネットカルチャー研究の発展の方向性を見出すことができるのである。

2　ネットカルチャーをめぐる実践と意味

だが、日本社会を文脈とするネットカルチャー研究の発展を図るために、あえて、ポピュラー文化や参加文化の議論に着目する理由が定かではない。ポピュラー文化や参加文化という概念を用いずとも、例えば「ウェブ2.0」、「ユーザー生成コンテンツ（UGC）」、「消費者生成メディア（CGM）」といった概念によってネットカルチャーを説明することも可能ではないのだろうか。こうした疑問も提起しうる中、なぜネットカルチャー研究の発展を図るためにポピュラー文化や参加文化の議論を参照するのだろうか。その理由の一つは、ネットカルチャー、およびその研究の意義を示すためである。

ジェンキンスは、「参加文化」の議論は二つのモデルによって構成されていると述べる。一方は、社会的な実践を対象とする「記述的（descriptive）なモデル」であり、もう一方は社会的実践を通じた学習、エンパワーメント、市民活動、能力構築を対象とする「志向的（aspirational）なモデル」である

［Jenkins, Ito and Boyd 2016］。要するに、参加文化と呼びうる現象を記述する試みが「記述的なモデル」を指し、その記述をふまえて各種実践の意味を考察する試みが「志向的なモデル」を指す。この二つのモデルは本書で対象としているネットカルチャー研究にも展開することが可能である。

ネットカルチャーに関する研究は、先に挙げた2ちゃんねるの現象に焦点を当てた議論も含めて、「記述」の試みについては一定の蓄積がある。他方、「志向的なモデル」に該当する、すなわち、実践の意味を問う試みは考察の余地がある。このことを既存研究の問題点として批判するつもりはない。実践の意味に関する考察がネットカルチャー研究の要件として課されているわけではない。また、ネットカルチャーはインターネット空間に特有の文化であり、かつ内輪性を帯びることから、コンテンツの観点からも、また生活様式の観点からも、実践の意味を問うことが難しい面がある。それでも、ネットカルチャーの問題を「志向的なモデル」の枠組みで考察することは不可能ではなく、また、その試みはネットカルチャー研究の発展の可能性を示すものと考える。

趣味や娯楽といったポピュラー文化に焦点を当てた昨今の研究に目を向けてみると、「記述」をふまえて「志向」を論じる試みが認められる。浅野智彦［二〇一一、二〇一二］は、「社会参加」を「個人の力によっても親しい他者との協力によっても解決の難しい問題に向けて、必ずしも親しくない他者たちとの間に協力関係を組織していくこと」［浅野 二〇一一：八―九］と定義したうえで、趣味を仲立ちとした人間関係（＝「趣味縁」）から社会参加へと発展するような道筋を探っている。浅野は「趣味活動、趣味集団への加入および政治的・公共的活動への参加やそれについての意識」に関する調査（趣味縁調査）と、その分析結果をふまえて、趣味縁と公共的な社会参加の関係については単純に答えることは難しいものの、趣味集団への参加と公共的な社会参加の間には一定の相関があると述べている。また、辻泉［二〇一一］は個人化の進んだ現代社会における連帯の可能性について、鉄道ファンのコミュニティを事例に考察し、パソコン通信やインターネットといったオンライン上のファン・コミュニティに現代社会における新たな参加や連帯の形を見出している。一連の考察をふまえて辻は次のように述べている。「〔略〕「個人化」の進展やインターネットの普及が、もはや避けがたいものであるならば、できるかぎりはこうしたオンラインにおけるあらたな連帯について、可能性を見出していく方が生産的ではないだろうか」［辻 二〇一一：二二六］。

趣味や娯楽をめぐる実践のあり方を論じた研究では、ネットカルチャーへの直接的な言及が行われているわけではない。だがそれらの議論は、参加文化の「志向的なモデル」に当てはまるものであり、ネットカルチャーをめぐる実践の意味を考察する際の手がかりを与えてくれる。

ネットユーザーの活動は、テキスト、画像、音楽、映像といったコンテンツが関連するものであれ、「ネタ的なコミュニケーション」や「繋がり」と呼ばれるような交流と関連するものであれ、趣味や娯楽に属するような活動が数多く認められる。それらを趣味や娯楽に過ぎないと一蹴せず、実践の有り様を見出すこともできるのではないか。現状として、こうした観点からの考察が十分に手掛けられているわけではない。しかし、いくつかの既存研究からは考察を発展させていくための示唆を得ることができる。オンラインの鉄道ファンのコミュニティに着目した前掲の辻の研究もその一つに数えられる。また、2ちゃんねるのやりとりをきっかけとした「オフ会」に現代における社会運動の形を見出した伊藤［二〇一二］の研究や、浅野［二〇一一］が趣味縁と社会参加の関係を論じる中で一つの事例として取り上げていた東京都の「青少年健全育成条例改正」をめぐる動向に関して、インターネット上のニュースサイトの活動という観点から社会参加の問題に言及した研究もある[*13]［平井 二〇一五］。

先に述べたように、ネットカルチャー研究でネットユーザーの実践に関する考察が求められているわけではない。また、ネットカルチャーという「旬を過ぎた」対象に意味を見出すのは難しいかもしれない。それでも、参加文化の議論で示された「志向的なモデル」の観点からネットカルチャーの考察を展開することで、ネットカルチャー研究が各論の集積により担保されてきたという課題や、新奇な流行現象の記述にとどまるものも少なくないという課題をいくばくか解消できるかもしれない。そうした試みは、停滞傾向にあるネットカルチャー研究の発展につながると考える。

3　変容するインターネット空間におけるネットカルチャー

先にネットカルチャー研究が停滞した理由としてソーシャル化やモバイル化の進展を挙げた。こうした変化をふまえて、改めてネットカルチャーに目を向けてみると、そこにはネットカルチャーの相対化、あるいは、縮小を認めることができる。それゆえ仮にネットカルチャーの研究を手掛けようとしても、相対化、ないし縮小傾向にある現象を論じる意味が見いだせず、実際にネットカルチャー研究は滞っている。しかし、ソーシャル化やモバイル化が進展した環境においてもインターネットの草創期から継承されてきたネットカルチャーが消滅したわけではない。参加文化の議論は、こうした変化が生じた状況におけるネットカルチャー研究の意味を考察するうえでも示唆を与えてくれる。

前項で取り上げた「志向的なモデル」についてジェンキンスが「学習、エンパワーメント、市民活動、能力構築を促進する社会実践の理想の集合体」〔Jenkins, Ito and Boyd 2016: 183〕と述べているように、参加文化の議論には、オーディエンスによる草の根的な主体的参加を高く評価し、一種の理想とするような価値判断が伴っている。こうした観点からの議論は、参加文化を提唱するジェンキンスが「参加文化というのは、その絶対的な意味において、ユートピア的な目標を持つ」〔Jenkins and Carpentier 2013: 266〕と述べるように、楽観的な装いをまとっており、実際にいくつかの批判も提起されている。特に政治経済学に立脚する批判論者から、オーディエンスの参加を流用し、資本を蓄積する「ウェブ2.0」や「ソーシャルメディア」のビジネスモデルへの批判が乏しいと指摘されている〔van Dijck and Nieborg 2009; Fuchs 2017 ほか〕。「〔略〕ジェンキンスが示す「参加文化」という概念は、表現、関与、創造、共有、経験、貢献、感情に関わる実践を主として指し示す。ただし、こうした実践が資本の蓄積によって実現され、逆説的に資本の蓄積をもたらしていることに触れてはいない」〔Fuchs 2017: 70〕、「参加文化、ならびに参加文化の生産者としてのソーシャルメディアに関するジェンキンスの説明は文化還元主義や文化決定論の一種である。彼の説明は人間の行動を取り巻く構造的な制約や構造と主体の弁証法を無視している」〔Fuchs 2017: 82〕。

こうした批判に対して、ジェンキンスは「参加文化とウェブ2.0の間には概念的なずれが多分に認められる」、「大量のデータに依拠した広告モデルによって経営が成り立っているソーシャルメディア企業は、ソーシャルメディアのエコシステムに定着した参加文化の実践から利益を得ている。だからといって、資本主義者のアジェンダによって参加文化が恩恵を受けているなどと単純に言えるわけではない」［Jenkins, Ito and Boyd 2016 : 185］と述べ、ウェブ2.0やソーシャルメディアのビジネスモデルと参加文化の差異を強調している。

ＧＡＦＡ（Google, Apple, Facebook, Amazon）に代表されるプラットフォーマーの支配が顕著な現在のインターネット空間に目を向けたとき、批判論者の指摘はもっともであり、参加文化を強調するのは確かに楽観的である。だが、参加文化にかかわるネットユーザーの実践や、そこから生まれる文化は失われておらず、ネットカルチャーは安易に退けられるものではない。むしろ、大企業による支配が進むインターネット空間で残存するネットカルチャーに着目することで、文化を生成する実践だけではないネットカルチャーの意味を見出すことができると考える。

例えば、ウェブ2.0やソーシャルメディアのビジネスモデルを批判的に論じる研究で指摘されるような現象は、日本社会を文脈とするインターネット空間においても、ブログやＳＮＳの普及以降、目につくようになった。例えば、二〇〇〇年代後半から二〇一〇年代前半にかけて多くの閲覧者を集めた「まとめサイト」は、サイトに掲載された広告収入の獲得を主たる目的として運営されている。[*14] まとめサイトのコンテンツである「記事」は、電子掲示板やツイッターの投稿をもとに作成されている。ただし、それらの「記事」は、ほとんどの場合、サービスの運営者や投稿者から転載の許諾を得ておらず、投稿者に利益が還元されることもない。また、まとめサイトのような事例に限らず、ブログ、口コミサイト、SNS、動画投稿サイトにおいて、非営利に見えるコンテンツやユーザーの活動が、実際には企業のマーケティングであったという、いわゆる「ステルス・マーケティング（ステマ）」とも呼ばれる事例も多数報告されている。*15

以上のような事例からは、企業による資本蓄積とまでは言えなくとも、ウェブ2.0やソーシャルメディアのビジネスモデルとの関係性を見出すことができる。だが、ネットユーザーたちは自らの活動が経済的な利益の獲得のために流用されていることに無自覚ではない。日本社会を文脈とするインターネット空間では、ソーシャルメディアの普及以前から、（第三者が）経済的な利益を得る目的でネットカルチャーを流用する行為はネットユーザーによって厳しく批判されてきた。*16 このような態度は、ネットスラングでは「嫌儲（けんもう）」とも呼ばれ、ネットユーザーの間で規範として共有されてきた*17［川上 二〇一四］。

「まとめサイト」や「ステマ」についてはネットカルチャーに触れることなく論じることもできる。だが、投稿の流用をめぐるコンフリクト、そして、ビジネスモデルや経済的な利益を追求する活動に対するネットユーザーの批判を押さえなければ、一連の騒動は十分に理解できない。すなわち、ネットユーザーの実践、そこから生まれる文化は、現在のインターネット空間の動態を把握するうえでも重要な対象であり、時に批判的な意味合いも帯びている。参加文化を提唱したジェンキンスのように、ネットカルチャーを「理想」あるいは「ユートピア的な目標」として掲げるつもりはない。だが、ネットカルチャーの相対的・批判的な位置づけに目を向けることは、ソーシャル化やモバイル化が進展し、行き詰まりの感を覚えるネットカルチャー研究を進展させる一つの方向性を示しているのである。

おわりに

本章では日本社会を文脈とするインターネット空間において主として面識を持たないネットユーザーの活動を通じて形成されてきた独特な文化、いわゆる、ネットカルチャーに関する研究の停滞、および発展の方向性について考察した。ネットカルチャー研究は、2ちゃんねるの現象を扱った研究によってある程度まかなわれてきた。だが、2ちゃんねるへの社会的な関心が薄れ、あわせて、ソーシャル化やモバイル化が進展したこともあり、研究は停滞していった。一定の研究蓄積があり、かつ、社会的な関心が低下し、相対化、ないし縮小傾向にある現象をあえて論じる必要はないのかもしれない。それでもネットカルチャーは完全に消滅したわけではなく、その研究も尽くされたわけではない。こうした問題意識に基づき、本章ではネットカルチャーをポピュラー文化の文脈に位置づけ、その一つのアプローチである参加文化の議論を手がかりとしながら、ネットカルチャー研究の発展の可能性を考察した。

参加文化の議論を参照することで、ネットカルチャーの研究を手掛ける意味へと接近することができた。あわせて、ソーシャル化やモバイル化により変容したインターネット空間におけるネットカルチャーの意味を問う視座を得ることができた。もちろん、本章の考察は着想に留まる部分が多く、ポピュラー文化や参加文化という観点からネットカルチャーを論じることの有効性を示すには事例分析も交えた研究を積み重ねる必要がある。加えて、ポピュラー文化や参加文化の概念・理論が含意する理念の問題も検討しなければならない。そもそも、ネットカルチャー研究の発展を図るうえでポピュラー文化の文脈に位置づけることが最適というわけでもない。例えば、文化史の研究にしても総論と各論の双方で十分な蓄積があるわけではない。また、資本、言説、権力、イデオロギーといった概念・理論を交えた批判的な文化研究も日本ではほとんど手掛けられていない。いささか投げやりではあるが、ネットカルチャー研究の発展が図られるのであれば、どのようなアプローチを採用しても差し支えがあるわけではない。ただそれでも、ネットユーザーの活動を通じて形成された独特の文化に焦点を当てるのであれば、情報端末やインターネットを通じた一般の人たちの草の根的な実践に着目するポピュラー文化や、その一つのアプローチである参加文化の議論を参照することは意義があると考える。本章はその端緒と位置づけておく。

1——「文化」は、「コンテンツ」に寄せた理解と「生活様式」としての理解に大別される［井上・長谷編 二〇一〇／難波 二〇一一ほか］。ネットカルチャーも同様に分類できるが、本書では、慣習、規範、価値観、言語、コードといった「生活様式」を文化と把握し、「コンテンツ」はそれらが反映されたものと位置づける。

2——本書は「インターネット以後」に焦点を当てるが、ネットカルチャーの形成を考える際には「インターネット以前」にも目を向ける必要がある。ネットカルチャー史でも指摘されているように、ネットカルチャーはインターネット以前のパソコン（マイコン）文化を部分的に継承している。

3——一九九七年のインターネット利用者数は一一五五万人で、人口普及率は九・二%であった。二〇〇〇年にはインターネット利用者数は四七〇八万人、人口普及率は三七・一%まで増加している（総務省、情報通信統計データベース）。

4——E-ZINEは「Electronic Magazine」の略称で、インターネット上のミニコミ誌のような意味合いを持つ。

5——WAREZ（ワレズ）とは、「Softwares」の略称で、商用ソフトウェア（シェアウェア）や音楽、ゲーム、映画といった著作物の無断複製や、コンピュータ・ネットワークを介して著作物の配布（アップロード）や取得（ダウンロード）を不正に行う活動の全般を指す言葉である。外国では「ウェアーズ」や「パイレーツ（海賊）」と呼ばれるが、日本ではローマ字読みで「ワレズ」と呼ばれる［ばるぼら 二〇〇五ほか］。Proxy（プロキシ、あるいは「串」）とは、プロキシサーバーの略称で、アングラではＩＰアドレスを偽装する際に使用されていた。

6——これらの掲示板サイトは、前述の「アングラ」の一端を構成していたことから「アングラ掲示板」と呼ばれる場合もある。

7——「掲示板への書き込みを行いたくなるような出来事」として、「東芝クレーマー事件（東芝ユーザーサポート問題）」、「東海村臨界事故」、「世田谷一家殺害事件」などが挙げられる［ばるぼら 二〇〇五］。

8——事件に関するインタビューでの管理者（当時）の「うそはうそであると見抜ける人でないと（掲示板を使うのは）難しい」という発言は広く知られている。

9——事例として、2ちゃんねるの書き込みをめぐる訴訟、「2ちゃんねる閉鎖騒動」、「ギコ猫商標登録事件」、「湘南ゴミ拾いオフ」などが挙げられる［ばるぼら 二〇〇五］。

10――「フラッシュ」とは、動画、音声、ゲームなどのコンテンツ配信に適した規格「Flash」に準拠して制作された音声・映像作品を指す（第四章参照）。遠藤編［二〇〇四］では、フラッシュの事例として、ゴノレゴシリーズの「吉野家」や「UNIX 2ちゃんねる閉鎖危機騒動」、オフ会（ネタオフ）の事例として、「湘南ゴミ拾いオフ」、「吉野家オフ」、「マトリックスオフ」、「折鶴運動」などが挙げられている。

11――グーグルが提供しているサービス「Google トレンド」を通じて確認することができる。

12――例えば、以下のような記事がある。ねとらぼ（二〇一六年二月一一日）「かつての存在感を失った「2ちゃんねる」の明日はどっちだ」（http://nlab.itmedia.co.jp/nl/articles/1602/11/news019.html）。

13――東京都の青少年健全育成条例改正をめぐる動向とは、二〇一〇年二月に一八歳未満に見える表現対象による性行為を規制する内容を盛り込んだ改正案が都議会に提出されたことを端緒とする騒動である。一連の過程では漫画家、出版業界、法律家、一般市民など様々な利害関係者によって改正案への異議が唱えられ、インターネット上でも争点となり活発な議論が展開された（第二章参照）。

14――ここで言う「まとめサイト」は、主として電子掲示板サイト2ちゃんねる、あるいはツイッターの書き込みを編集し、記事として掲載するウェブサイト（ブログ）を指す。ただし広義には、インターネットを通じて収集・編集した情報を掲載するウェブサイトの総体を「まとめサイト」と呼ぶ。

15――ステルス・マーケティングの事例として、ペニーオークション（入札時に手数料が必要なオークション）のサイトを複数の芸能人がブログで宣伝していた問題などが挙げられる（朝日新聞、二〇一三年一月二〇日朝刊「やらせ「おすすめ」横行　業者が依頼、ブログで宣伝」）。なお、「ステマ」という用語（略語）は、2ちゃんねるの書き込みを編集し、記事として掲載するサイトである「まとめサイト（ブログ）」によるステルス・マーケティング疑惑の際にネットスラングとして広まった。

16――二〇〇二年に2ちゃんねるで使用されていたアスキーアートのキャラクターを玩具メーカーが商標登録出願し、物議を醸した事例や、フラッシュ動画で使用されていたアスキーアートのキャラクターを音楽会社がグッズ展開、ならびに商標登録出願したことに対して2ちゃんねるを中心に反発が起きた事例などが挙げられる［濱野 二〇〇八／川上 二〇一四］。

17――「嫌儲（けんもう）」とは、金「儲」けが絡むような活動を「嫌」う価値観、およびそのような価値観を共有するネットユーザーを指すスラングである。「けんちょ」や「いやもう」とも呼ばれることもある。川上量生は「嫌儲」の感情について、「「インターネットで儲ける＝自分たちが搾取されている」という意識が存在することだ。自分たちがお金など関係なく楽しんでいた場で勝手に金儲けをされているという怒りである。ネット原住民には、インターネットはみんなの共有財産という感覚がある」［川上 二〇一四：三四］と解説している。

第二章

インターネット上のニュースとアマチュアによる草の根的な活動

はじめに

本章では、インターネット上でポピュラーな情報や話題を「ニュース」として扱うアマチュアによる草の根的な活動に着目し、考察を行う。[*1]

インターネットとニュースの関係を一言で説明するのは不可能である。ただし、一つの特徴として、専門的な組織に属さないアマチュアがニュースの生産や発信に携わるようになったことが挙げられる。従来、ニュースは新聞社やテレビ局といったマス・メディア組織、そして、マス・メディア組織に属する「ジャーナリスト」が生産や発信・流通を主に担ってきた。しかし、インターネットの普及により、職業的な訓練を受けず、大規模な設備を有していないアマチュアであっても、ホームページ、ブログ、ソーシャル・ネットワーキング・サービス（SNS）、ツイッター（Twitter）、動画投稿サイトなどを通じて、自らが生産したニュースを発信できるようになった。

こうしたアマチュアによるニュースの生産や発信といった活動は、「市民ジャーナリズム」に代表されるように、一部の評論や学術的な論考の中では、マス・メディア組織によるジャーナリズムを補完、ないし代替する活動として期待されてきた。だが、日本社会を文脈とするインターネットの歴史に目を向けてみると、世間的にも、そして学術的にも、まったくと言ってよいほど期待や注目を集めないニュースの生産や発信といった活動が草の根的に展開されてきた。それらは、アニメ、ゲーム、漫画などの情報、インターネット上の話題、「ネタ」とも呼ばれるような嘘や冗談、そして、卑猥な話題など、マス・メディア組織によるジャーナリズムの基準ではニュースと見なされないポピュラーな情報や話題をニュースとして扱ってきた。そうしたニュースは独自の取材に基づき生産されたものではなく、いずれかの媒体ですでに掲載されたニュースを編集したものや転載したものが大半を占めている。「低俗」や「偏向」とカテゴライズされるニュースも少なくない。それゆえ、評論や学術の分野で期待も注目も集めず、これまでほとんど言及されてこなかった。

それでも、ポピュラーな情報や話題に関するニュースの生産・発信を手掛ける草の根的な活動は、インターネットの普及初期から現在に至るまで、様々な形で展開されてきた。また、それらの中には「まとめサイト」のように多くの閲覧を集めたウェブサイトも存在する。本章では、インターネット上でポピュラーな情報や話題をニュースとして扱う草の根的な活動、および関連するウェブサイトを、端から研究対象として価値がないものと退けるのではなく、インターネットとニュースの問題の理解に資する対象と位置づけ、事例分析を交えながら、その意味を明らかにしていく。

一　インターネット上のニュースをめぐる草の根的な活動の歴史

日本社会を文脈とするインターネット空間においてポピュラーな情報や話題をニュースとして扱う草の根的な活動の歴史は、インターネット草創期までさかのぼる。

ばるぼら［二〇〇五］は、アマチュアの個人が運営するニュースサイトの先駆けとして、「MacTree」（一九九五年八月）や「Macintosh News」（同年一〇月）を挙げている。[*2] 二つのサイトはいずれもアップル社のパーソナル・コンピュータ（パソコン）「マッキントッシュ」関連の話題を扱っており、主な内容はソフトウェアのバージョンアップ情報やバグ関連の情報であったとされる。その後、一九九六年から一九九七年頃にはパソコン上でテレビゲームのソフトウェアを動作させる「エミュレータ」関連の情報を扱うニュースサイトが増加した。代表的なサイトとして「志保ちゃんのエミュレータニュース」（一九九七年一一月）が挙げられる。同サイトについて、ばるぼらは「ここは日本で一番最初にヒットした個人ニュースサイトだと言ってしまっていいだろう」［ばるぼら 二〇〇五：二四〇］と解説している。そして一九九八年から一九九九年頃にかけては、エミュレータに限らず、著作物の不正配布・利用（WAREZ）をはじめとする「アングラ（UG）」関連の情報を幅広く扱うニュースサイトが増加した。

以上のように、アマチュアが運営する初期のニュースサイトは、パソコン関連の専門的な情報やアングラ情報など、比較的「マニア」向けの情報を扱っていた。だが、一九九九年から二〇〇〇年頃になると、ゲーム、アニメ、パソコンといった、いわゆる「オタク」向けの情報を軸としながら、インターネット上の話題や時事問題まで幅広い情報を扱うウェブサイトが増加していった。これらのサイトは「個人ニュースサイト」とも呼ばれた。当時、多数存在した個人ニュースサイトの中で注目を集めたサイトとして「バーチャルネットアイドル　ちゆ12歳」や「侍魂」が挙げられる。その他、二〇〇〇年代後半まで一定の閲覧を集めた個人ニュースサイトとして「カトゆー家断絶」、「Hjk／変人窟」、「楽画喜堂」、「ゴルゴ31」、「（・∀・）イイ・アクセス」などが挙げられる。[*3]

アマチュアの個人が自身の運営するウェブサイトに趣味関連の情報を掲載する活動は、一九九〇年代後半から二〇〇〇年代前半にかけて活発に展開された。だが、そうした活動は徐々に下火となっていった。インターネット草創期を源流とするニュースサイトの歴史、ないし文化は、二〇〇〇年代後半には終焉を迎えたと言っても差し支えはない。だが別の文脈に目を向けてみると、アマチュアによる草の根的な活動は活況を呈していた。その盛り上がりの中心に位置していたのは、電子掲示板サイト「2ちゃんねる」の書き込みを編集し、記事として掲載するブログ、いわゆる「まとめサイト」である。

「まとめサイト」の先駆けは二〇〇〇年六月に開設された「2ちゃんねる研究」とされる［ばるぼら二〇〇五ほか］。同サイトは2ちゃんねるのスレッドをもとにした文章を掲載しており、「まとめサイト」というよりは前述の個人ニュースサイトに近いものであった。[*4] 同時期には「2ちゃんねる研究」に類似した様式のサイトが複数開設されたが、「まとめサイト」と呼べるブログが登場したのは、2ちゃんねるに「ニュース速報ＶＩＰ（板）」（通称「ニュー速ＶＩＰ」）が開設された二〇〇四年以降である。まとめサイトの「始祖」とも言われる「ニュー速ＶＩＰブログ（´・ω・｀）」は、ＩＴ系の情報雑誌「ネットランナー」が実施した企画「ベスト・オブ・常習者サイト２００５」で大賞を受賞するなど多大な人気を集めた。その後もまとめサイトは増加し、ジャンルも多様化していった。それらの中からは月間一億ページビューを記録するサイトも登場するなど、企業が運営するニュースサイトに引けを取らない、あるいはそれらを上回る勢いを見せた。[*5]

まとめサイトについては、2ちゃんねるの書き込みや画像イラストなどの無断使用、閲覧者を増やすための意図的な編集、「炎上」を誘発するような記事の掲載など様々な問題が認められる。また、前述の個人が運営するウェブサイトとは異なり、複数人で組織的に運営されているサイトや企業の関与が取りざたされるサイトも存在する。[*6] そもそも、2ちゃんねるの書き込みを編集し、掲載するサイトを「ニュースサイト」と見なせるのかという疑問も生じる。ただそれでも、時事問題から趣味に属するような話題に至るまで、新しい情報を定期的に掲載（転載）し、多くのネットユーザーの閲覧者を集めているという点で、まとめサイトもまた、ニュースの生産・発信にかかわるアマチュアによる草の根的な活動として位置づけられるのである。

日本社会を文脈とするネットカルチャーの歴史に精通していない者や実際に閲覧した経験がない者にとって、ポピュラー情報や話題に関するニュースの生産・発信を手掛ける草の根的な活動は馴染みがあるとは言い難い。また、扱っているニュースが趣味的な事柄であったり、ネタと呼ばれるような嘘や冗談交じりの話題であったりすることから、言及がはばかられるかもしれない。「低俗」や「偏向」、ないしは「捏造」と呼びうるニュースも少なくない。だが、そうした活動がマス・メディアに代表されるニュースの生産にかかわる企業や組織が扱わない話題や出来事を取り上げ、インターネット上で多くの閲覧者を集めてきたのは確かである。ポピュラーな情報や話題をニュースとして扱う草の根的な活動に着目した研究は、インターネットが広く普及した社会におけるニュースの問題について何かしらの示唆や知見を与えてくれるものと考える。

二　アマチュアによる草の根的な活動を研究することの困難

ポピュラーな情報や話題をニュースとして扱う草の根的な活動は、日本のインターネット草創期から現在に至るまで展開されてきた。また、内容の是非はともかく、まとめサイトのように企業が運営するニュースサイトをしのぐページビュー数を記録するサイトも存在する。インターネットとニュースの問題を考察するうえで、アマチュアによる草の根的な活動は注目に値する。だが、それらに焦点を当てた研究はほとんど(あるいは、全くと言ってよいほど)行われてこなかった。

インターネットの登場・普及以後、個人による情報生産・発信は常に期待を交えながら言及されてきた。例えば、日本の「インターネット元年」の翌年にあたる一九九六年に出版された文献には次のような記述がある。

〔マス・メディアに〕対してインターネットは、WWWやメーリングリストなどで「情報を自ら発信する」という能動型の情報生活を可能にする。これによって、わくわくするような、つまり共愉的な時間が訪れるのだ。もちろんつねにこうなるとはかぎらないが、人びとを引きつけてやまないのは、マスコミ報道などではわからない等身大の情報であり、自らの経験によって醸成され、身体化された知識である。

〔古瀬・廣瀬 一九九六：一九七〕

こうした見通しを楽観的であると批判するのは容易である。しかし、その内実はともかく、ブログ、SNS、ツイッターなどの利用実態に示されるように、「「情報を自ら発信する」という能動型の情報生活」は到来している。本章で考察対象としている活動もその事例に含めることができる。しかし、それらを対象とした研究はほとんど見当たらない。その理由はなぜか。

一つとして、ニュースのジャンルという要因が挙げられる。平井智尚〔二〇一〇〕の調査結果によると、前述の「個人ニュースサイト」に該当する「見出し・分類サイト」に掲載されたニュースの大半は、アニメ、ゲーム、漫画といったポピュラーなコンテンツの話題が占めていた。*7 また、「まとめサイト」では、日本では起こり得ないような外国の面白い出来事〔ネタ〕や、「ソマリア海賊狩りツアー」のような嘘や冗談をニュースとして取り上げていた。先にも述べたとおり、インターネットを通じたアマチュアによる情報生産や発信は、マス・メディア組織によるジャーナリズムとの対比で語られることが多い。「〔略〕インターネットの普及によって個人でも容易に情報を世界中に向けて発信することが可能になった。これは、従来のメディア企業やジャーナリストだけがジャーナリズムを支えるのではなく、インターネットの利用者一人ひとりがジャーナリズムの主体になりうる可能性が生まれていることを意味している」〔前川・中野 二〇〇三：二二五〕。しかしここには本章で議論の対象としている草の根的な活動は含まれない。期待されてきた（いる）のは、あくまでもマス・メディア組織によるジャーナリズムの代替・補完である。パソコンやアングラといった「マニア」向けの情報、個人ニュースサイトが扱う「オタク」向けのアニメ、ゲーム、漫画関連の情報、まとめサイトが掲載する嘘や冗談、いわゆる「ネタ」が入り交じる情報の生産や発信は期待されてはいないのである。

もう一つの要因としてニュース生産の手法が挙げられる。マス・メディア組織によるジャーナリズムの代替・補完としての情報生産や発信の理想は、市民による、市民目線から報道であろう。例えば、二〇一〇年に休刊した日本のインターネット新聞「JanJan」には次のような理念が掲げられていた。[*8]

多くの人々が市民記者になって生活や仕事、ボランティア活動の現場からニュースを送ります。

こうした理念をふまえたうえで、改めて本章で考察対象とする活動に目を向けると、それらが「理念」とかけ離れているのは明白である。一部のサイト[*9]を除くと、アマチュアの運営するウェブサイトに掲載されるニュースのほとんどは、サイト運営者が自ら取材した情報に基づくものではない。すでにいずれかの媒体に掲載されたニュースを編集したものや転載したものが大半を占めている。言うなれば「二次情報」や「三次情報」に過ぎないのである。それらは「人々が新しいと認識する情報」というニュースの性質が損なわれている。

ポピュラーな情報や話題をニュースとして扱う草の根的な活動が研究対象として扱いづらいのは、

多くの人々にとって馴染みが薄いという理由もある。しかしそれ以上に、マニアやオタクが好む情報や話題をはじめとし、嘘や冗談、あるいは揶揄や中傷も入り交じり、あまつさえ既報の（無断）転載や流用によって展開される活動を、研究対象として設定することに違和感を覚えるためではないだろうか。

三 ポピュラー文化とニュース

だが、趣味や娯楽の色彩が強いポピュラーなコンテンツの情報や、嘘や冗談、あるいは揶揄や中傷が入り交じるような情報や話題をニュースとして扱い、それらを研究対象に設定することの困難はいまに始まったわけではない。

ジョン・ハートレーは専門的なジャーナリズムに焦点を当てる研究と、娯楽やフィクション、ならびにオーディエンスの能動性に焦点を当てるポピュラー文化研究との間には溝があると指摘している[Hartley 2008, 2009]。本章で取り上げているアマチュアによる草の根的な活動は、ポピュラー文化に属するものであり、ジャーナリズムとは区別される。伊藤守は、「（ニュースの）「ソフト化」「タブロイド化」「娯楽化」といった概念で表現された変化を、無前提に、ネガティブな現象として捉え」、「政治や経済を中心とした「ハード・ニュース」中心の選択や従来型の報道スタイル、場合によっては新聞に代表される活字メディアを、無意識の内に高い価値をもつものとして捉える」[伊藤 二〇〇六：七—八]

見方があると述べている。この指摘に基づくならば、本章で対象としている活動は「ソフト化」、「タブロイド化」、「娯楽化」といった概念で把握され、ネガティブな現象として評価される。これまでインターネット上のニュースをめぐるアマチュアによる草の根的な活動の研究がさほど進展しなかったのは、ジャーナリズム論、あるいは、ニュース論の対象として価値がないと見なされてきたことも理由の一つとして挙げられよう。「ポピュラー文化はジャーナリズム研究において「別物」として扱われることが多い。すなわち、娯楽、商業主義、勧誘、個人的アイデンティティと関連するポピュラー文化は、自由、真実、権力、組織的なニュース製作を特徴とするジャーナリズムとは相いれないのである」[Hartley 2009: 317]。

他方、「高い価値をもつ」、「ハードニュース」を中心としたジャーナリズムを前提にニュース論を展開することへの問題提起や、ポピュラー文化の視座をニュース論に取り入れる提案も行われている。ハートレーは、ブログ、SNS、動画サイト等に言及しながら、公衆が自らを表象する領域としてポピュラー文化を位置づけ、「ポピュラー文化がジャーナリズムを繁殖させる新たな経験の基礎となることは間違いない」[Hartley 2008: 688]と述べている。また、ジャーナリズムやニュースとポピュラー文化の区分・対立の経緯を整理したうえで、デジタル技術を通じた人々のニュースへの多様な関与、例えば、ニュースの生産、再編集、共有、コメント、リンクに焦点を当て、「ニュースユーザー」ならびに「ニュース利用」という概念をもとにして、ジャーナリズム論やニュース論の再考を試みた研究も見受けられる[Picone, Courtois and Paulussen 2014; Picone 2016]。その他、新しいメディアと伝統的メディア、企業と草の根、メディア生産者と消費者の連携・融合を意味する「コンバージェンス」という概念に依拠した研究も同様の問題関心をもって考察を展開している〔Jenkins 2006; Jenkins and Deuze 2008ほか〕。このようにポピュラー文化の視点からジャーナリズムやニュースの問題を考察する試みは、インターネットの普及以降、その機運が高まっているが、ここではそうした議論の嚆矢と位置づけられるジョン・フィスクの「ポピュラーニュース論」〔Fiske 1989＝1998〕に目を向けてみる。

フィスクは民衆によるテクストの解釈という実践を論じる中で、民衆がニュースを通じて提供される情報を受容するだけでなく、テクストと自らの日常生活を関連づけながら（＝有意性）、積極的に解釈し、楽しみ（＝快楽）を見出していると指摘する。そしてこのような民衆による創造性を「ポピュラー文化」と見なし、ポピュラー文化の基準でニュースを把握するという見方を示している。

> しかし、テレビニュースは上から与えられる情報を受けとるわけではなく、快楽のために見られているのもたしかなのだ。自分たちの日常生活で役に立つものがないかという目で見られているといってもよい。ようするに視聴者はニュースが提供する情報をただ受けとるわけではなく、もっと創造的に、ニュースが提示するものを見て世界がどのようなものであるかを自分なりに理解しようとしているのである。
>
> 〔Fiske 1989＝1998：229〕

フィスクの議論は、ポピュラー文化とジャーナリズムやニュースの関係に焦点を当てた研究の一つの原点と位置づけられており、後続の研究と同様に、双方の区分、ならびに、ポピュラー文化に対する専門的なジャーナリズムや社会的に責任のあるニュースの優位性が問題意識として据えられている。

フィスクの議論は全般的に民衆によるテクストの読みをめぐる能動性や快楽、そしてヘゲモニー的な権力に対する抵抗を強調するきらいがあり、「記号論的民主主義」や「記号論的権力」[Fiske 1987=1996] といった見方に対しては多くの批判が提起されている。それゆえポピュラーニュース論についても、従属的な立場にある民衆による解釈や創造性を強調し、支配層に対する抵抗の契機として把握されうる。「たとえばテレビニュースからポピュラーカルチャーを創造することができ、またそれが快楽でもありうるのは、社会的に従属的な立場の者たちがニュースを見て自分なりに解釈ができるときである。そうでなければニュースは支配層のヘゲモニー的な文化の一部分であるにすぎない」[Fiske 1989=1998: 10]。

ポピュラーニュース論が民衆への迎合、そしてヘゲモニー的な権力との闘争を含意していることは否めない。だが議論の主意は、ニュースの問題を考える際にポピュラー文化に目を向けることにあり、専門的なジャーナリズムや社会的に責任のあるニュースとの関係では、それらとポピュラーニュースの対立を強調するのではなく、双方の共存に目を向けることを提案している。

われわれは「責任ある」ニュースと「ポピュラーな」ニュースを敵対させたいのではなく、提供されるレパートリーを多様化するようもとめているのである。レパートリーが多様になれば、ポピュラーニュースが人びとの関心を引きつけ、好奇心を刺激することを目的にしてもまったく問題はないだろう。好奇心で見たニュースがその人のおかれた社会状況にとって意味のあるものであれば、視聴者はもっと詳しい情報を得るために他のかたちのニュースを見ればよいのである。ニュースはさまざまな部門でそれぞれに異なる意味をもち、異なる目的で見られている。

［Fiske 1989＝1998：299］

フィスクの論に依拠すると、ポピュラーニュースはニュースのレパートリーの多様化に寄与するものであり、専門的なジャーナリズムや社会的に責任のあるニュースとは異なる回路で、民衆が自らの関心や日常生活との関連性を見出す機会を提供するものと位置づけられる。このような視座は、本章で課題として挙げたインターネットにおけるニュースの生産や発信とアマチュアによる草の根的な活動の研究を展開していく際に示唆を与えてくれる。

ポピュラーな情報や話題をニュースとして扱う草の根的な活動の研究が活発に行われてこなかったのは、ネットカルチャーに精通している者以外には馴染みが薄いという理由もある。だが加えて、専門的なジャーナリズムや社会的に責任のあるニュースとの関係で研究対象として扱いづらいという理由もあったのではないか。もちろん、そうした視座に立ったジャーナリズム論やニュース論の考察は重要である。ただし、その基準を草の根的な活動の考察に当てはめる必要はない。インターネット上で展開されるアマチュアによる草の根的な活動を通じて生産・発信されるニュースをポピュラーニュースの観点から理解し、どのような情報や話題がニュースとして扱われるのか、どのようなニュースが人々によって閲覧・リンクされ、コメントを集めるのか、また場合によっては、社会参加や社会問題と接点を持つのか、といった問いを立て、調査・分析を手掛けることは、インターネットとニュースに関する研究の発展という点で意味のある試みであると考える。

四　アマチュアによる草の根的な活動と社会問題の接点
――東京都青少年健全育成条例改正を事例として

1　東京都青少年健全育成条例改正をめぐる動向とインターネット空間の動向

ここまで考察をふまえて、本節ではインターネット上で展開されるアマチュアによる草の根的なニュースの生産・発信について、事例に基づく調査・分析を展開していく。その事例として、二〇一〇年一二月の東京都青少年健全育成条例改正をめぐる動向を選択する。

東京都青少年健全育成条例とは、一八歳未満の青少年の健全な育成のための環境整備を目的に一九六四年に東京都が制定した条例である。同条例のうち二〇一〇年に改正が検討されたのは第七条の一「図書類等の販売等及び興行の自主規制」であり、二〇一〇年二月に都議会に提出された条例改正案で一八歳未満に見える表現対象による性行為を規制する内容が第七条の一第二号に新設された。本条項については、表現の自由の侵害を招くという批判が起こり、同年三月の都議会で条例改正案は継続審議となり、六月には否決・廃案となった。しかし、東京都は一二月議会での採決を目指して、文言の修正を行い、一二月一五日に条例改正案は成立した。この一連の過程では漫画家、出版業界、法律家、一般市民など様々な利害関係者によって改正案への異議が唱えられた。また、以下で見るように全国紙でも報道されている。

東京都青少年健全育成条例をめぐる動向は、表現の自由や性表現の規制など論争を喚起するような話題であり、社会的にも一定の関心を集めた。ただし、ここではそうした争点を論じるのではなく、条例改正問題をめぐってインターネット上で展開されたアマチュアによる草の根的な活動、および、そうした活動を通じて生産・発信されたニュースに目を向ける。なぜ、そのような活動やニュースに着目するのか。

第一に、条例改正案に反対する意見や活動がインターネット上で活発に展開されたことが挙げられる。「今回も改正反対の議論や条例案についての情報は主として、新聞や雑誌ではなく、インターネットを通じて広がった」[*10]（朝日新聞、二〇一〇年七月一六日夕刊）。「東京都青少年健全育成条例の改正案では、「非実在青少年」という言葉が注目を集め、ネットで反対運動が広まった」[*11]（産経新聞、二〇一〇年一一月一八日東京朝刊）。このようにインターネット上での活動が盛り上がる中、同じくインターネットにおける草の根的な活動を通じて生産・発信されたニュースは条例改正問題をどのように扱っていたのか。この論点は条例改正問題に言及した既存研究[*12]では触れられておらず、その諸相を明らかにする試みは一定の意味があると考える。

第二に、本章が対象とする草の根的な活動を通じて生産・伝達されるニュースでは、条例が対象とするようなアニメ、ゲーム、漫画といったポピュラーなコンテンツの情報や話題が多く扱われているためである。前述のとおり、ポピュラーなコンテンツのニュースは、趣味や娯楽、ないしは「オタク」向けの情報や話題の域を出ない。それゆえ、それらをニュースとして扱うような活動は研究対象としづらい面がある。だが、社会的に関心を集めた問題との結びつきがあれば、研究に際しての困難は多少緩和される。例えば、マス・メディア報道と比較しながら、その特徴を明らかにするといった試みが可能となる。

第三に、条例改正問題を「社会問題」という観点から論じた先行研究が存在するためである。赤川学［二〇一二］は、社会問題の構築主義の立場から条例改正問題を事例として取り上げ、ジョエル・ベストの社会問題の自然史モデルを参考にしながら問題の構築過程を整理したり、先行事例としての一九九〇年代の有害コミック問題との争点比較を行ったりしている。本章では社会問題の構築主義に依拠した考察を行うわけではない。しかし、問題の構築過程の中で赤川が「ウェブ上での大衆の反応」を取り上げているように、インターネット上における一般の人々の動向は議論の対象となりうる。そこには本章で考察の対象としている活動も含まれる。繰り返し述べているように、アマチュアによる草の根的な活動を通じて生産・発信されるニュースの多くは趣味に属し、嘘や冗談も入り交じる。それゆえ、善し悪しを語るようなアプローチを除くと、その議論は困難である。しかし、社会問題の過程という視座を補うならば、アマチュアによる草の根的な活動、ならびにその活動を通じて生産・発信されるニュースを規範的な観点から診断する必要はなくなる。翻って、社会参加や社会問題との接点を見出す機会となる。

以上の論点整理をふまえて、「個人ニュースサイト」と「まとめサイト」の中からそれぞれ五つのサイトを選択し、条例改正問題を事例とする調査・分析を実施していく。*13

2　個人ニュースサイトとまとめサイトにおける条例改正問題への関心

そもそもニュースの生産や発信に携わる草の根的な活動の文脈で条例改正問題は関心を集めていたのだろうか。そこで最初に、ニュースへの関心度や重要度、いわゆる「ニュースバリュー」を確認する。本項では「個人ニュースサイト」および「まとめサイト」と全国紙五紙を比較しながら、条例改正問題のニュースバリューを明らかにしていく。

二〇一〇年一二月に掲載されたニュースの推移を調べると媒体間で大きな差はなかった（グラフ①〜③）。最初に記事の掲載数が増えたのは一二月一五日に都議会で条例改正案が成立するまでの期間であり、いずれも条例改正案の可決・成立に関連する記事を掲載している。他には、二〇一一年三月開催予定の「東京国際アニメフェア」に出版社が参加の取りやめを表明した話題（一二月八日、一〇日）もそれぞれの媒体が記事を掲載している。次に記事の掲載数が増えるのは、東京国際アニメフェアに参加を予定していたコンテンツ関連八社が独自イベントの開催を発表した一二月二八日と翌二九

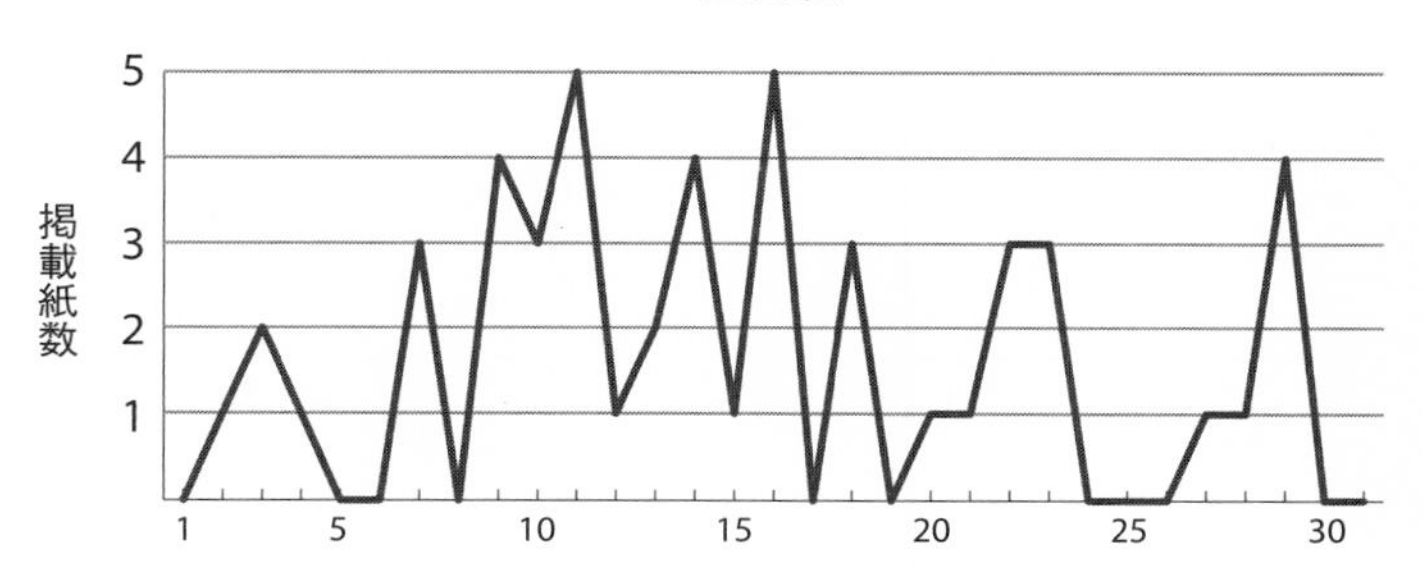

個人ニュースサイト

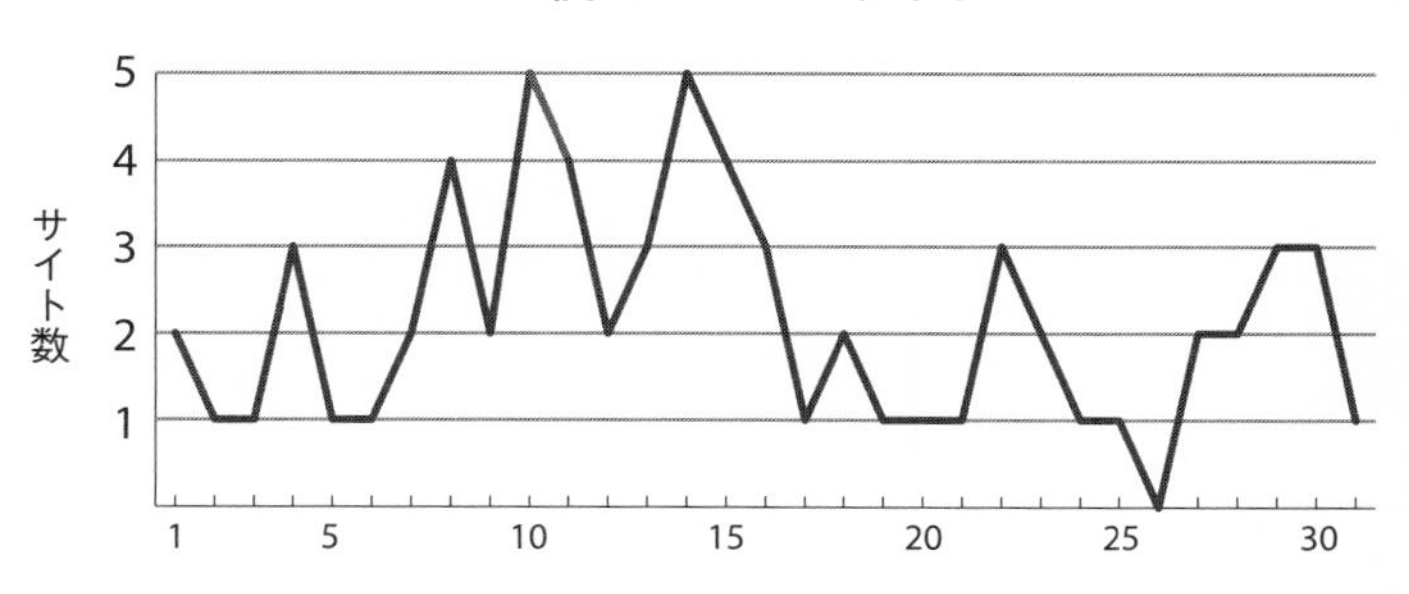

まとめサイト

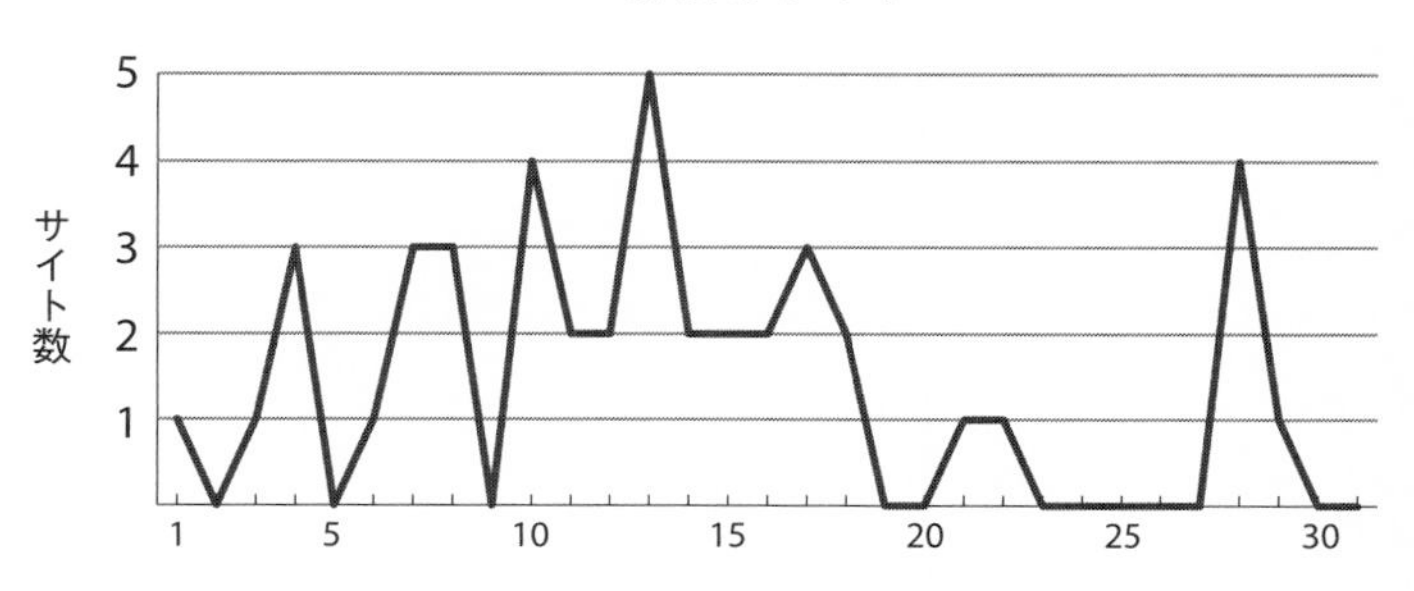

グラフ①〜③　条例改正問題のニュース掲載の推移（2010年12月）

新　聞	読売新聞	朝日新聞	毎日新聞	日本経済新聞	産経新聞
青少年保護条例	15	14	23	14	14
ウィキリークス	93	91	104	75	79
個人ニュースサイト	カトゆー家断絶	ゴルゴ31	かーずSP	楽画喜堂	変人窟
青少年保護条例	310	18	19	24	43
ウィキリークス	52	0	0	2	6
まとめサイト	アルファルファモザイク	痛いニュース	ニュー速クオリティ	ニュー速VIPブログ	VIPPERな俺
青少年保護条例	33	11	9	11	4
ウィキリークス	5	0	5	0	0

表①　青少年保護条例とウィキリークスの記事本数（2010年11～12月）

日である。ここでも「個人ニュースサイト」および「まとめサイト」と、新聞各紙のいずれもが関連記事を掲載している。

このように記事掲載の推移だけに着目するとそれぞれに違いは確認されない。だが、扱い方の面では差が見られた。例えば、コンテンツ関連八社による独自イベント開催の情報は、新聞と各ウェブサイトで取り上げられていたが、新聞紙面（一二月二九日付）では社会面の記事の一つとして掲載され、扱いも決して大きくない。他方、調査・分析対象としたウェブサイトを見ると、個人ニュースサイトの「カトゆー家断絶」や「変人窟」では、様々な関連情報をまとめて掲載することで大きく扱っていた。まとめサイトでは、記事の文言（書き込み）のフォントの色や大きさを変更して事の重大性を強調するような編集が行われていた。こうした編集方法は他のサイトにも共通して見られ、それぞれが条例改正問題に高い関心を払っていた様子がうかがえる。

個人ニュースサイトやまとめサイトにおける条例改正問題への関心の高さは他の出来事と比べるとより明白となる。二〇一〇年一一～一二月に注目を集めた出来事の一つであるウィキリークス関連の報道と比較したところ、新聞ではウィキリークス関連の記事が五紙平均で八八本であるのに対し、青少年保護条例改正問題に関する記事は平均で一六本であった[*14]（表①）。ウィキリークス関連の出来事が世界の外交を揺るがす問題であり、条例改正問題が日本国内の一行政区画の話題に過ぎないと考えるならば当然の扱いともいえる。むしろ、その割には条例改正問題が多く報道されたとも解釈できる。

他方、個人ニュースサイトでは、条例改正問題に関する記事の掲載数がウィキリークスを圧倒的に上回っていた。それはまとめサイトも同様であった（表①）。すなわち、個人ニュースサイトでは、マス・メディアとは反対にウィキリークス関連の話題よりも条例改正問題の方が関心度や重要度は高かったと言える。

以上の結果のみで、ニュースの生産・発信に携わるアマチュアの草の根的な活動とマス・メディア（新聞）の間にある関心度や重要度の違いを一般化できるわけではない。例えば、尖閣諸島での中国漁船衝突事件のビデオ映像がYouTubeに流出した出来事（二〇一〇年一一月四日）と比較した場合、双方の関心度に明確な差は見出せないかもしれない。ただ、新聞紙面で大きく扱われず、ウィキリークス問題と比べて社会の関心が高いとは言い難い条例改正問題が、個人ニュースサイトやまとめサイトで重要視されていたことは確かである。

3　草の根的なニュースの生産・発信を通じた情報の拡散

インターネットにおけるニュースの生産・発信をめぐる草の根的な活動の研究がさほど手掛けられ

なかった理由として、ニュース生産の手法という問題を先に指摘した。本章で取り上げている個人ニュースサイトやまとめサイトに掲載されるニュースのほとんどは、いずれかの媒体に掲載されたニュースの参照（＝ハイパーリンク）や（無断）転載（＝コピー・アンド・ペースト）によってまかなわれている。こうした手法はマス・メディア組織によるニュース生産の原則、すなわち、一次情報に基づくニュースの生産という手法と相容れない。参照や転載といった行為は人々が新しいと認識する情報、すなわち、ニュースの生産とは言い難い面もある。しかし、ニュースの転載という活動は、「リンク先（転載元）に大量のアクセスを流し込む機能」［加野瀬 二〇一〇：二二四］を果たしたり、ニュース、およびニュースとして取り上げられた出来事や事件の認知向上をもたらしたりする。また、ニュースの拡散に寄与する場合もある。

ここではツイッターに掲載された情報が個人ニュースサイトやまとめサイトへの掲載を通じて拡散していった過程に目を向けてみる。個人ニュースサイトの一つ「カトゆー家断絶」に掲載された条例改正問題に関するニュースの情報源（参照元）を調べてみると、マス・メディア組織のウェブサイトが最も多くの割合を占めていた。しかし、総体的に見るとその割合は決して大きくはなく、情報源は多岐にわたっている（グラフ④）。この中からニュースの拡散の事例として取り上げるのは、二〇〇九年頃から日本における利用者が増加したツイッターの投稿である。

ツイッターに掲載された投稿は、一方で、ツイッターを通じて拡散し、注目を集める場合がある。他方で、電子掲示板、ポータルサイト、マス・メディアなどツイッターの外部で投稿が取り上げられることで認知される場合も多分にある。条例改正問題の場合、著名人や識者、あるいは市民がツイッターで条例改正への反対や改正案の不備を指摘する見解を述べていた。しかし、認知の範囲は、該当のアカウントのフォロワー、リツイートや転載による接触、ならびに条例改正問題に一定の関心を持つクラスタ(集団)の域に留まり、(とりわけ当時は)それほどの広がりを見せなかったと考えられる。だが、個人ニュースサイトやまとめサイトでツイッターの投稿が取り上げられたことで、情報がインターネット上で拡散していったと考えられる事例がある。

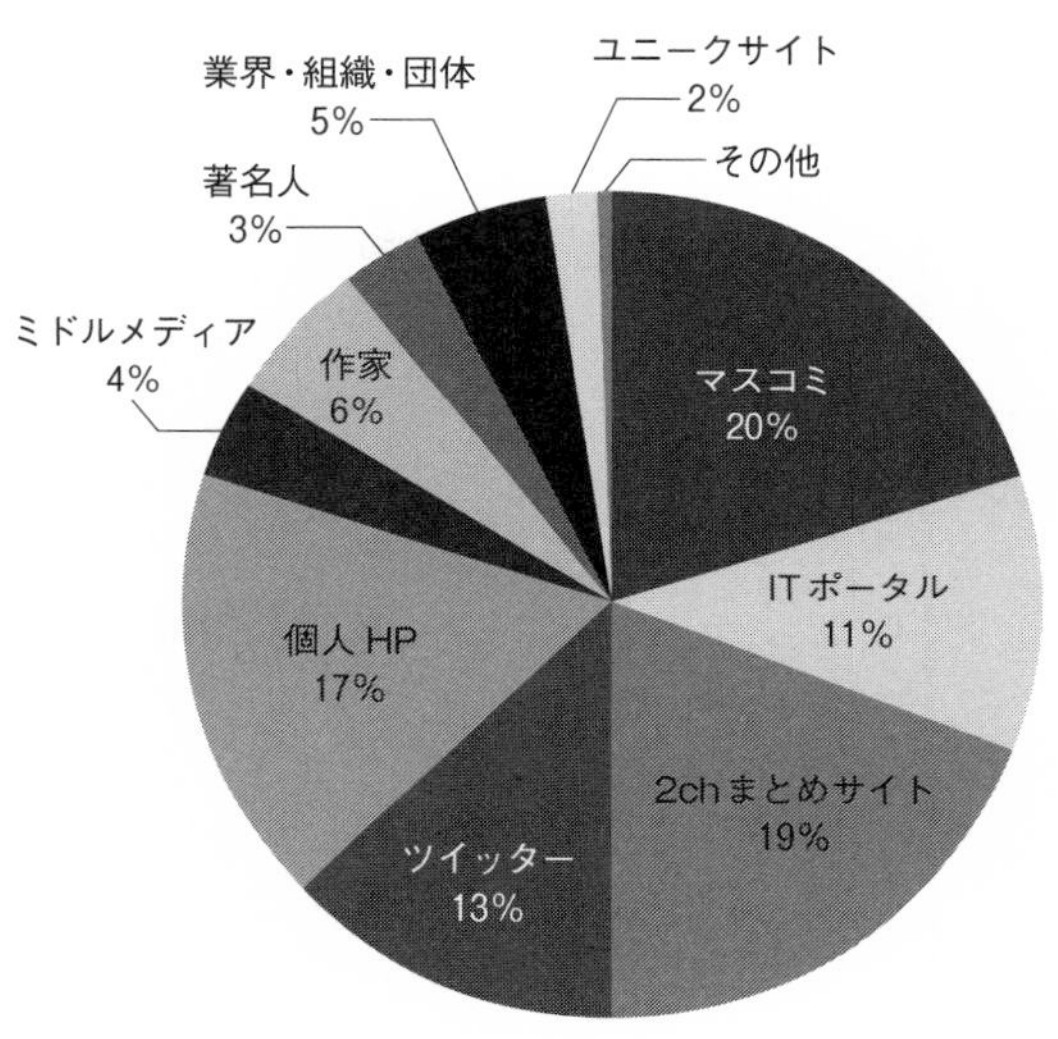

グラフ④ 「カトゆー家断絶」のニュースの情報源(2010年11～12月、計310本)

二〇一〇年一二月八日、角川書店の代表取締役社長は、条例改正をめぐる東京都の動向に異議を唱える形で、二〇一一年三月に開催予定の東京国際アニメフェアへの参加取りやめを宣言した。コンテンツ産業の大手である角川書店の社長による宣言は影響力も大きく、インターネットでは賞賛・支持を表明する書き込みが相次ぎ、読売、朝日、毎日の新聞各紙にも一二月九日付で記事が掲載されている。

ただし、イベントへの参加取りやめの情報が最初に掲載されたのはツイッターであり、当初からその情報へ接触した者は必ずしも多くはなかったと考えられる。同月の日本におけるツイッターの登録数は一〇〇〇万を超えていたが、該当情報（ツイート）を知ることができたのは、角川書店社長のアカウントのフォロワー（情報掲載時のフォロワー数は四四八一であった）か、リツイート等で情報に接触した者に限られていた。

このように当初はそれほど多くの認知を集めていなかった情報であるが、複数の個人ニュースサイトやまとめサイトが記事を掲載することで、角川書店のイベントへの参加取りやめの情報は拡散していった。まとめサイトでは、三つのサイトが、2ちゃんねるの「ニュース速報板」に一二月八日の一七時〇四分に立てられたスレッドを編集して、関連記事を掲載している。いずれも角川書店社長の投稿から約一時間から二時間三〇分の間に記事を掲載している。また、個人ニュースサイトでは、調査対象としたすべてのサイトで、一二月八日から九日の間にマス・メディアのニュースサイトやITポータルサイト、ならびにまとめサイトなど幅広い情報源を参照して関連記事を掲載している。インターネットの検索サービス「Google（グーグル）」が提供している「Googleトレンド」で

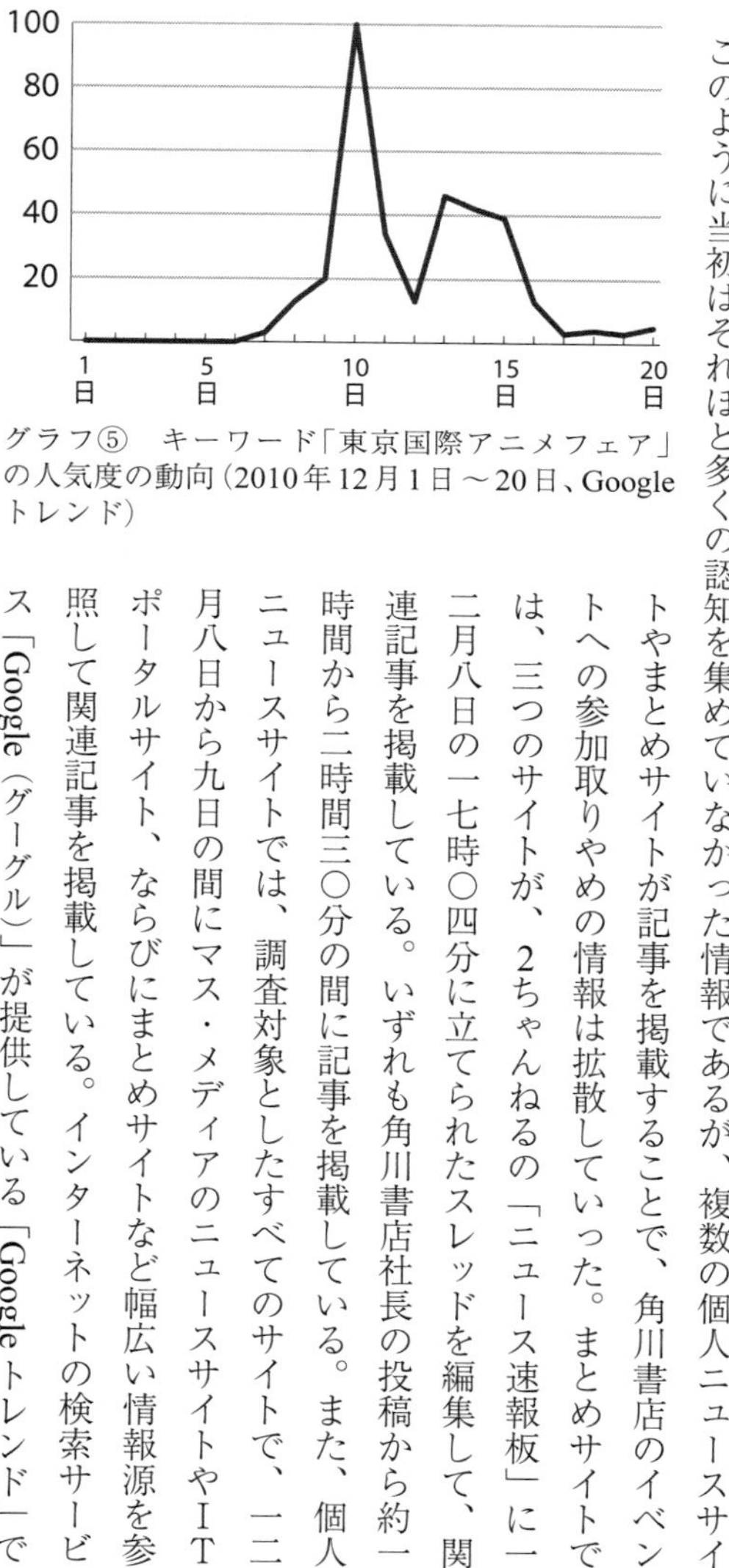

グラフ⑤　キーワード「東京国際アニメフェア」の人気度の動向（2010年12月1日～20日、Googleトレンド）

「東京国際アニメフェア」というキーワードを検索すると「人気度の動向」は一二月一〇日にピークに達している（グラフ⑤）。Googleトレンドの指数は、ユーザーの検索数に準拠しており、数値の増減も検索数とおおむね対応している。もちろん、個人ニュースサイトやまとめサイトにおける記事の掲載との相関を確認できるわけではない。だが、一二月八日から一〇日かけての数値の上昇からは、角川書店の東京国際アニメフェアへの参加取りやめに関する話題がインターネット上で関心を集めたことをうかがい知ることができる。

角川書店社長による東京国際アニメフェアへの参加取りやめの情報については、調査対象としたすべてのウェブサイトが大本の情報源であるツイッターの投稿を参照していたわけではない。しかし、複数のウェブサイトが関連情報を掲載することで、参加取りやめの話題はインターネット上で広がりを見せていった。この事例に限らず、インターネット上における条例改正問題への認知や関心の向上において、アマチュアによる草の根的な活動、ならびに、参照・転載といったニュース生産の手法は、その一翼を担ったと言えるだろう。

4　まとめサイトの記事に見る争点や意見の傾向

個人ニュースサイトやまとめサイトに掲載されるニュースは、言うまでもなく、サイトの運営者の判断基準が反映される。このことはマス・メディア組織におけるニュース生産の過程と通じている。しかし、客観報道を標榜するマス・メディア組織の活動とは異なり、運営者の「偏った」関心や考え方に沿って、恣意的にニュースを選択・編集することは問題とならない。もちろん、そうした手法を規範的・倫理的な側面から咎めるのは容易である。だが視点を変えてみると、恣意的な選択・編集を通じて生産されたニュースからは、運営者の価値観をうかがい知ることができる。条例改正問題に関して言えば、ニュースの取り上げ方に着目することで条例改正案に対する立場を垣間見ることができる。こうした問題意識に基づくならば、恣意的な選択・編集が顕著とされるまとめサイトのニュースは争点や意見の傾向へ接近する際の手がかりを与えてくれる。

まとめサイトの記事は、「既報の参照や転載」と「2ちゃんねるの書き込みのまとめ」で構成されている。それゆえ、その記事を「ニュース」とは呼びづらい。だが、すでに述べたように、アマチュアによる草の根的な活動を通じて生産・発信されるニュースを、マス・メディア組織の報道の基準に沿って評価する必要はない。「既報の参照や転載」と「2ちゃんねるの書き込みのまとめ」という記事の構成を「ポピュラーニュース」のスタイルの一つとして把握すればよい。特に「2ちゃんねるの書き込みのまとめ」の部分については、2ちゃんねるの文化が色濃く反映されているものの、ニュースに対する争点や意見へと接近するうえで有効である。それでは、条例改正問題ではどのような書き込みが選択・編集され、記事として掲載されていたのだろうか。こうした問題関心のもと、以下ではまとめサイトの記事を対象に調査・分析を試みる。

分析対象としたのは、二〇一〇年一二月一五日の条例改正案成立に関する話題で、四つのまとめサイトにそれぞれ一本ずつ掲載された記事の内容をコーディングし、定量化した[*15]（表②）。

	アルファルファモザイク	痛いニュース	【2ch】ニュー速クオリティ	ニュー速 VIP ブログ(`・ω・´)
反対派や愛好者への批判	14.2%	12.1%	4.5%	13.2%
業界やコンテンツの過失	6.4%	4.0%	8.0%	13.2%
静観	7.1%	9.0%	6.8%	7.9%
規制推進派への批判	5.7%	5.5%	10.2%	18.4%
条例の不備・悪影響	17.0%	12.1%	21.6%	15.8%
業界やコンテンツの今後	12.1%	22.6%	22.7%	5.3%
諦観	4.3%	10.6%	6.8%	0.0%
条例に関する疑問	5.7%	9.0%	4.5%	0.0%
解説	8.5%	3.5%	0.0%	0.0%
その他	19.1%	11.6%	14.8%	26.3%

表② まとめサイトにおける条例改正案成立に関する記事内容の割合

まず目につくのは「反対派や愛好者への批判」の割合の高さである。数字だけを見ると、インターネット上で条例改正に反対する機運が盛り上がったという動向とは相反しているように映る。ただし、「反対派や愛好者への批判」は条例改正をめぐる争点や意見とはあまり関係はない。なぜならば、「キモオタざまあ」（気持ち悪いオタクども、ざまあみろ）といった、条例が対象とするようなコンテンツの愛好者を嘲笑・侮蔑する書き込みは、2ちゃんねるの投稿に見られる儀礼のようなものだからである。

右のような「反対派や愛好者への批判」の内実をふまえつつ、「諦観」、「条例に関する疑問」、「解説」といった争点や意見にかかわりが薄い項目を除くと、条例の改正に何かしらの違和感を示すカテゴリーが大勢を占めていることがわかる。[16] ただし、いずれも条例改正への批判や反対意見のみを掲載しているわけではない。この点は注目すべきである。繰り返し述べているように、アマチュアによる草の根的な活動では運営者によるニュースの恣意的な選択・編集は問題にならない。それゆえ、批判や反対の意見だけを掲載することも可能であった（逆も然りであ

表③　各カテゴリーの概要とまとめサイトに掲載された書き込み（一部抜粋）

カテゴリー	概要	掲載された書き込みの抜粋
反対派や愛好者への批判	愛好者を罵倒・嫌悪	キモオタ脂肪（ア）。キモヲタが喜びそうなものは徹底的に潰せ（痛）。キモオタどもには子供いないからね。本当に気持ち悪い奴らだな（V）。
	萌え漫画がなくなる	嫌々パンツやおっぱい描かされてた漫画家やアニメーターはこれで解放される（痛）。うざい萌えの時代が終わって、あしたのジョーや銀河鉄道999のような骨太な漫画が読める時代がくるんだ（ニ）。
業界やコンテンツの過失	ゾーニングやレイティングが不十分	前のときにゾーニングきっちりして自主規制してればよかったのになぁ（ア）。きちんとレーディングを区分して、販売を管理すれば問題ない。業界はこれに関して大いに反省すべき（V）。
	漫画家や出版社の自主規制が不十分	機会は与えてもらってたのにアホだよなあ。出版社が自主規制する気がないって判断したら法的に規制されるのなんか目に見えてたのにな（ア）。規制には反対だけど、作り手の自主規制は絶対に必要。これだけ猶予与えられたのに自主規制してこなかった出版社が悪い（痛）。
	出版社の利益優先主義が問題	金儲け第一のアホ出版社を持ち上げるだけ持ち上げて規制されたら発狂とか本当にイラっとくるわ自業自得すぎる（ア）。マジ文句言うなら暴走して変態漫画量産してた出版社に言え。自業自得だ（V）。
	漫画の内容自体が問題	REDの一部漫画含めこういうのはある程度規制されて仕方ないとは思う（ニ）。チャンピオンREDは仕方ないと思う（V）。
静観	自分には無関係	俺も反対だけど正直東京じゃないし、エロ漫画も読まないから何も困らない（ア）。
	ゾーニングやレイティングで対応可能	Hな本はHなコーナーに置きますよってことでしょ。騒ぎすぎ（ア）。18禁コーナーに移されるだけなのにアホすぎ（ニ）。
	対象となる性表現は限定的	今回の改正案は強姦や近親者同士などの過激な性行為だけ対象じゃないのか？　そんな大きな問題に思えんけどなあ（痛）。性描写をするなとか、それを扱った図書を売るな、とかじゃないだろ成人図書の範囲を拡大するだけだろ。じゃあいいじゃん（V）。
	青少年には無意味	肝心の青少年はネットで無修正エロ動画やらエロ漫画のzip落としたりしてるんだから大した意味はないわな（ア）。一方青少年はネットで無修正エロ動画を落としていた（V）。

条例の不備・悪影響	表現の自由に抵触	表現の自由脂肪（ア）。成人が読める読めないじゃなくて表現の自由が失われることが問題なんだろ（Ｖ）。
	拡大解釈・恣意的運用の可能性	警察・政治・日本社会に対して反抗的な漫画を18禁棚に移動。これらが検閲機関で容易に決める事ができる法案（ア）。恣意的な運用余裕という事が最大の問題という事を認識してる奴が何人いるのやら（痛）。
	漫画家や出版社による自主規制	条文から拡大解釈されうるあらゆる表現を自主規制する可能性は高い（ア）。一般コーナーから成人コーナーに移動した時点で売上下がるのわかってるから、そんなの描く前に出版側が自主規制求めるにきまってる（痛）。
	東京から地方への波及	東京の影響力は高い。すでに神奈川が規制に向かっている（ア）。東京の次は大阪、そして全国へ波及。この流れは不可避（痛）。
	インターネット規制への足がかり	当然次はネット規制だろ？（痛）。ネット規制も来るぞ（ニ）。
	他のコンテンツや媒体を規制する方が重要	未成年に携帯電話を持たせるのを禁止した方が効果的なんじゃねえの（ア）。18歳未満で着エロみたいなＤＶＤとかでてるのも規制しろよ（Ｖ）。
規制推進派への批判	石原都知事への批判	青少年が石原が言うところの健全な人間になる可能性はゼロ（痛）。老害がやっちまったな（Ｖ）。
	政治的意図・利権	天下り先が新設されてウマウマってか。マジで役人どもはろくなことしないな（ア）。また一つ天下り団体が増える（痛）。選挙に行かない若者層より、選挙に行ってくれるＰＴＡ層の意見を聞いただけだな（痛）。
	感情論	何が青少年育成だ。子供をダシにして自分らが「嫌い」だから規制するだけだろ（痛）。推進派は全て感情論（ニ）。
	皮肉	これが都民の民意（痛）。まー規制派は自分の好きなものに回ってくるまで気づかない（ニ）。で、未成年にはどんな悪影響があるのかって話はどうなったのよ（Ｖ）。

業界やコンテンツの今後	コミックマーケット	コミケは？　マジでコミケはどーなるの？（ア）。コミケは年齢確認やらなきゃアウトだな（ニ）。
	媒体やコンテンツの将来	週刊少年ジャンプがHな本コーナーに置かれます（ア）。今後はハム太郎みたいな当たり障りのない動物漫画しか出てこなくなるのか（痛）。とりあえず週刊少年誌は全部廃刊にしなきゃいけないな（ニ）。
	コンテンツ業界の将来	出版社の本社移転くるか？（痛）。雑誌の統合、再編成が始まるな（痛）。結局アマゾン最強で小売死亡（ニ）。

※（ア）：アルファルファモザイク、（V）：ニュー速VIPブログ、（痛）：痛いニュース、（ニ）：ニュー速クオリティ

る）。しかし、「業界やコンテンツの過失」や「静観」も含まれており、極端な偏りは見られない。むしろ、条例改正に留保つきで反対を表明するような新聞の論調に近いとも言える。

各々のカテゴリーに属する記述にもその傾向は現れている（表③）。「業界やコンテンツの過失」に見られる、性表現を含むコンテンツに関する漫画家や出版社の不備の指摘は、「〔出版社は〕多様な意見を聞き、自らをより厳しく律する努力を続けてもらいたい」（朝日新聞、二〇一〇年一二月三日社説）、「出版業界などが自主規制を行っているが、十分なのかという疑問もあるだろう」（毎日新聞、二〇一〇年一二月一〇日社説）といった指摘とも通じている。「条例の不備・悪影響」も同様で、同カテゴリーに含まれている「表現の自由に抵触する」、「行政による検閲を招く」、「漫画家の表現が抑制される」といった意見は、朝日新聞や毎日新聞が社説で掲げる反対の根拠と重複している。

また、カテゴリー的には共通しているが、新聞では見られない争点や意見も示されていた。例えば、「条例の不備・悪影響」における、「東京から他の地方公共団体への波及」や「インターネット規制へ

の足がかり」といった指摘は新聞には見られなかった。「業界やコンテンツの今後」については、新聞と同様にコンテンツ産業への悪影響が指摘される一方で、同人誌即売会の「コミックマーケット」や雑誌名・作品名など具体的な対象に言及しながら、漫画やアニメの将来を予測したり、懸念を示したりする意見がまとめサイトの記事では見受けられた。

その他、新聞では見られないカテゴリーとして「静観」が挙げられる。条例改正は表現の自由やコンテンツ制作に悪影響を及ぼす可能性があり蔑ろにはできない。だが、こうした見解はあくまでも規範的な問題に過ぎないとも言える。条例改正問題を認知はしているが騒ぎ立てる程ではないというのは、ある意味では率直な意見であろう。また「青少年は性表現を含むコンテンツをインターネット経由で閲覧しているため条例は無意味である」といった意見は皮肉ながら本質をついている。他には、都知事への批判や政治的意図を指摘する「規制推進派への批判」も特有の意見であった。

おわりに

本章ではインターネット上でポピュラーな情報や話題をニュースとして扱うアマチュアの草の根的な活動に焦点を当て、考察を展開してきた。ポピュラーな情報や話題をニュースとして生産・発信する草の根レベルの活動は、日本社会を文脈とするインターネット空間で一定の歴史を有し、ネットユーザーの閲覧を集めてきた一方で、学術的な関心が薄く、これまで十分な研究が行われてこなかった。

その理由として、善し悪しを語るような議論を除くと、マス・メディア組織の報道を対象とするジャーナリズム論やニュース論の枠組みでは扱いづらいという問題を挙げた。この問題を乗り越えるために、本章ではフィスクの提起したポピュラーニュースの議論を参照しながら、専門的なジャーナリズムや社会的に責任のあるニュースを基準としない考察の方向性を提示した。そして、二〇一〇年一二月の東京都青少年健全育成条例改正をめぐる動向を事例として調査・分析を行った。調査・分析を通じて、マス・メディア報道との関心度や重要度、いわゆるニュースバリューの違い、情報の拡散に果たす役割、争点や意見の所在を確認することができた。

もちろん、本章の調査・分析は一つの事例に基づくものであり、その結果を一般化することはできない。むしろ、アマチュアによる草の根的な活動と社会問題が接続された稀な例と見なす方が適切であろう。こうした課題を抱えているものの、事例分析から得られた知見は、インターネットが普及した社会における（ポピュラーな情報や話題に関する）ニュースの役割や意味を検討する際の示唆や論点を提供してくれる。この結論は何の変哲もないかもしれない。だが、これまで研究対象とされてこなかった活動に焦点を当てた研究から導き出されたという点では評価できる。

インターネットに関連する現象として多分に漏れず、ポピュラーな情報や話題をニュースとして扱う草の根的な活動は盛衰が激しい。アングラ（UG）情報を扱うニュースサイトは言うまでもないが、二〇〇〇年代まで継続的に活動を展開してきた個人ニュースサイトも衰退し、二〇〇〇年代後半から二〇一〇年代前半にかけて多くの閲覧者を集めたまとめサイトも勢いを失っている。かつて「個人ニュースサイトは既に終わったジャンル」と言われたが、ツイッターやモバイルアプリを通じたニュース接触が広がりつつある現在、もはや、まとめサイトも「既に終わったジャンル」と言えるのかもしれない。[*17]それゆえ、本章と同様の調査・分析を現在手掛けるのは、調査対象の選択などの面で難しさが伴う。だが、インターネット上では専門的な組織に属さないアマチュアによって草の根的に生産・発信されたニュースがあふれかえっている。アニメ、ゲーム、漫画に関する情報や話題、匿名掲示板やブログ、ツイッターに投稿された取るに足らない書き込み、あるいは、嘘、冗談、悪ふざけが入り交じる情報がニュースとなり、人々の関心を集め、参照や転載を通じて拡散していく様子は日常的に見かける。これらは「うわさ」や「デマ」といった伝統的な概念によって説明されるかもしれない。あるいは、「炎上」や「フェイクニュース」といった新しい概念によって説明されるかもしれない。そうした議論を展開する際に、本章で手掛けたインターネット上のニュースをめぐるアマチュアによる草の根的な活動に関する研究の成果は、直接的、あるいは間接的な形でいくばくか貢献できるかもしれない。その時、「終わったジャンル」を扱った本章にも少しばかりの価値が見出されるかもしれないのである。

1——本書において「ポピュラー」という用語は「通俗」という広義の意味に対応するものとして使用するが、議論の対象として焦点を当てるウェブサイト（個人ホームページ、テキストサイト、個人ニュースサイト、まとめサイトなど）では、テレビ、音楽、アニメ、マンガ、ゲームといった狭義の「ポピュラー」に属するような情報や話題が多く扱われている。なお、それぞれのサイト、およびその活動は、時代、サイトの形式、扱う話題、運営目的が異なるため、一括りに扱うのが難しい面がある。ただ、いずれもインターネット空間におけるニュースの問題を考えるうえで示唆を与えてくれるのは確かである。

2——( )内の年月は開設時期を示す。

3——平井智尚［二〇一〇］参照。

4——「2ちゃんねる研究」について、ばるぼらは「2ちゃんねる系ニュースサイト」と位置づけている。また、「花見川の日記」というブログでも「ニュースサイトに近い分類に属します」と説明されている。花見川の日記（二〇〇六年六月一日）「VIP系まとめブログを源流から考えてみる」(http://d.hatena.ne.jp/ch1248/20060601/p2)。

5——2ちゃんねるのまとめサイトの一つである「痛いニュース（ノ∀｀）」は、二〇一一年四月に月間ページビュー数（PV）が一億を突破したとされる（ライブドアプレスリリース、二〇一一年四月八日）。この規模を形容するのは難しいが、例えば、読売新聞社が運営する人気情報サイト「大手小町」のPVが約一億五千万であった（読売新聞、二〇一一年三月九日朝刊）。なお、ユニークユーザー数（UU）やページビュー数（PV）については、レンタルブログがまとめて解析されることもあるので、その数字は参考程度にとどめるのが適切である。

6——詳しくは第八章三節3「ステマ騒動」を参照。

7——例えば、最大手の個人ニュースサイトであった「カトゆー家断絶」では、二〇一〇年一二月一日に掲載された五〇五本のニュースのうち、アニメ関連一三〇本（二五・七%）、ゲーム関連二二七本（四五%）、コミック等の書籍関連四三本（八・五%）となっており、ポピュラーコンテンツの情報が大半を占めていた［平井 二〇一〇］。

8――後継の「JanJanBlog」が二〇一四年二月まで活動を行っていた。

9――例えば、平井［二〇一〇］では、他のニュースサイトとは一線を画す独自のニュースが掲載されていることから「ユニークサイト」と定義されている。

10――「性描写規制の都条例改正案　行政の価値観介入に異議　宮台真司・首都大学東京教授」。

11――「【Web】ネット流行語大賞2010　今年の世相分かる？　来月発表」。

12――例えば、浅野智彦［二〇一一］や赤川学［二〇一二、二〇一三］が挙げられる。

13――個人ニュースサイトは、平井［二〇一〇］やランキング情報を参考に「カトゆー家断絶」、「ゴルゴ31」、「かーずSP」、「楽画喜堂」、「変人窟」を選択した。2ちゃんねるのまとめサイトは、ブログやRSSのランキング、ならびに、まとめサイトのアンテナサイト（「まとめサイト速報＋」や「オワタあんてな」等）の並びなどを参考に、「痛いニュース（ノ∀`）」、「【2ch】ニュー速クオリティ」、「アルファルファモザイク」、「【2ch】ニュー速VIPブログ（`・ω・´）」、「VIPPERな俺」を選択した。ただし、サイトの選択は調査を実施した二〇一一年二月の指標に基づくものであり、現在、同様の選択が妥当であるとは限らない。

14――ウィキリークス問題を比較対象とするのは、当時大きな関心を集めた出来事であるというのが最大の理由であるが、インターネットにおけるニュースの問題を考察するうえで、インターネットとはまったく無関係の事例を選ぶよりも適切である、と考えたからである。

15――コーディングに際しては、佐藤郁哉［二〇〇八］の定性的コーディングの手続きを参照した。まず、まとめサイトに掲載された記事のオープン・コーディングを行い、その後、少数の概念カテゴリーにまとめた（焦点的コーディング）。作業は筆者が一人で行ったが、より信頼度を高めるためには複数人による作業が求められる。ただし、ネタやアイロニーを伴う2ちゃんねるの言説は、掲示板の文化に習熟していない者でないと判断が難しいという問題もある。

16——なお「その他」には、冗談や真意とは言い難い内容や返答（通称「レス」）などが含まれる。冗談や真意とは言い難い内容の中には皮肉を通じた批判も散見されるが、判断が難しいものもあり、ここでは「その他」としておく。

17——はてな匿名ダイアリー（二〇〇九年二月九日）「個人ニュースサイトは既に終わったジャンル」（https://anond.hatelabo.jp/20090209235643）。

第三章

インターネットを通じて可視化されるテレビ・オーディエンスの活動

――公共性への回路

はじめに

本章では、インターネットを通じて展開されるテレビ・オーディエンスの活動を考察する。テレビ・オーディエンスの主たる活動であるテレビ番組の視聴は、家庭という私的な領域で行われてきた。家庭におけるテレビ視聴という問題は、カルチュラル・スタディーズの系譜に属するオーディエンス研究が考察対象として焦点を当て、経験的な手法を用いながらオーディエンスによるテクストの読みや能動性の諸相を明らかにしてきた。そうした研究成果はテレビ・オーディエンスの理解に大きく寄与した。ただし、それらは研究者によって明らかにされた姿であり、テレビ・オーディエンスの活動は目に見えない部分が多く残されていた。だが、インターネットの普及により、テレビをめぐるオーディエンスの様々な活動が可視化されるようになった。

テレビ・オーディエンスは、視聴している番組の感想や意見を電子掲示板、ブログ、ソーシャル・ネットワーキング・サービス（SNS）、ツイッター（Twitter）などに投稿し、場所や時間を共有しない他のオーディエンスたちと交流する。また、テレビ番組の映像や音声をホームページやブログの記事、二次創作などで活用（無断使用）する。もちろん、これらの活動に携わる人々をテレビ・オーディエンスの一般として扱うことはできない。あくまでも、インターネットを利用するテレビ・オーディエンスの一部に過ぎない。それでもこうした活動への着目は、これまで不可視であったテレビ・オーディエンスの活動を理解することにつながり、その試みはテレビ・オーディエンス研究の発展にもつながることが期待される。

本章では、まず、ジョン・ハートレーが提示した「不可視のフィクション」というオーディエンス像を議論の端緒として、インターネットを通じて可視化される「フィクションではない」テレビ・オーディエンスの活動を取り上げる。その際には、日本社会を文脈とするインターネット空間の「2ちゃんねる圏」で展開されてきたテレビ・オーディエンスの活動に焦点を当てる。[*1] 最後に、一連の議論をふまえて、インターネットを通じて可視化されたテレビ・オーディエンスの活動を公共性という観点から捉える。

インターネットを通じてあらわになったテレビ・オーディエンスの活動は、既存研究で明らかにされてきた類の活動と大きな相違があるわけではない。しかし、インターネットの開かれた空間における活動という点では従来とは異なる意味を持つ。インターネットを通じて展開されるテレビ・オーディエンスの活動に関しては、それを私的な空間における活動と見なすだけでは十分とは言えない。そこには、開放的で複数性を包含する公共的な空間へ参加し、活動するテレビ・オーディエンスの姿を見出せるのである。

一　オーディエンスと不可視のフィクション

「マス・コミュニケーションの受け手である不特定の諸個人や集団」〔O'Sullivan et al. 1994: 19〕である「オーディエンス」を対象とした研究は、マス・メディア研究の端緒からその中核に位置し、長年の歴史を有する。その中でもカルチュラル・スタディーズの系譜に属する研究は、オーディエンスによるメディア・テクストの読みに焦点を当て、単なる「受け手」に回収されない、能動的（アクティブ）なオーディエンスの姿を示してきた。また、「カルチュラル・スタディーズにおける「オーディエンス研究」は、その大半がテレビ・オーディエンス研究であり」〔Turner 1996＝1999: 166〕と説明されているように、テレビ・オーディエンスの理解にカルチュラル・スタディーズの系譜にあるオーディエンス研究が果たした貢献は大きい。

一九七〇年代から一九八〇年代にかけてエスノグラフィックなテレビ・オーディエンス研究が実施され、多くの知見を積み重ねる中、ジョン・ハートレーは、「厄介な」問題提起〔土橋 二〇〇三〕とも評される、オーディエンスを「認識する別の方法」〔Turner 1996＝1999: 209〕を提示した。それは「不可視のフィクション」としてのオーディエンス像である〔Hartley 1987〕。

オーディエンスが単なる構築物でないのは当然のことである。オーディエンスは様々な制度が自身の生き残りを司るメカニズムとして制度的に生み出した不可視のフィクションである。オーディエンスは経験的に、理論的に、政治的に想像される。しかし、そのすべてのケースにおいて、その生産物は想像した制度のニーズに奉仕するフィクションなのである。言説的に構築されるオーディエンスを除いて「リアル」なオーディエンスは存在しない。カテゴリーとして生産されるオーディエンスの向こう側に「実際の」オーディエンスは存在しない。オーディエンスというのは、表象としてのみ出会うだけの存在に過ぎないと言えるのである。さらに、オーディエンスが自己呈示することはまれである。〔Hartley 1987: 125〕

オーディエンスは「リアル」として存在せず、制度によって言説的に構築された「フィクション」に過ぎないというハートレーの議論は、「オーディエンス研究の不可能性を示唆する」〔土橋 二〇〇三：五〇〕と指摘されているように、オーディエンス研究に大きな問題を投げかけた。ハートレーは、不可視のフィクションとしてのオーディエンスを生み出す「制度」の一つとして、「批判的制度（学者やジャーナリスト、ならびにきわめてまれであるが視聴者団体や圧力団体）」〔Hartley 1987: 124〕を挙げている。*2 ここには言うまでもなく、「（研究者による）テレビ・オーディエンス研究」も含まれるのであり、テレビ・オーディエンスというのは、テレビ・オーディエンス研究が生き残るために都合よく生み出されたに過ぎない、ということになる。実際、ハートレーは、テレビ・オーディエンス研究の「出発点」〔Turner 1996=1999: 166〕と位置づけられるデビッド・モーレイの研究に対して、「モーレイのオーディエンスも不可視のフィクションであることは明白だ。そのオーディエンスはモーレイのプロジェクトによって生産されたのであり、それは学術的・批判的な制度の言説がもたらした産物に過ぎない」〔Hartley 1987: 126〕と批判している。

二　インターネットを通じて可視化されるオーディエンス

オーディエンス研究という制度的な実践が、不可視のフィクションとしてのオーディエンスを構築しているという指摘について、矛先を向けられたオーディエンス研究者たちは決して無自覚というわけではない。イェン・アンは、オーディエンス研究という行為は知を生産する実践であり、「知を生産するという実践とその過程の政治的次元を無視するわけにはいかない」〔Ang 1996=2000: 213〕と述べている。土橋臣吾は、オーディエンスがメディアに先立つことはない以上、何かしらの形でオーディエンスが構築されるのは当然のことであり、オーディエンスがフィクションであるか否かにこだわるのではなく、オーディエンス像の構築過程を問うようなオーディエンス研究の構想を示している〔土橋 二〇〇三〕。こうした問題意識に基づく考察はオーディエンス研究の発展に寄与するものであり、実際に、テレビ・オーディエンスの被構築性を論じた研究も行われている〔伊藤 一九九九／小林 二〇〇三ほか〕。だが現代においては、そもそも「不可視のフィクション」というオーディエンスの捉え方は必ずしも妥当とは言えないのではないか。なぜならば、オーディエンスの活動はインターネットを通じて可視化され、その「リアル」な姿をわれわれは日常的に目にしているからである。

まず、オーディエンスの存在が「不可視」であったのは、彼らの活動が主に私的な領域で展開されてきたためである。例えば、新聞記事やテレビ番組をめぐる諸個人の意見や感想はかねてより日常的に表明されてきた。しかし、それらが見聞きできるのは家庭内や知人の集まりの範囲にとどまっていた。だが今では、オンラインサービスを通じて表明されるテレビ・オーディエンスの意見や感想を誰でも見聞きすることができる。すなわち、もはやオーディエンスは「不可視」の存在とは言い切れないのである。

また、オーディエンスの存在が「フィクション」であったのは、「オーディエンスが自己呈示することはまれ」[Hartley 1987：125] であるという点に起因していた。しかし今や、オーディエンスは、インターネットに接続可能な端末、そして各種のオンラインサービスを通じて、新聞記事やテレビ番組に関する自らの意見や感想を呈示している。「不可視のフィクション」としてのオーディエンス像を示したハートレーも、インターネットを通じた人々の自己呈示に関して次のように述べている。「民衆を（政策やキャンペーンの）客体と把握する産業時代のモデル、すなわち、一方向、一対多、リードオンリー、ならびにマス・コミュニケーションといったモデルが、双方向、ピアツーピア、読み書き、ネットワーク化されたコミュニケーションに置き換えられたとまでは言えない。しかし現在、それらによって補完されているのは確かである。ポピュラー文化は自らを表象する主体・行為者にとっての領域として復活を遂げた。読む公衆はついに書く公衆へと進化した」[Hartley 2008：688]。

もちろん、インターネットを通じてオーディエンスが可視化されるからといって、「不可視のフィクション」という指摘の有効性が完全に失われるわけではない。インターネット利用はオーディエンスによる多様な活動の一部に過ぎず、すべてのオーディエンスがインターネットを利用しているわけでもない。そして、オーディエンスは依然として、「テレビ産業（放送ネットワーク、放送局、制作者など）」、「政治的・法的制度（公的な規制機関、ならびに政府の助成による調査や報告書）」、「批判的制度（学者やジャーナリスト、ならびにきわめてまれであるが視聴者団体や圧力団体）」といった制度の言説によって構築される存在でもある。さらには、オーディエンスが自身の性別、人種、社会的地位とは異なる人格を作り上げ、そうした「フィクション」に基づく自己呈示を行う場合もある。

オーディエンスの認識について、いずれかの立場に拘泥すると、その議論は堂々巡りになってしまう。それゆえ「白か黒か」を論じるのではなく、「不可視のフィクション」といった視座がオーディエンスの構築という論点を喚起し、オーディエンス研究の発展に寄与したように、インターネットを通じて可視化されたオーディエンスの存在、そして彼らの活動についても、オーディエンス研究の新たな発展の可能性としてとらえ、研究を手掛けてみるべきではないだろうか。

三　2ちゃんねるの圏域に見られるテレビ・オーディエンス

以上の問題意識に基づき、インターネットを通じて可視化されるテレビ・オーディエンスに関する考察を展開する。その際には、日本社会を文脈とするインターネット空間の「2ちゃんねる圏」で展開されてきたテレビ・オーディエンスの活動に着目する。2ちゃんねる圏の活動に着目するのは、第一に、日本社会を文脈とするインターネット空間で一定の歴史があり、第二に、テレビ番組やマス・メディア組織（マスコミ）に関する話題が頻繁に取り上げられており、第三に、北田暁大［二〇〇五］が指摘するように、一九八〇年代以降の日本のテレビ文化との連続性が認められるためである。本節では、いくつかの先行研究を参照しながら、「2ちゃんねる圏」に見られるテレビ・オーディエンスの活動として代表的なものを取り上げる。[*3]

1　実況

電子掲示板では互いに面識のないテレビ・オーディエンスが集まり、ニュースやテレビ番組などに関する意見や感想のやりとりが行われている。その最たる形態が「実況」である。実況とは、テレビ番組を視聴しているオーディエンスたちが、番組についての意見や感想を、番組と同期的に掲示板へと書き込んでいく活動の総称である。2ちゃんねるには実況専用の掲示板がカテゴリー（板(いた)）ごとに用意され、それぞれのカテゴリーには番組関連のスレッドが立てられており、そこにテレビ番組に関する意見や感想が書き込まれる。

実況の規模や形態は番組によって異なる。視聴者がそれほど多くないテレビ番組の実況は勢いも緩慢であるが、サッカーワールドカップの日本代表の試合が放映されている時などは掲示板に書き込みが殺到し、データ転送量の増加によりサーバーが機能停止になることもある。なお現在では2ちゃんねるだけでなく、「ツイッター」や動画投稿サイトの「ニコニコ動画」でも同様の活動は展開されている。

なぜテレビ・オーディエンスは実況に携わるのであろうか。それは端的に言えば「楽しいから」である。テレビドラマ『西遊記』の実況分析を行った西田善行［二〇〇九］によると、テレビ・オーディエンスは実況への参加を通じて、他の人がどのように番組をとらえているのかを知り、自分とは異なるテレビの見方を発見しているという。そこには「視聴の快楽」が伴うと指摘する。また実況を通じて同一の空間や時間を共有することにも快楽が伴うという。西田と近い手法で『24時間テレビ』の実況分析を行った山本明［二〇一一］は、実況という活動には相互行為への希求があり、参加者たちはテレビ番組を眺めながら、掲示板に感想を書き込んで自己表現や交流を図っていると指摘する。*4

2　オフ（会）

テレビ番組をめぐってインターネットで展開されるオーディエンス間の相互行為は基本的にはインターネット上で完結する。ただし場合によってはインターネットでのやりとりを経て、物理的な場所にテレビ・オーディエンスが集まる場合もある。それは「オフ（会）」と呼ばれる。オフとはオフライン・ミーティングの略称で、コンピュータ・ネットワークを通じて知り合った者同士が、対面で集まるイベントである。オフはパソコン通信の時代から行われてきたが、インターネットの普及によってオフは広く行われるようになった。2ちゃんねるを発端とするオフの事例として「吉野家オフ」（二〇〇一年）、「ムネオハウス」（二〇〇二年）、「マトリックスオフ」（二〇〇三年）などが挙げられているが［遠藤編 二〇〇四／遠藤 二〇〇七ほか］、テレビ・オーディエンスも同様のオフを開催してきた。その事例として、FNN系列『27時間テレビ』と連動した「湘南ゴミ拾いオフ」（二〇〇二年）や、NNN系列『24時間テレビ』と連動した「マラソン監視オフ」（二〇〇四年〜）が挙げられる［遠藤編 二〇〇四／伊藤 二〇〇六、二〇一一／平井 二〇〇九ほか］。この二つのオフが関心を集めた理由としては、双方とも番組の放映と同期的にオフが実施され、テレビ・オーディエンスが番組企画への介入をはかった点にある。前者では、海岸に集まったテレビ・オーディエンスによって番組企画の開始前にゴミが拾われてしまい、番組は企画倒れになった。後者は、マラソンランナーが完走するまで監視が継続され、やらせが行われていないことが確認された。

テレビ・オーディエンスが関与するオフの意味について、マラソン監視オフの分析を行った伊藤昌亮は「新しい社会運動論」などを参照しながら、オフに「運動的なるもの」、「運動のようなもの」といった性質を見出している［伊藤 二〇一二］。この理解は示唆的であるが、遠藤薫［二〇〇七］が、各種のオフに見られるナンセンスなパフォーマンスと政治性への忌避をふまえて「ネタオフ」と定義するように、テレビ・オーディエンスが関与するオフも基本的には「ネタ」（冗談や悪ふざけ）として把握される。確かに「湘南ゴミ拾いオフ」や「マラソン監視オフ」には、ネタを通じたマス・メディア組織への挑戦や異議申し立てが見られた。しかし、他の事例に目を向けてみると、そのように収斂されるとは言い難い面がある。例えば、テレビ・オーディエンスが事前の示し合わせを経て、テレビのライブ中継映像に映り込むような活動も一種のオフと言えるが、それらはマス・メディアに対する挑戦や異議申し立てというよりは、自己充足的な意味合いが強い。[*5] また文脈は異なるが、テレビアニメのオーディエンス（ファン）が作品に縁のある場所を訪れる現象である「聖地巡礼」もオフの一種であるが、これは愛好者たちが作品を楽しむための活動であり、批判的な様相を呈してはいない。

3 マス・メディア批判

実況に見られるテレビ番組に対する「ツッコミ」や「裏読み」、ならびに、テレビ番組をきっかけとした「オフ」には、マス・メディア批判が伴うことがある。例えば『24時間テレビ』の書き込みには、感動を演出するためのマラソン企画や障害者の取り上げ方、芸能人のギャラに対する批判が見受けられたという［山本 二〇一一／伊藤 二〇一二］。オフというイベントに限らず、インターネットで見かける「マスコミ」と「ゴミ」の合成語である「マスゴミ」という言葉も、マス・メディア批判を表すものである。[*6]

マス・メディア批判は、マス・メディアの活動全般に向けられるが、報道の場合には、捏造、偏向報道、過熱取材といった問題が批判の対象となる。これは市民メディアの文脈における規範的なマス・メディア批判と一見類似している。ただし2ちゃんねる圏に見られるマス・メディア批判は、規範的なマス・メディア批判とは一線を画している。前者は、市民が自らのリテラシーを駆使してマス・メディア組織の活動に見受けられる問題を発見し、是正することを目的とする。それは批判対象であるマス・メディアと真剣に向き合うものである。他方、後者も自らのリテラシーやスキルを駆使してマス・メディア組織の活動の問題を発見するが、その改善を目的としているわけではない。マス・メディア組織と同一面には立たずに、一歩ずれたところから嘲りを交えつつ、マス・メディア批判を行う[北田 二〇〇五]。その主眼は基本的に実況やオフと同様に、自分たちが楽しめること、つまり、自己充足的なやりとりに置かれている。

4 テレビ番組の映像の流用と二次的なコンテンツ生産

インターネットにはアマチュアの個人や集団が生産したコンテンツがあふれかえっている。その種類もホームページ、ブログ、イラスト、楽曲、動画、ストリーミング放送など多岐にわたっている。こうしたコンテンツはアマチュアの創作物である。ただしすべてが一次創作というわけではない。コンテンツの中にはマス・メディア組織が生産したコンテンツ(の一部)が用いられていることも多々ある。ここではテレビとの関連で「キャプチャー」を通じたアマチュアによる二次コンテンツの生産を取り上げる。

「キャプチャー」とは画面に表示されている映像を、画像ファイルや動画ファイルとしてパソコンなどの情報端末に保存することである。これは家庭用ビデオやハードディスク(HDD)レコーダーへの録画と類似する作業であるが、キャプチャーされた画像、音声、映像はパソコンの機能を生かして編集が行われたり、インターネットを通じて（無断で）アップロードされたりする。例えば、政治家の失言や生放送中のハプニングといった多くの関心を集めるテレビ映像は、動画投稿サイトなどにアップロードされた後、様々なウェブサイトでハイパーリンクや埋め込み動画が掲載され、インターネット上で拡散していき、多くのアクセスを集める[*7]（その後、該当の動画が削除される場合も多々ある）。

キャプチャーされたテレビの映像はインターネット上で拡散するだけでなく、二次コンテンツの素材にもなる。例えば、電子掲示板やブログでは、テレビで放映されたハプニング映像や衝撃映像を素材とし、「もう一度見たい、あの衝撃動画」、「衝撃的な事故動画貼ってけ」、「テレビ史上最大の放送事故って?」といったスレッドや記事が作成される。画像に変換されたテレビ映像も同様の機能を果たす。「思わず吹いた画像」、「画像で笑ったら負け」、「なぜ保存したのか分からない画像」といったブログの記事には、テレビで放映された場面が画像として貼り付けられていることが多い。テレビ映像の流用や（無断）アップロードは著作権の観点から問題視される行為でもある。ただし、テレビ・オーディエンスによってキャプチャーされたテレビ映像が彼らの相互行為や二次的なコンテンツの生産に使用され、多くのアクセスを集めていることは確かである。

四　インターネットを通じたテレビ・オーディエンスの活動に見る既視感

前節では主に2ちゃんねる圏で展開されてきたテレビ・オーディエンスの活動を概観した。改めて指摘するまでもなく、2ちゃんねる圏の現象はテレビ・オーディエンスがインターネットで展開してきた活動の一部に過ぎない。例えば、招待制や登録制を採用し、検索エンジンの検索結果に原則として表示されないために、やりとりが可視化しづらいSNSにおいても、テレビ番組をめぐるオーディエンス同士のやりとりは行われてきた［藤田 二〇〇九ほか］。そして先にも述べたように、インターネットを積極的に利用しないテレビ・オーディエンスも依然として存在することを忘れてはならない。とはいえ、インターネットを通じて可視化されるテレビ・オーディエンスの姿はとても興味深く、調査・研究機関も調査の対象として取り上げ、マス・メディア組織も放送中のテレビ番組とツイッターの投稿を連動させるなど、その存在感は増している。*8

それでは、インターネットを通じて可視化されたテレビ・オーディエンスの活動からいかなる学術的な知見が得られるだろうか。消極的にとらえるならば、既存研究を越えるような発見を得ることはできない。例えば、「実況」や「マス・メディア批判」といったテレビ・オーディエンスの活動は、つまるところ、メディアの問題を扱ったカルチュラル・スタディーズ、ならびに、その系譜に属するオーディエンス研究が論じてきたメディア・テクストの「読み」に他ならない。テレビ・オーディエンス研究の手法を参考にしながらネットユーザーとテレビとの関与を論じた平井智尚［二〇〇九］は次のように述べている。

テレビ番組に関する感想・批評を掲載したホームページやブログ、また、掲示板のスレッドで番組と同時並行的に行われる実況は、ネットユーザー＝テレビ・オーディエンスによるテレビ・テクストの解釈であふれかえっている。これは、テレビ・オーディエンスの能動性を示す。同様にテレビを積極的に視聴するネットユーザーの姿を表している。〔略〕しかしその一方で、テレビをめぐる能動性や解釈は決して無制限ではない。それらは、テレビ・オーディエンスそれぞれの経験、知識、社会的位置、ならびに、テレビ番組の制作を取り巻く慣習、先行する出来事や事件に影響を受けている。このことは既存のメディア研究の中で指摘されてきたが、ネット及びネットユーザーを分析対象に含める場合にも同じく適用される。

［平井 二〇〇九：二四―二五］

このような説明はテレビ・オーディエンス研究の概要として読むこともできる。すなわち、インターネットを通じて可視化されたテレビ・オーディエンスに特有というわけではない。インターネットを通じて可視化されたテレビ・オーディエンスの能動性やテクストの解釈、あるいは、「視聴の快楽」、「ツッコミ」、「裏読み」といった活動は、かつては不可視であることが多かったというだけである。もちろん、そこから研究上の示唆を得ることはできる。オーディエンス研究（者）が記述するオーディエンスは、不可視のフィクションであると批判されてきたが、インターネットを通じて可視化されたテレビ・オーディエンスの活動をふまえる限り、既存のオーディエンス研究は、記述面でも、理論面でも、フィクションではないリアルなオーディエンスの姿をある程度までとらえていたと言える。つまり、インターネットを通じて可視化されたテレビ・オーディエンスによって、既存のオーディエンス研究の知見の有効性が確認されるのである。また、インターネットを介して展開されるテレビ・オーディエンスの活動を記述するような試みも、エスノグラフィックなオーディエンス研究の発展に寄与するかもしれない。だがこのような示唆はやはり消極的な感が否めない。

その他、一見新しく見える「オフ（会）」や「テレビ番組の流用」についても、オーディエンス研究の系譜に属する「ファン研究」に目を向けてみると、類似の活動への言及がすでに行われている。テレビ番組をきっかけとするオフ（会）は、マス・メディア産業によって生産されるドラマ、映画、書籍などの作品、ならびに作中の登場人物やキャラクターの愛好者である「ファン」の集まり、いわゆる「ファンダム」と類似している。2ちゃんねるのやりとりから派生したオフへ関与したテレビ・オーディエンスは、『27時間テレビ』や『24時間テレビ』の愛好者、すなわち「ファン」であるとは言い難い。だが、北田が2ちゃんねる参加者の挙動の背後にはマス・メディア（マスコミ）への「過剰にすぎる愛が見え隠れしている」〔北田 二〇〇五：一九七〕と指摘するように、その集まりには感情的な帰着が認められる。次いで、テレビ番組の映像や音声を情報端末へ取り込んだり、それらをインターネット上のサービスへアップロードしたりする流用の実践は、ヘンリー・ジェンキンスが論じたファンによる「密猟」と通じている。

読者としてのファンはポピュラーテクストを流用し、自分たちの流儀で再読する。観客としてのファンはテレビ視聴経験を豊饒かつ複雑な参加文化へと変換する。〔略〕ファンの活動は意味の創造や流通を制約するメディア製作者の能力に大きな疑問を投げかける。ファンは大衆文化のイメージを拝借・活用し、またそこに支配的メディアで語られないような関心を節合することで、自身の文化的・社会的アイデンティティを構成する。〔Jenkins 2013 : 23〕

ソニア・リビングストンはインターネットが普及した時代におけるオーディエンス研究の理論や調査の有り様を考察する中で、「〔能動的〕オーディエンス研究の重要概念、すなわち、選択、選別、好み、ファンダム、相互テクスト、相互作用といった概念は、ニューメディア環境において今まで以上により重要となった」〔Livingstone 2004 : 79〕と述べているように、ファン研究、そして、より広義の能動的オーディエンス論の蓄積はインターネットとテレビ・オーディエンスの問題を考察する際にも示唆を与えてくれる。しかしそうした試みは、従来の概念や理論、ならびに方法論に依拠する説明にとどまる可能性がある。やはり研究上の示唆としてはいささか消極的な感が否めないのである。

五　インターネット上のテレビ・オーディエンスの活動に見る公共性

仮に、インターネットを通じて可視化されたテレビ・オーディエンスの考察から目新しい知見が得られなかったとしても、そうした結論自体、テレビ・オーディエンス研究の発展にとって価値がある。だが、本当にそのような消極的な意味しか見出せないのだろうか。また、新たな知見を得ることはできないのだろうか。

確かに、インターネットを通じて可視化されたテレビ・オーディエンスは、従来の研究で明らかにされてきたテレビ・オーディエンスの姿と大差はないように映る。しかし、大きく異なる点もある。その一つは、テレビ・オーディエンスの活動が家庭という私的領域を越えて展開されていることであり、もう一つは、時間や空間を共有せず、面識もない不特定多数のテレビ・オーディエンスの間でやりとりが展開されていることである。

一九七〇年代から一九八〇年代にかけて活性化したテレビ・オーディエンス研究では、家庭という場におけるテレビ視聴が問題関心に据えられていた。「モーレイは家庭におけるオーディエンスのテレビ視聴に注目した。家庭は人々のテレビ視聴の主要な場であるとともに、ジェンダー政治などのさまざまな権力関係が凝集する場でもある」〔山腰 二〇一二：二九〕。モバイル端末が普及した現在も、依然として家庭はテレビ視聴の主要な場である。しかし、現在のテレビ・オーディエンスは、家庭でテレビを視聴しながら、インターネット上の開かれた空間（電子掲示板、ブログ、SNS、ツイッターなど）に集まり、テレビ番組に関する意見や感想を表明している。またその際には、身体的に現前する家族や知人ではなく、時間や空間を共有していない見知らぬ人たちと交流することも多々ある。こうした変化は、家庭における個人、あるいは比較的少数の人々によるテレビ視聴を考察対象としていた既存研究の知見だけでは、インターネットとテレビ・オーディエンスの問題は論じきれないことを示唆する。そしてここに積極的な議論の可能性を見出すことができる。そこで以下では、「公共性」という観点からインターネットを通じて可視化されたテレビ・オーディエンスの問題を考察する。

テレビ・オーディエンスと公共性はこれまで相反する関係にあると見なされてきた。「誰に対しても開かれている」という「公共性」の定義［齋藤 二〇〇〇］に依拠するならば、主に家庭という私的領域で活動を展開してきたテレビ・オーディエンスと公共性は相容れない。「近代文化において、個人、生物、家庭と関連する「閉じた」世界としての私的領域と、仕事、政治、マス・メディア、そして、より広範な制度的事柄と関連する「開かれた」空間としての公的領域は区分されてきた」［O'Sullivan et al. 1994 : 250］。もちろん、公と私の区分は概念や認識に基づくもので、その境界は曖昧であり、社会状況や時代に応じて変化する。また、オーディエンスと公共性を区分するような議論に関しては、その区分を乗り越えるような研究も展開されてきた。「メディア職業人ではない一般市民が、公益的であれ共益的であれ非営利で、主体的・自発的に発信するメディアの総称」［津田・平塚編 二〇〇六 : 二七四］である「市民メディア」に関する考察はその一例として挙げることができる。リビングストンが指摘するように、オーディエンスの日常生活におけるメディアとの関与を意味付与や実践という観点から考察し、アイデンティティ、差異、参加、文化の形成といった問題を論じたカルチュラル・スタディーズの系譜に属するメディア研究も、オーディエンスを公共的な存在として扱う試みの一つに位置づけられる［Livingstone 2005］。それでも、テレビ・オーディエンスは私的領域で活動する人々であり、公共性とは相容れないという認識が大きく覆ることはなかった。

しかしすでに述べたとおり、いまやテレビ・オーディエンスは、家庭でテレビとかかわりながら、インターネット上の開かれた空間でも活動している。このことは、従来、相反すると見なされていたテレビ・オーディエンスと公共性の結びつきを意味する。三節で示した2ちゃんねる圏での現象は、いずれも開かれた空間に集まった不特定多数のテレビ・オーディエンスの活動を通じて成り立っていた。そこにはテレビ・オーディエンスによる公共性の諸相を見出すことができる。そしてこうした捉え方は、インターネットを通じて可視化されたテレビ・オーディエンスに積極的な意味を見出す議論のきっかけを与えてくれる。だが同時に疑問も生まれる。確かに、インターネットを通じて活動を展開するテレビ・オーディエンスは公共性という観点から捉えることができるのかもしれない。だがその内実に目を向けたとき、つまるところ「おしゃべり」や「遊び」のような私的領域で展開されていた活動が可視化されたに過ぎず、やはり公共性とは乖離しているのではないか、という疑問である。

こうした問題は一般の人々によるインターネット利用と公共性の関係を考察する研究でかねてより論じられてきた。特にインターネットの普及初期には、ユルゲン・ハーバーマスの「公共圏」に関する議論［Habermas 1990＝1994］を援用しながら、インターネット利用を通じた公共圏の成立・再生の可能性が論じられた。しかしこのような議論はインターネットの大衆化が進むにつれ勢いを失っていった。その理由は、インターネットを通じて展開される人々のやりとりの実態が、まとまりや理性的な合意を欠いていた、すなわち、平等で理性的な討論、および討論を通じた合意の産出が図られる「公共圏」と乖離していたからである［Papacharissi 2002; Karakaya 2005; 平井 二〇一三ほか］。本章で取り上げているインターネットを通じて可視化されたテレビ・オーディエンスの活動も、合意を生み出すような理性的な討論とは言いがたい。それらは「視聴の快楽」とも呼ばれるように、感情的なおしゃべりに過ぎない。

テレビ・オーディエンスがインターネットで展開するやりとりは公共圏の条件にはそぐわない。それゆえ公共的な活動ではない、と退けるのは容易である。だが、テレビで報道される事件や出来事、そしてテレビ番組の内容を共通の話題として、不特定多数の人が交流を繰り広げる様子に理念的な公共圏とは異なる公共性の形を見出すことはできないのだろうか。この問題を考えるうえで参考としたいのは、レイ・オルデンバーグ「サードプレイス」の議論である。

オルデンバーグは、人々のより良い生活にはコミュニティにおけるインフォーマルな公共生活とそれに不可欠な「とびきり居心地のよい場所」が欠かせない、という観点から考察を展開する中で、その「シンプルな名札」［Oldenburg 1998＝2013：59］として「サードプレイス（第三の場所）」という概念を提示した。サードプレイスとは、第一の場所である「家庭」や、第二の場所である「労働環境」と区分される「インフォーマルな公共生活の中核的な環境」であり「家庭と仕事の領域を超えた個々人の、定期的で自発的でインフォーマルな、お楽しみの集いのために場を提供する、さまざまな公共の場所の総称」を指している［Oldenburg 1998＝2013：59］。

オルデンバーグの提示した「サードプレイス」は、一見すると、一八～一九世紀初頭の欧州の都市に見られた社交空間を原型とし、平等な参加が保証された市民の討論が展開される「公共圏」と類似している。ただし先にも示したように、公共圏が公的な事柄に関する理性的な討論が展開される領域を理念とする一方で、サードプレイス論は愉快で面白い会話、いわゆる「おしゃべり」が繰り広げられる様子に着目し、そうした経験から得られる新たな刺激や心地よさに焦点を当てている。つまり、双方の概念は意味が異なるのである。

以上の整理をふまえて、改めてインターネットを通じて可視化されたテレビ・オーディエンスの姿に目を向けてみると、彼ら・彼女らの集まりや活動にはサードプレイスの特徴が認められる。「実況」や「マス・メディア批判」といった自己充足的な活動はおしゃべりであり、「オフ」や「コンテンツ流用」といった活動は遊びに過ぎない。しかしそうした活動は遊び心やユーモアに満ち溢れ、その参加者たちは楽しみを覚えている。そこにはまさしく、インフォーマルな公共生活の集いの場としてのサードプレイスの特徴を見出すことができるのであり、そこにテレビ・オーディエンスの活動による公共性を認めることができるのである。

> 伝統的な公共圏では、議論は生産的なものとして重要視されたが、おしゃべりはノイズと考えられていた。けれども、私たちは、多くの情報をおしゃべりから得ているのではないか。今日の権力は巧妙なやり方で、おしゃべりを無駄なものとして排除しようとする。とすれば、新しい公共性は騒がしいおしゃべりの中から生まれるはずだ。
> ［毛利 二〇〇九：一六六］

繰り返し述べてきたように、インターネット通じて可視化されたテレビ・オーディエンスの活動は、かねてより家庭を主とする私的領域で展開されていた活動が可視化したに過ぎない。その内実も、理想や規範が伴う公共性とは異なる。だが、インターネットを通じて、テレビ番組やテレビで扱われた事件、出来事、人物の話題をきっかけとしながら、おしゃべりや遊びを繰り広げるテレビ・オーディエンスの姿は、不可視のフィクションとして制度的に構築される存在ではなく、サードプレイスのような公共性を主体的に構築する存在と見なすことができる。

おわりに

これまで私的領域で活動し、不可視の存在であったテレビ・オーディエンスは、インターネットを通じて可視化された。可視化されたテレビ・オーディエンスの活動は、必ずしも目新しいとは言えず、消極的にとらえるならば、関連する研究の発展はさほど望めないようにも見える。しかし、面識を持たない不特定多数のテレビ・オーディエンスがインターネット空間に集まり、様々な活動を繰り広げる様子は、これまで見られなかった現象であり、そこには研究の発展の可能性が見込まれる。このような考察をふまえて、後半ではテレビ・オーディエンスと公共性について考察した。その際には「サードプレイス」の議論を参照することで、おしゃべりや遊びといったテレビ・オーディエンスの活動と公共性の接続を図った。こうした本章の試みは、インターネットが普及した社会におけるテレビ・オーディエンスの研究だけでなく、以前より活発に議論が展開されてきたインターネットと公共性に関する考察の発展にも寄与しうる。ただしいくつかの課題も残されている。

第一に、本章では「2ちゃんねる圏」に見られるテレビ・オーディエンスの活動に焦点を当てたが、現在、インターネットを通じて活動を展開するテレビ・オーディエンスの問題を考察する際には、2ちゃんねる圏のテレビ・オーディエンスに着目するだけでは不十分である。例えば、「実況」のようなテレビ・オーディエンスの活動は、現在、ツイッターを通じて活発に展開されている。こうした現象を論じる際に、既存研究の知見は参考にはなるが、2ちゃんねる（圏）とツイッターではサービスの仕組みが異なっており、また、文化や参加者の特徴も異なる[*9]［志岐 二〇一五］。テレビ・オーディエンスの活動を記述する試みにせよ、公共性という観点からの考察にせよ、情報通信環境の変容やオンラインサービスの発展をふまえた検討が求められる。

第二に、狭義のテレビ・オーディエンス以外のオーディエンスを対象とした場合にも同様の観点から議論を展開できるのか考えねばならない。現在、ドラマ、アニメ、スポーツ、ニュースといった映像コンテンツ（動画）は必ずしもテレビを通じて視聴されているわけではない。また、映像コンテンツの種類も右のような伝統的なジャンルに限らず、アマチュアによって生産された（決して質が高いとは言えない）作品やライブ配信映像も幅広く視聴されている。マス・メディア組織によって生産され、電波を通じて送信された番組を、家庭に設置されたテレビ受像機を介して視聴する人々としての「テレビ・オーディエンス」は、依然としてオーディエンスの多数を占めているものの、映像コンテンツを視聴するオーディエンスの一角を構成しているに過ぎないのも確かである。例えば、動画投稿サイトの映像コンテンツをスマートフォンで視聴するオーディエンスを論じる際に、本章も含めた既存のテレビ・オーディエンス研究の知見がどの程度まで有効であるか、あるいは、棄却されるかといった問題は検討しなければならない。

第三に、三節で取り上げたような事例は、かつてはインターネット上を介したテレビ・オーディエンスの主体的な活動により産出されたものであったが、現在、そのいくつかはマス・メディア組織によって提供されている。本章でも触れたように、テレビ番組とツイッターの投稿を連動させるようなケースは多数見受けられ、ロケ地への訪問や「聖地巡礼」への展開を企図するようなケースも見受けられる。こうしたケースに目を向けると、テレビ産業の言説を通じて構築されるオーディエンスというハートレーの指摘が改めて喚起される。また、サブカルチャー研究で言及されてきた商業的な制度によるポピュラー文化の流用という論点とも通じる面がある。こうしたメディア産業と（テレビ）オーディエンスの関係性は、今後研究を発展させていくうえで改めて重要な論点となりうる。

以上のような課題は残されているものの、本章の考察はインターネットが普及した社会におけるテレビ・オーディエンス研究の発展にいくばくかの貢献を果たすことができた。また、一般の人々によるインターネット利用と公共性というかねてより関心を集めてきた論点との接点を見出すこともできた。これらはささやかではあるが一定の成果と位置づけられる。

1――「2ちゃんねる圏」とは「電子掲示板サイト2ちゃんねる、ならびに、その掲示板と直接的・間接的に結びつき、文化的に親和性のあるウェブサイト群」を指す。これは「出来事、考え方、テーマの関連性において結びついた多数のウェブサイト」を指す「ウェブスフィア」という概念［Schneider and Foot 2005: 158］に基づき筆者が定義したもので、東浩紀・濱野智史編［二〇一〇］で言及されている「2ちゃんねる的なもの」と同義である。それは2ちゃんねるで見かけるアスキーアートやスラング等が使用されているウェブサイト群であり、具体的には、掲示板の書き込み内容をまとめたブログ（いわゆる「まとめサイト（ブログ）」）などが該当する。「ニコニコ動画」も2ちゃんねる圏と近接している。なお、はてな、ミクシィ（mixi）、Yahoo! 掲示板、ツイッターといった、2ちゃんねる圏とは文化的に区分されるプラットフォームでもテレビ・オーディエンスの活動は展開されており、2ちゃんねる圏のやりとりをもって、インターネットを通じたテレビ・オーディエンスの活動のすべてを説明できるわけではない。

2――後述のとおり、ハートレーは「批判的制度」の他に、「テレビ産業」と「政治的・法的制度」を挙げている［Hartley 1987: 124］。

3――本章で取り上げる2ちゃんねる圏に見られるテレビ・オーディエンスの活動の類型は筆者の先行研究［平井 二〇一二b］をもとにしている。

4――実況への書き込みは相互行為への希求ばかりではなく、番組内容についての情報を求める書き込みも見られたという［山本 二〇一一］。

5――事例としては、台風接近時のJR新宿駅南口の中継やテレビ放送終了後の定点カメラに映り込むケースなどが挙げられる。なお、自己充足的なやりとりとは、北田［二〇〇五］の言う「〔2ちゃんねるに見られる〕内輪性を再生産するコミュニケーション――内輪の空気を乱さずに他者との関係を継続すること」［北田 二〇〇五：二〇三］と同義である。

6――2ちゃんねる圏ではマス・メディアに対する批判のみならず、マス・オーディエンスへの批判も目につく。こうした現象を象徴する言葉として、「スイーツ（笑）」や「情弱」が挙げられる。「スイーツ（笑）」は、テレビ番組や女性週刊誌などで流行として紹介される情報に振り回される女性を揶揄する言葉である。「情弱」とは、情報弱者の略語で、基本的には情報通信機器やインターネットを活用することのできない人、及びそれらを通じた情報入手が不得手な人を蔑む言葉であるが、前述の「スイーツ（笑）」と同様に、マス・メディアや広告代理店の作る流行に踊らされるような人々もその対象としている。双方ともその枠組みに当てはまる人たちを嘲笑する言葉であるが、マス・メディアへの批判も部分的に含意している。

7――二〇〇六年七月一八日、日本テレビ系列で午前八時から放送された『スッキリ！』の冒頭で、出演者であるお笑いコンビのタレントが相方の不祥事を涙ながらに謝罪した。この映像はYouTubeにアップロードされ、数日後削除されるまでに三〇〇万回以上再生されたともいわれる。

8――例えば、NHK放送文化研究所は、テレビとインターネットの同時利用に際して、テレビ番組に関連するインターネット利用の程度や行動の実態に関する調査を実施している［小島・執行 二〇一四］。

9――志岐裕子［二〇一五］は、テレビ番組に関するツイッターの投稿について、視聴者（オーディエンス）がテレビ番組のどのような点に注目しているのか、また、テレビ番組に関する投稿を書き込む行為が視聴者にとってどのような意味を持つのか、という問題意識に基づいて、ツイッターの投稿の内容分析を実施している。同論では2ちゃんねるにおける実況との比較が行われており、2ちゃんねるの書き込みはテレビ番組をめぐる経験の共有という傾向が見られたのに対し、ツイッターの投稿ではそうした共有意識はさほど顕著ではなかったと指摘されている。

第四章

インターネット上のアマチュア動画に見られる「カルト動画」

はじめに

コンピュータ、携帯電話（フィーチャーフォン）、スマートフォンといった情報端末、そして、インターネットやオンラインサービスの普及によってアマチュアによる制作や公開が進んだコンテンツの一つとして、映像コンテンツ、いわゆる「動画」が挙げられる。従来、動画の制作や公開は主にメディア産業が担ってきた。しかし、各種の情報端末、インターネット、オンラインサービスを利用することで、大規模な設備や資金を有しないアマチュアが動画の制作や公開へ容易に関与できるようになった。

情報通信技術を活用したアマチュアによる動画の制作や公開は、情報通信技術の先端性に焦点を当てる議論の文脈では期待とともに語られてきた。また、市民や地域コミュニティの情報発信に期待を寄せる議論でも一種の理想として語られてきた。現在、インターネット上にはアマチュアによって制作・公開された動画があふれ、そうした動画のアマチュアによる消費や共有も一般化している。それゆえ、かねてより語られてきた期待や理想が実現したように見える。だが、その内実は期待や理想と合致しているとは言い難い。

日本社会を文脈とするインターネット空間におけるアマチュア動画の歴史を振り返ってみると、ネットユーザーの間で草の根的に視聴されてきた動画の質は必ずしも高くはなく、内容の理解に特定の解釈コードが要求される場合もある。また、既存のアニメーション、映像、音楽、画像の組み合わせによって構成されている動画も数多く見受けられ、著作権者の許諾を得ていない著作物が無断で使用されている動画もあまた存在している。しかし、そうした動画がネットユーザーの人気を集めてきたのは事実であり、学術的な議論も行われている。このように社会的にも、学術的にも耳目をひくインターネット上のアマチュア動画であるが、それらの中には、草の根レベルで注目を集めながらも、批評や評論、ないし学術的な論考ではほとんど言及されない動画も存在している。そうした動画のうち、本章では「淫夢」および「尊師ＭＭＤ」と呼ばれる動画に目を向ける。

「淫夢」と「尊師ＭＭＤ」関連の動画は、それぞれの背景にある出来事や騒動への言及が特定の圏域以外ではばかられることもあり、動画もまた表立った言及が避けられる。また、出来事や騒動に関連する人物を笑いものにする節があることから倫理的にも問題を含む。だがそれらの動画をめぐって（一部の）ネットユーザーが積極的に関与してきたのは確かであり、そうした関与の様態に目を向けるならば、これまで多くの言及がなされてきたインターネット上のアマチュア動画と同様に議論しうるものと考える。加えて、それらの動画自体の特徴、および、動画に関与する者の立ち位置は、「初音ミク」に代表されるボーカロイド（VOCALOID）作品のようなコンテンツ産業の文脈でも言及される動画とは明らかに異なっており、こうした点に考察の余地があると考える。そこで本章では、カルト映画やカルトＴＶといった「カルト」の特徴が見られるメディア・コンテンツを扱った研究の知見を手がかりとしながら、表立っての言及がはばかられる動画について考察し、その考察がインターネット上のアマチュア動画に関する研究にいかに寄与するかを検討する。

一　インターネットにおけるアマチュア動画の歴史

二〇〇〇年代後半から二〇一〇年代前半にかけて、YouTubeなどの動画投稿サイト（共有サービス）の利用者は増加し、特に若年層や青年層の間ではその割合は顕著である。[*1] 二〇一〇年代にはYouTubeで定期的に動画を公開する「YouTuber（ユーチューバー）」が人気を集め、同じくYouTubeで動画配信を行う架空のキャラクター「バーチャルYouTuber」（通称「Vチューバー」）も注目を集めるようになった。YouTube以外にも、ニコニコ動画、ツイッター（Twitter）、インスタグラム、TikTok（ティックトック）といったサービスでも多数の動画が公開されている。これらのサービスで公開されている動画の多くはアマチュアによって制作されたものであり、そうした動画の視聴はいまや一般化している。ただ、インターネット上のアマチュア動画は、インターネットの普及初期から制作・公開されており、その歴史は十分に知られているわけではない。

日本社会を文脈とするインターネット空間でネットユーザーの関心や閲覧を集めてきたアマチュア動画の歴史を振り返ると、時系列的に「ＧＩＦアニメ」、「フラッシュ」、「ニコニコ動画」の三つに分類される。

まず、「ＧＩＦアニメ」とは、画像ファイルフォーマットの「ＧＩＦ（Graphics Interchange Format）」

を用いて作成されたアニメーション作品である。当初、ＧＩＦアニメは静止画であった画像を動画に変換しただけのものであったが、一九九八年に公開された「ピカプー」や、二〇〇〇年に公開された長編連続シリーズ「機動戦士のんちゃん」は一定のストーリーを有した作品として話題を集めた［ばるぼら 二〇〇五、二〇〇六］。

次いで、「フラッシュ」とは、動画、音声、ゲームなどのコンテンツ配信に適した規格「**Flash**」に準拠して制作された音声・映像作品を指す。**Flash** 規格のコンテンツは、ファイルサイズが比較的軽く、インターネットを通じた配信に適していたことから、一九九〇年代後半から二〇〇〇年代前半にかけてインターネット上で広く普及し、アマチュアによる動画も多数制作された。日本では一九九七年にフラッシュに関心を持つクリエイターが参加するメーリングリストが作成され、一九九九年には「バカバカしい」フラッシュ作品の投稿フォーラムが開設されるなど、インターネット上の一部では関心を集めていたが、フラッシュ作品が広く知られるようになったのは、「笑えるコンテンツ」としてのフラッシュに注目が集まった二〇〇〇年代前半のことである［ばるぼら 二〇〇五、二〇〇六］。

二〇〇一年四月頃、「Hatten」という外国で制作されたフラッシュ動画が日本のネットユーザーの間で人気を集めたことに端を発し、同年の夏頃には、「ドラえもん」のパロディや「ゴノレゴ」といった笑えるフラッシュ動画が注目を集めた。またこの頃には、フラッシュ作品を紹介する情報サイトが登場したり、電子掲示板サイト2ちゃんねるの話題を題材とした動画が制作されたりするなど、フラッシュは日本社会を文脈とするインターネット空間で草の根的な人気を集めた。

フラッシュの人気は二〇〇三年頃にピークとなり、「紅白FLASH合戦」のようなインターネット上のイベントや、「2ちゃんねるナイト」や「flash☆bomb」のようなオフラインでのイベントも開催された。ただし、フラッシュの人気は徐々に衰退していき、二〇〇〇年代後半になると、インターネットにおけるアマチュア動画の中心は動画投稿サイトへと移行していった。

最後に、「ニコニコ動画」は、株式会社ニワンゴによって二〇〇六年一二月に開始されたサービスである。ニコニコ動画は「動画投稿サイト」と呼ばれるように、アマチュアによる動画の投稿がサービスの中核に置かれている。ただし、ニコニコ動画には投稿された動画に対する視聴者のコメントやタグ付けといった独自の機能も備わっており、それらの機能の人気と相まって、ニコニコ動画は短期間で多くのユーザーを獲得し、二〇〇〇年代後半から二〇一〇年代前半にかけて、日本社会を文脈とするネットカルチャーを牽引した。

ニコニコ動画に投稿された動画は、先のGIFアニメやフラッシュと比較にならないほどに数が多く、全体像を把握するのは極めて困難である。[*2] そこで、ニコニコ動画における代表的な動画のジャンルである「MAD」、「ボーカロイド」、「やってみた」、「ゲーム実況」の四つを取り上げ、ニコニコ動画に見られる動画の特徴を概観していく。

第一に「MAD」とは、既存の画像、音楽、映像などを編集・合成した二次創作作品である。MADの歴史は古く、一九七〇年代から制作されていたとされるが、パソコンによって画像、音楽、映像などの編集・合成が容易となり、インターネットの普及により作品の流通が進んだ。前述の「フラッシュ」の中にも数多くのＭＡＤが存在していた。ニコニコ動画では、アニメやゲームの画像、音楽、映像といった著作物が無断で使用されていた初期の頃にとりわけ多くのＭＡＤが制作され、人気を集めた。ニコニコ動画が著作権の保護強化に乗り出した二〇〇七〜二〇〇八年以降、ＭＡＤの割合は低下したが、著作権者により黙認されるケースや、著作物を使用しないＭＡＤも制作されており、ニコニコ動画ではＭＡＤは一つのジャンルとして定着している。

第二に「ボーカロイド」とは、音声合成技術を搭載したソフトウェアを用いて制作された作品を指す。最も有名なのは、二〇〇七年八月にリリースされた「初音ミク」を用いて制作された作品であり、「初音ミク」関連の作品はニコニコ動画を象徴する動画として位置づけられてきた。その作品はソフトウェアの特性を生かした楽曲（通称「ボカロ曲」）に、イメージキャラクターのイラストやＣＧを組み合わせた動画が中心を占めている。ただし、ボーカロイドに音声を読み上げさせる動画や、ユーザー（人間）がボーカロイドの楽曲、振り付け、演奏などを模倣した動画（以下「やってみた」を参照）など多くの派生作品も制作されている。

第三に「やってみた」とは、動画の投稿者が楽曲の歌唱や演奏、ダンス、イラスト、工作などを実演する動画で、ニコニコ動画内では、それぞれ順に「歌ってみた」、「演奏してみた」、「踊ってみた」、「描いてみた」、「作ってみた」とも呼ばれている。楽曲、ダンス、イラストの実演に関しては、既存の作品の模倣に限らず、オリジナルの作品も公表されており、ニコニコ動画で人気を得た演者が商業デビューするケースもある。

第四に「ゲーム実況」とは、ビデオゲームのプレイ動画や、プレイヤーによる実況が付加された動画を指す。ゲーム実況は一人の投稿者によって実演される場合もあれば、グループによって実演される場合もある。また、実況の声はプレイヤーの肉声だけでなく、各種の音声合成ソフトが使用される場合もある。前述の「やってみた」と同様に、ゲーム実況で人気を集めた投稿者が「ゲーム実況者」として有名となる場合もある。

ここまで「GIFアニメ」、「フラッシュ」、「ニコニコ動画」に焦点を当て、日本社会を文脈とするインターネット空間で公開・視聴されてきたアマチュア動画の歴史を概観してきた。本節の整理からもうかがえるように、インターネット上のアマチュア動画は移り変わりが激しい。現在も一定のユーザーを集めている「ニコニコ動画」ですら衰退傾向にあり、「オワコン」扱いを受けている。[*3] だが、インターネット空間では、その初期の頃から、アマチュアによって制作された動画が公開され、同じくアマチュアのネットユーザーの関心を集め、視聴をされてきたというのは確かである。

二　インターネット上のアマチュア動画に関する研究の展開と枠組みの検討

日本社会を文脈とするインターネット空間に流通するアマチュア動画に関する研究はフラッシュの時代から行われている[*4]［遠藤編 二〇〇四］。ただし、議論が活性化したのは、動画投稿サイト、特に「ニコニコ動画」のサービス開始以降である。

濱野智史［二〇〇八］は、ニコニコ動画において再生中の動画で流れる視聴者のコメントが同じ時間に投稿されたものではないにもかかわらず、動画内のタイムラインでコメントの同期が図られる現象を「擬似同期」と呼び、擬似同期による動画視聴体験の共有感覚がニコニコ動画の「面白さ」や「盛り上がり」をもたらしていると指摘する。また、「CGM（消費者生成メディア）」や「UGC（ユーザー生成コンテンツ）」とも呼ばれるアマチュアが主導する動画の生成過程において、一次創作（オリジナル）から二次創作、三次創作へと作品が派生していく現象を「N次創作」と定義し、「初音ミク」関連の動画を事例として取り上げ、議論を展開している［濱野 二〇〇八、二〇一二］。「初音ミク」を事例とした創作活動については永井純一［二〇一二］、後藤真孝［二〇一二］、片野浩一・石田実［二〇一五］においても取り上げられている。この他、視聴者によって投稿されたコメントによって動画の画面が覆い尽くされる「弾幕」と呼ばれる現象などの投稿コメントの意味に着目した議論も展開されている［木島 二〇一二］。

これらの先行研究は、インターネット上の動画をめぐるアマチュアの活動という、比較的新しい現象の理解に寄与してきた。また、「バカバカしい」とも形容される動画、アニメやゲームのキャラクターや楽曲を素材とする動画、著作権法に抵触する動画など、文化の「高低」という基準では決して高く評価されない現象を論じる試みは、それ自体に一定の価値がある。ただし、インターネットにまつわる現象を扱う研究がたびたび直面する課題、すなわち、一時の流行現象の説明にとどまり、学術的な蓄積を持つ研究分野との接続や発展が図られないのではないか、という懸念も生じる。そこで、ポピュラーなコンテンツをめぐる人々の草の根的な活動を継続的に論じてきたファン研究に目を向け、インターネット上のアマチュア動画の問題に引きつけながら若干の考察を試みる。

ファン研究は、メディア産業によって生産されるドラマ、映画、書籍などの作品、ならびに作中の登場人物やキャラクターの愛好者である「ファン」に焦点を当てた研究である。研究の系譜としては、オーディエンスによるテクストの解釈や意味付与の過程に焦点を当てる能動的（アクティブ）オーディエンス論の流れを汲む。しかし、能動的オーディエンス研究とファン研究は、テクストをめぐる実践、いわゆる創作活動や集まりへの関心という点で区別される。

オーディエンスの能動性に焦点を当てた研究では、メディア産業によって生産されたテクストの意味づけに人々の自律性を見出していた。しかし、ファン研究では、テクストの読みや解釈を経て、手掛けられる創作活動、ならびに活動を通じて生産された創作物（二次テクスト）に目を向ける。ファン研究の基本文献の一つであるヘンリー・ジェンキンスの著作では、その事例として、ファンジン（評論や創作が掲載された雑誌）、スラッシュ（男性の同性愛を扱った創作物）、ファンビデオなどが挙げられている［Jenkins 2013］。日本の文脈では、ファンが各種の原作をもとに生産するマンガ、ゲーム、音楽等の同人作品が類似する例として挙げられる。

このようなファンによる創作活動は、右の例が示すとおり、メディア産業が生産したテクスト（コンテンツ）の一部を流用しながら展開されることが多い。こうした実践を、ジェンキンスは「テクストの密猟」と呼び、次のように述べている。

読者としてのファンはポピュラーテクストを流用し、自分たちの流儀で再読する。観客としてのファンはテレビ視聴経験を豊饒かつ複雑な参加文化へと変換する。〔略〕ファンの活動は意味の創造や流通を制約するメディア製作者の能力に大きな疑問を投げかける。ファンは大衆文化のイメージを拝借・活用し、またそこに支配的メディアで語られないような関心を節合することで、自身の文化的・社会的アイデンティティを構成する。

［Jenkins 2013 : 23］

テクストの密猟を通じて生産された創作物は、ファン同士で共有・消費され、そこには「ファン同士の交流の場であり、趣味により結びついたコミュニティ」［玉川 二〇〇七：二〇］としての「ファンダム」が成立する。「ファンたちは関心を抱いたメディア商品を部分的に流用し、自分たちの関心に合うように手を加え、それを基に能動的で自律したコミュニティを育てるのである」［Hodkinson 2011＝2016: 114］。

さて、ファン研究で言及されてきたファンによる創作活動や集まりは、インターネットが普及し始めた一九九〇年代後半にジェンキンスが「新たな技術がより浸透すれば、ファンの実践も広がりを見せる」［Jenkins 1998］と論じていたように、情報通信技術の進展・普及により発展を遂げてきた。インターネット上には、ファンが制作したホームページ、ブログ、ウィキ、小説、イラストが溢れかえっている。また、「デジタル・ファンダム」［Booth 2016］とも呼ばれるようなファンの集まりも無数に存在している。言うまでもなく、本章で考察の対象としている動画もその中に含まれる。

インターネット上のアマチュア動画はすべてがオリジナルというわけではない。むしろ、映画、ドラマ、アニメ、ゲームといったメディア産業によって生産されたコンテンツに登場する、人物、キャラクター、映像、楽曲を流用した動画が多くを占めている。このような動画の制作過程はジェンキンスの言う「テクスト密猟」と通じている。そして、動画をめぐって展開される人々の交流には「ファンダム」の特徴が見出せる。また、ボーカロイド作品のような、メディア産業が生産したコンテンツの流用が希薄で、一次創作（オリジナル）の要素が濃い動画をめぐっても、そこにファンが存在し、濱野が「N次創作」と呼ぶような創作活動、そして、ファンダムが認められる。もちろん、インターネット上のアマチュア動画に関与するすべての人が「ファン」に該当するわけではない。しかし、流行り物の文脈で語られることもあるインターネット上のアマチュア動画の問題を、その目新しさばかりを強調せず、かつ学術的な知見に基づいた考察を展開していくうえで、ファン研究の知見は一つの手がかりになると考える。

三　言及がはばかられるインターネット上のアマチュア動画

ここまで、日本社会を文脈とするインターネット空間でネットユーザーの関心や視聴を集めてきたアマチュア動画の歴史を振り返りながら、既存研究の整理を行い、学術的な観点から考察する一つの試みとしてファン研究との接続を試みた。アマチュア動画はインターネット普及初期から制作、公開、視聴されてきた。しかし、その数が増加したのは動画投稿サイトの登場以降であり、とりわけ日本社会においては「ニコニコ動画」のサービス開始以降、インターネット上のアマチュア動画をめぐる人々の関与が活発となった。ニコニコ動画に投稿される動画の内容は多種多様であるが、全般としては、アニメやゲームといったコンテンツの要素を含んだ動画や、それらのコンテンツとも親近性があるボーカロイド関連の動画、端的に言えば、「オタク（的）」あるいは「二次元（的）」とも呼ばれるような動画が人気を集めてきた。それゆえ、ファン研究のアプローチは、アマチュア動画の制作や集まりといった現象を説明するだけでなく、ジャンルという面でも適合性があると考える。

だが、インターネット上のアマチュア動画の中には、ネットユーザーの草の根的な関与が見られ、一定の認知や視聴を集めながらも、表立っては言及されない動画も存在している。それらの動画については、もちろん既存研究で扱われておらず、ファン研究の視座で読み解くこともおそらく難しい。こうした問題意識に基づき、以下では実際に言及がはばかられるカテゴリーの動画についての議論を展開していく。その際に事例として取り上げるのは「淫夢」と呼ばれるカテゴリーに属する動画と、「尊師ＭＭＤ」と呼ばれるカテゴリーに属する動画である。

1　淫夢

まずは「淫夢」と呼ばれるカテゴリーに属する動画に目を向ける。「淫夢」とは、男性同性愛者（ゲイ）向けポルノビデオ「Babylon STAGE34 真夏の夜の淫夢 the IMP」、通称「真夏の夜の淫夢」に関連するインターネット上のコンテンツの総称である。

その歴史をたどると、プロスポーツで将来有望視される選手とおぼしき人物が男性同性愛者向けのポルノビデオに出演していたのではないかという疑惑が週刊誌やスポーツ紙で報じられたことに端を発する。その後、電子掲示板サイト「2ちゃんねる」で話題となり、二〇〇四〜二〇〇五年頃から「アッー！」や「オナシャス！」といったビデオ出演者の発言、そして、疑惑が浮上した選手の関係者に対するインタビュー記事に記載された「たまげたなあ」といった言葉などがネットスラングとして使用されるようになった。二〇〇五年には2ちゃんねる内の流行や用語に言及する「ガイドライン板」に「【アッー！】のガイドライン」というタイトルのスレッドが立てられている。[*5] これらのネットスラングは、後に「淫夢語録」とも呼ばれ、次第に多様化していくが、その流れに拍車をかけたのは、ニコニコ動画における「淫夢」関連動画の流行である。

ニコニコ動画においても、当初は先に挙げた大本の作品である「真夏の夜の淫夢（一章）」の映像がアップロードされ、ネタ動画の一種として視聴されていた。しかし、二〇〇八〜二〇〇九年にかけて関連作品の動画（四章）の一部がニコニコ動画にアップロードされてからは、同作品に登場する人物や発言が注目を集めるようになり、ビデオ内の映像や音声、ならびに登場人物の発言の一部を流用した様々な派生動画、いわゆる「ＭＡＤ動画」が数多く制作・公開され、多く閲覧された。[*6] 多数のＭＡＤ動画のうち、ビデオのオープニングに登場する謎の生物（通称「淫夢くん」）と関連づけられた動物が片手を挙げる映像と、アニメーション作品「機動戦士ガンダムＵＣ（ユニコーン）」で使用された音楽「UNICORN」を組み合わせた「完全勝利した淫夢くんＵＣ」というタイトルの動画は、「淫夢」のカテゴリーに属する動画の中でも屈指の再生数をほこり、「ＵＣシリーズ」として多数の派生動画も制作・公開されている。

「淫夢」のカテゴリーに属する一連の動画は、その元となるコンテンツが男性同性愛者向けのポルノビデオであることから広く受容されたとまでは言えず、言及しづらい面もある。しかし、二〇〇〇年代後半から二〇一〇年代後半にかけて多くのＭＡＤ動画が制作され、日本社会を文脈とするインターネット空間の特定の圏域において、ネットカルチャーに親和的なユーザーの間で一定の盛り上がりを見せたのは確かである。

2　尊師ＭＭＤ

次いで取り上げるのは「尊師ＭＭＤ」と呼ばれるカテゴリーに属する動画である。ここでいう「尊師」とは、高校生による2ちゃんねるへの投稿をきっかけとする炎上騒動、いわゆる「ハセカラ騒動」にかかわった弁護士を指す隠語であり、「ＭＭＤ」とは、キャラクターを動かす３ＤＣＧアニメーション作成ツール「MikuMikuDance」の略称である。

「ＭＭＤ」は、開発当初はボーカロイド「初音ミク」専用のＰＶ（プロモーションビデオ）作成用ツールであったが、バージョンアップにより様々なキャラクターが扱えるようになり、ＭＭＤを使用した動画が多数制作され、ニコニコ動画を中心に公開されるようになった。そして、ニコニコ動画のマイリスト登録数によってＭＭＤ動画の人気を競う「ＭＭＤ杯」が二〇〇八年に発足した。

ＭＭＤ杯は二〇〇八年の第一回（七月二五日〜八月一七日）開催以降、第二〇回（二〇一七年一〇月二七日〜二〇一八年三月四日）まで開催されている。前述のとおり、ＭＭＤは、元は初音ミク専用のＰＶ作成用ツールであったことから、ＭＭＤ杯の入賞作品も当初は初音ミクを中心とするボーカロイド作品が多くを占めていた。だが、ニコニコ動画において「ボーカロイド」と並んで「三大ジャンル」や「御三家」とも呼ばれる「アイドルマスター」や「東方Project」の作品も入賞するようになり、第一二回と第一三回のＭＭＤ杯ではブラウザゲーム「艦隊これくしょん―艦これ―」（通称「艦これ」）関連の作品が上位を占めた（表④）。このようにＭＭＤ杯は、ニコニコ動画で人気を集めてきた作品やそのキャラクター、ならびに「艦これ」のような人気ゲームを題材とした動画が高く評価されていることから、いわゆる「オタク的」なアニメやゲームといったジャンル、あるいはそれらの二次創作を中心に発展してきたニコニコ動画の文化を反映していると言える。しかし、第一四回と第一五回のＭＭＤ杯では、ニコニコ動画で人気を集めてきたものとは異なるジャンルの動画が入賞している。

表④のとおり、第一四回の総合優勝、準優勝、敢闘賞、ならびに第一五回の総合優勝には「尊師ＭＭＤ」が入賞している。尊師ＭＭＤは先に述べたように、炎上騒動にかかわった弁護士を模したキャラクターのＭＭＤモデルを使用して制作された動画である。これらの動画はＭＭＤ杯で入賞した「ボーカロイド」、「アイドルマスター」、「東方Project」、あるいは「艦これ」の動画のように、元となる

	総合優勝	準優勝	敢闘賞
第10回	戦場アイドル春香さん	東方のかわいい!! shake it!	天使と悪魔
	アイドルマスター	東方 Project	アスキーアート
第11回	ルパン三世 VS アイドルマスター	かわいいと思ってはいけない MMD	ヤンデレの雪歩に死ぬほど愛されて眠れない「J」
	アイドルマスター	東方 Project	ヤンデレ
第12回	艦娘たちの円舞曲	艦隊これくしょん 序章～Overture～	イーノックが艦娘たちと踊ってみたようです。
	艦これ	艦これ	艦これ
第13回	艦これエクストリーム演習 FULL BOOST!	リズミカルにオリジナル曲を歌って踊る雪風 MMD	イーノックが艦娘たちと踊ってみたようです。
	艦これ	艦これ	艦これ
第14回	声なき声に力を	一般男性脱糞シリーズ	悪魔
	尊師 MMD	尊師 MMD	尊師 MMD
第15回	生まれる	オリジナルメカ PV をみんなで作ってみた！	夕立、なんか本格的に突撃するっぽい！
	尊師 MMD	メカ	艦これ

表④　第10回～第15回 MMD 杯の受賞作品（上段）およびジャンル（下段）
※ MMD 杯公式ホームページ等を参考に作成

作品やキャラクターが存在しているわけではない。仮に一連の炎上騒動を「元ネタ」と位置づけたとしても、その知名度は「2ちゃんねる」の「なんでも実況（ジュピター）板」の閲覧者、ならびに、同板の話題を扱う各種ウェブサイトの閲覧者の範囲にとどまる。要するに「内輪ネタ」の域を出ないのである。[*7] また、尊師MMD関連の動画がMMD杯で上位入賞したり、部門賞を獲得したりした背景には、動画の順位を上昇させるための工作活動が行われていたとも言われている。

つまるところ、尊師MMDは日本社会を文脈とするインターネット空間における特定の圏域での「内輪ネタ」の一つに過ぎない。しかしそうであったとしても、二〇一〇年代中盤に一部のネットユーザーの間で尊師ＭＭＤ関連の動画が注目を集め、視聴されたのは確かであり、インターネット上のアマチュア動画をめぐる現象としてとても興味深い。「一連の尊師ＭＭＤ動画には、ニコニコにおける尊師というキャラクターを確立させるのに十分な不愉快さ・面白さがあると思います」という指摘がなされているように、尊師ＭＭＤの動画は、元ネタである「ハセカラ騒動」の経緯や出来事に明るくない人たちにも視聴されたと考えられる。[*8] 第一五回ＭＭＤ杯で総合優勝を飾った「生まれる」という動画については、同大会の選考委員を務めたゲームクリエイターが「完成度が高く、確たる作品性が存在するまっとうなホラー作品」とコメントしているように、悪ふざけや冗談、つまり「ネタ」の域を超えた作品として評価されている動画も存在している。[*9]

四　カルトとしてのアマチュア動画

1　なぜ「淫夢」や「尊師ＭＭＤ」の動画は語られないのか

前節では、動画投稿サイトにおいて多数の作品が公開され、一定の視聴を集めながらも、特定の圏域以外での言及がはばかられてきた動画として「淫夢」と「尊師ＭＭＤ」を取り上げた。これらの動画は局所的に話題となり、認知を得ながらも、なぜ表立った言及が避けられてきたのだろうか。

一つの理由は、動画の元ネタと位置づけられる作品や出来事の性質に由来する。「淫夢」に関して言えば「原作」は男性同性愛者向けのポルノビデオである。ポルノグラフィは法的に規制され、倫理的には公の場で話題にすべきではないコンテンツとして扱われている。さらに性的マイノリティを対象としたポルノグラフィであるがゆえに倫理的な制約はより高くなる。「尊師MMD」は、その背景にある出来事がインターネット上の炎上騒動の一つに過ぎず、広範に認知されていない「内輪ネタ」であるため話題の範囲は局所的にとどまる。また、騒動全般が「腫れ物」のような扱いを受けているため、話題にすべきではないという抑制も働く。

もう一つの理由として、いずれのジャンルの動画も大半が元ネタに関連する人物を「笑いもの」として扱っていることが挙げられる。「淫夢」の場合は、テレビ番組における扱いが示すような、男性の同性愛者を「おかま」、「オネエ」、「ホモ」、「ゲイ」と呼び、笑いものにするかねてよりの風潮を踏襲したものであり、やはり倫理的な観点で言及が控えられる。「尊師MMD」については、炎上を招くような行為を晒した者を嘲笑するという規範〔平井 二〇一二a〕を踏襲しており、そうした規範、それらの総体としての文化を共有しない者にとっては、特定の人物をネタとして扱い、笑いものにすることは理解できない、あるいは、単純に不愉快な現象として映る。

以上のような理由をふまえるならば、「淫夢」や「尊師MMD」のカテゴリーに属する動画への言及が特定の圏域以外では避けられ、関連する議論が展開されてこなかったのは、取り立てて不思議ではない。そもそも、何かの問題を論じる際の対象として「淫夢」や「尊師MMD」の動画を取り上げる意味が見出せそうにない。そうした評価は的外れではないし、ボーカロイド関連作品のように世間的にも注目を集め、一定のファンを得ている事例を考察の対象に据えた方が、それが研究と呼びうるか否かは抜きにしても需要や意義は高い。このように需要も意義もないように見える「淫夢」や「尊師MMD」関連の動画を取り上げているのは、もちろん、それらを考察対象とすることで、本章の主眼であるインターネット上のアマチュア動画に関する研究の発展につながると考えるためである。具体的には、「淫夢」や「尊師MMD」関連の動画を、「カルト」の要素を含むメディア・コンテンツの一つ、すなわち「カルト動画」という観点から把握することでその目的の達成を試みる。

2　カルト動画という視座

「淫夢」や「尊師MMD」のカテゴリーに属する動画を「カルト動画」と位置づけ、研究の発展を図ることが目下の課題であるが、そもそも「カルト」の要素を含むメディア・コンテンツとは何を指しているのか。ここで言う「カルト」の要素を含むメディア・コンテンツとは、従来で言えば「カルト映画」や「カルトTV」を指し、それぞれのコンテンツに関する研究は一定の蓄積が見られる。それらの先行研究では「カルト映画の定義は様々な問題を抱えてきた」[Jancovich 2002 : 308]、「カルト映画は混乱を招くことが多い用語である」[Marhijs and Sexton 2011 : 1]、「「カルト」は複雑で難しい用語である」[Duffett 2013 : 218] と述べられているように、「カルト」の要素を含むメディア・コンテンツに関する研究は定義の次元で困難を抱えている。こうした定義をめぐる論争には留意しつつも、本章では主にカルト映画に関する研究の包括的な整理をふまえて示された定義を参考にしながら「カルト動画」の考察を展開していく。

マティスとメンディクは、カルト映画が各種のメディアで取り上げられ、学術的にも関心が高まっている現在、カルト映画の定義が今まさに求められているという問題意識に基づき、カルト映画の定義を試みている［Mathijs and Mendik 2008］。彼らは定義に先立って、カルト映画を構成する主たる要素として「アナトミー」、「消費」、「政治経済」、「文化的地位」の四つを挙げ、カルト映画はこれらの要素の組み合わせによって成立すると述べている。また、四つの主たる要素については、その要素に内包される複数の特徴が挙げられている（表⑤）。

表⑤　カルト映画を構成する主たる要素と特徴

1	**アナトミー（解析）**：映画自体の特徴――内容、スタイル、フォーマット、総体的なモード	①イノベーション、②悪質、③侵犯、④ジャンル、⑤相互テクスト性、⑥宙づり（loose ends）、⑦ノスタルジア、⑧ゴア（暴力性）
2	**消費**：映画の受容過程――オーディエンスの反応、ファンによる祝賀、批判的な受容	①アクティブな祝賀、②コミュニオン（親交）、③ライブ性、④コミットメント（関与）、⑤反抗、⑥オルタナティブの聖典化
3	**政治経済**：映画の公開をめぐる財政的・物理的な条件――所有権、意向、プロモーション、公開のチャンネル、上映場所・時間	①制作、②プロモーション、③受容
4	**文化的地位**：カルト映画と時間的・地域的な適合の過程――順守、利用、批評、違反といったカルト映画を取り巻く意見の様態	①異質、②アレゴリー、③文化的感受性、④政治

※ Mathijs and Mendik［2008 : 1-10］をもとに作成

マティスとメンディクは、カルト映画を構成する主たる要素と特徴に関する考察をふまえたうえで、次のようなカルト映画の定義を示している。

カルト映画はアクティブで活気に満ちた集団的支持者がいる映画である。オーディエンスはカルト映画の鑑別において濃密な関与と反逆心を持つ。彼らは広く行き渡った文化的風習に反目する何かをカルト映画の中から探し出すことに邁進し、そして、文化的な感受性を身にまとい、支配的な政治に抵抗する風変りな題材や寓話的なテーマに好感を示す。彼らは良質な趣味と悪趣味に関する常識的な考え方を侵犯する。そして、時に相互テクストのリファレンス、ゴア（グロ映画）、未解決な要素を駆使し、また、ノスタルジアの感覚を創出することでジャンルの慣習や物語の一貫性に対して反発する。カルト・オーディエンスは、作品生産の歴史において厄介な存在であることが多く、作品で人気を集める演者や監督を偶然、失敗、伝説、ミステリーと結び付ける。そして、アクセシビリティはある程度限られているにもかかわらず、彼らは持続的な市場価値を有し、長期にわたって公的な存在感を確立するのである。

［Mathijs and Mendik 2008 : 11］

マティスとセクストン［Marhijs and Sexton 2011］はカルト映画研究の歴史を概観し、カルト映画研究が展開されてきた文脈を社会学的研究、受容研究、テクスト解釈、美的分析の四つに分類した。そして、それぞれの文脈におけるカルト映画へのアプローチを整理したうえで、次のようなカルト映画の定義を行っている。

〔略〕カルト映画は、異質な構成要素からなる視聴経験が強調され、伝統的な視聴戦略を転覆したりするような普通とは明らかに異なるオーディエンス受容が認められる類の映画である。そうしたオーディエンス受容はメインストリーム〔主流〕の周縁に位置しており、大衆文化の内部における少数派のレジスタンスやニッチの賞賛といった態度に似た受容戦術を示すものである。一方、映画制作者は、オーディエンスの「カルト的態度」を操り、利用しながら、侵犯、エキゾチック、不愉快さ、ノスタルジック、そして、高度に相互テクスト的な物語やスタイルを含む映画を意識的にデザインしてきた。このようにカルト主義が日和見的に計画されていることは、今やカルトという用語が単なるマーケティング戦略に過ぎないという印象を与える。だが、カルト的な受容がなくなったわけではない。特に伝統的な劇場での公開と並んで展開される新たなテクノロジーの中にそうした受容が見られる。そのようなカルト受容は、視聴者という概念すら再編するような、予期せぬオーディエンスの関与・結束を生み出すのである。

[Marhijs and Sexton 2011: 8]

以上のようなカルト映画に関する考察、ならびに定義をふまえたうえで、本章で取り上げている「淫夢」や「尊師ＭＭＤ」のカテゴリーに属する動画に改めて目を向けてみると、それらはカルト映画の要素・特徴、ならびに定義と共通する面が多いことがわかる。

第一に、動画自体の特徴、先に挙げたマティスとメンディクの分類でいうところの「アナトミー」については、双方のカテゴリーの動画とも、元となった作品、出来事、人物が有する公の場で言及すべきではないという特徴を継承しながら、それらの作品、出来事、人物を笑いものとして扱っている点に「悪質」や「侵犯」の特徴、すなわち「良質な趣味と悪趣味に関する常識的な考え方を侵犯する」〔Mathijs and Mendik 2008: 11〕といった側面が認められる。その他、様々な作品の映像や音楽の組み合わせによって制作された動画が大半を占めている点には「相互テクスト性」の特徴が認められる。

第二に、オーディエンスの受容・消費に目を向けてみると、「淫夢」や「尊師ＭＭＤ」といった特定の圏域以外では言及がはばかられるような動画を視聴する行為は、「そうしたオーディエンス受容はメインストリームの周縁に位置しており、大衆文化の内部における少数派のレジスタンスやニッチの賞賛といった態度と類似する受容戦術を示すものである」〔Marhijs and Sexton 2011: 8〕というカルト映画の定義と通じている。また、ニコニコ動画の視聴やコメントに見られる「擬似同期的コミュニケーションがもたらす臨場感・一体感」〔濱野 二〇〇八：二一二〕は、マティスとメンディクによる「消費」の分類に含まれる「コミュニオン」、「ライブ性」、「コミットメント」の特徴と通じている。

第三に、「文化的地位」に相応するコンテンツに対する評価については、特定の圏域以外では表立った言及がはばかられている動画という扱いが「文化的地位」に相応する。ニコニコ動画における盛り上がりという点では、「初音ミク」に代表されるボーカロイド関連の動画と、「淫夢」や「尊師ＭＭＤ」関連の動画は共通している。しかし、前者は「日本のネット文化の象徴」と評価され、コンテンツ産業（＝政治経済）の文脈でも注目を集めている一方、後者は評価どころか言及すら行われない。[*10]

「淫夢」や「尊師ＭＭＤ」のカテゴリーに属する動画について、コンテンツそのものやコンテンツに関与する人々が「カルト」と呼ばれているわけではなく、また、自分たちを「カルト」と呼んでいるわけでもない。しかし、日本社会を文脈とするインターネット空間の趨勢に通じていない者や、それぞれの元となった出来事や騒動といった背景を知らない、あるいは関心を持たない者を対象に、「よくわからないコンテンツ」や「不愉快なコンテンツ」に過ぎない「淫夢」や「尊師ＭＭＤ」のカテゴリーに属する動画を説明するうえで、「カルト動画」という観点からのアプローチは有効であると考える。

3　カルト動画を論じる意義

インターネット上で一定の認知を得ながらも、特定の圏域以外での言及がはばかられるカテゴリーに属する動画を「カルト動画」という概念をもって説明するとして、その試みにどのような意味があるのだろうか。換言するならば、本章で主題としているインターネット空間におけるアマチュア動画の研究にいかに資するのか、という問題である。この問題については以下に挙げるような貢献が考えられる。

第一に、先行研究、ならびに、批評、評論、ニュース等では扱われないジャンルの動画を対象とした議論の発展が図られる。すでに述べたとおり、ニコニコ動画の現象に焦点を当てた議論では「初音ミク」に代表されるボーカロイド作品への言及が多くを占める。その他にも「ゲーム実況」に関する議論なども見受けられるが、基本的には、一節で取り上げた「ニコニコ動画における代表的な動画のジャンル」が中心となる。現在のところ日本国内で多くの研究が行われているわけではないが、その焦点をYouTubeの現象に移したとしても、「YouTuber」や「バーチャルYouTuber」への言及が一定の割合を占めると推察される。それは、いわゆる学術的な研究の領域に限らず、批評・評論やニュースにおいても例外ではない。もちろん、社会的に関心・注目を集める動画への言及は意味があり、需要も高い。しかし、インターネット上のアマチュア動画の歴史を紐解いていくと、そこには常に不可解ながらも、一部のネットユーザーの間で人気を集める動画が存在していた（そもそも「代表的」とされるジャンルの動画に中にも「カルト動画」と呼びうるものは存在する）。そうした動画を論じる際の一つのアプローチとして「カルト」という視座は有効である。

第二に、右と関連して、広義の文化研究への寄与が見込まれる。インターネット上のアマチュア動画に関する議論は、フラッシュの制作における「クリエイティブモブ」、ニコニコ動画における創作を表す「N次創作」、ならびに、同サイトにおける視聴者の関与を示す「擬似同期」や「弾幕」など、その多くは動画をめぐる人々の関与を論じてきた。これらの研究成果から得られる知見は、本章で事例として取り上げている「淫夢」や「尊師MMD」関連の動画にも適用可能である。だが、動画に関する研究は「テクスト」としての分析だけでなく、カルチュラル・スタディーズやその系譜にあるオーディエンス研究やサブカルチャー研究が焦点を当てたような「コンテクスト」の考察も重要である。

カルトの要素を含むメディア・コンテンツをめぐっては、「（カルト映画のファンダムは）メインストリームや商業映画」とは別物と認識される、選別された映画市場で成長を遂げた」〔Jancovich 2002: 317〕、「(カルト映画のオーディエンスは)「ありきたりで退屈な」メインストリームの映画とは明確に異なる映画としてカルト映画を称賛する」〔Mathijs and Mendik 2008: 4〕、「メインストリームの外側に位置するカルトのテクスト性」、「カルト・テクストはオルタナティブでアンダーグラウンドなものであり、普通のメディアからは探知されない」〔Duffett 2013: 222〕といった議論に見られるように、カルトの要素を含むメディア・コンテンツ、および、そのオーディエンスは、とりわけ「メインストリームとの差異」によって位置づけられることが多い。このことは「淫夢」や「尊師ＭＭＤ」の動画にも当てはまる。前者に関して言えば、男性同性愛者向けのポルノビデオを原作とし、後者に関して言えば、インターネット上の炎上事件に関係する登場人物を題材としている点でメインストリームとは区分される。

オーディエンスについても、例えば「淫夢」の話題や言葉が共有される圏域以外でそれらに言及する者たちを「ホモガキ」や「淫夢厨(ちゅう)」として忌避する風潮は、「事情通(ヒップ)」の集団が自らのテイスト(趣味・嗜好)をめぐる卓越性を誇示し、審美眼を持たない者を「にわか」や「えせ」と呼び、よそ者として区分する現象に焦点を当てた「サブカルチャー資本」の議論〔Thornton 1995〕とも通じている。こうした論点はまさしく「コンテクスト」の問題であり、そこには既存研究とは異なる議論の切り口が見出せる。

第三に、アマチュア動画と政治経済の関係を考察するうえで示唆が得られる。動画に限らず、情報通信技術の進展に伴うコンテンツへのアマチュアの関与や参加は「消費者生成メディア(ＣＧＭ)」や

「ユーザー生成コンテンツ（UGC）」といった言葉を用いながら、期待を込めて語られてきた。そして、アマチュアを主体とするコンテンツの制作や公開は実際に促進された。しかし他方で、アマチュアによるコンテンツへの関与や参加は、コンテンツの制作・公開の手段や場（プラットフォーム）を提供する企業の利益へと転化されるといった指摘もなされている。「［ユーザーの］創造性はインターネット・プロシューマーの商品化、ユーザー活動の商品化と搾取、ユーザーが生み出したデータの商品化と搾取を可能とする原動力である」［Fuchs 2017: 74］。こうした過程は、サブカルチャー研究で論じられてきた企業によるサブカルチャーの商品化［Hebdige 1979＝1986; Thornton 1995; Clarke 2006 ほか］とも通じている。実際、ボーカロイドの楽曲はCDや配信サービスを通じて販売され、動画投稿サイトで音楽活動を展開していたアマチュアの中にはメジャーデビューを果たした音楽家も多数存在する。

アマチュアによる自発的な活動の商品化は「搾取」である、と批判的にのみ論じることは一面的に過ぎる。しかし、インターネット上のアマチュア動画は「商品（マス・メディアの生産物あるいは内容）を生み出す経済過程としてのマス・メディア活動に焦点を置く」［McQuail 2005＝2010: 130］という政治経済の問題と不可分であり、その結びつきは、情報通信環境の進展とともにいっそう強まっている。ただ、「淫夢」や「尊師ＭＭＤ」の動画については、マティスとメンディクが提示した「カルト映画を構成する主たる要素」の「政治経済」の類型と対応せず、また、商品化も免れている。このことをもって資本主義への対抗性を読み取るのは拙速である。しかし、プラットフォーマーと呼ばれる大企業の影響力が増し、市場化が進展するインターネット空間において、メインストリームと区分されるカルト的な性質を保ったコンテンツが存立していることは、政治経済に回収されない活用や領域の有り様を考察するうえで一つの手がかりを与えてくれる。

おわりに

本章ではインターネット上に見られるアマチュア動画の歴史や先行研究を概観したうえで、特定の圏域以外での言及がはばかられるカテゴリーの動画に着目し、それらを「カルト動画」という観点から考察した。インターネット上のアマチュア動画は、動画投稿サイトの登場以降、爆発的に増加し、関連する研究も増加した。日本社会においては、二〇〇〇年代後半から二〇一〇年代前半にかけて「ニコニコ動画」が多くのユーザーを集めたことから、同サイトの現象を扱った議論が多く展開され、その中では「初音ミク」に代表されるボーカロイド作品に関する考察がとりわけ目につく。それらの先行研究は、インターネット上のアマチュア動画という新たな現象の把握に寄与したものとして評価される。しかし、インターネット上のアマチュア動画の中には、人気や社会的な関心を集めるものだけでなく、特定の圏域で繰り返し視聴され、その域外でも一定の認知を得ながらも、言及が控えられるカテゴリーの動画も存在する。

本章で取り上げた「淫夢」や「尊師ＭＭＤ」というカテゴリーに属する動画は、まさしく特定の圏域以外での言及がはばかられてきた。これらの動画の中には、不愉快な要素を含むものもあり、動画のもとになった出来事や騒動を知らない者からすればそもそも理解しがたい。ただそのような動画については、ボーカロイド作品のように人気や関心を集めてきた動画にも見られた制作過程や視聴者の関与が認められる。他方で、動画の内容や視聴者の立ち位置といった点では、インターネット空間において、あるいはより広範な社会空間で受容されてきた動画とは明らかに異なっている。このような「違い」が、言及がはばかられてきたインターネット上のアマチュア動画に着目する意味であり、その問題に取り組むためにカルト・コンテンツに関する研究の知見を援用し、「淫夢」や「尊師ＭＭＤ」のカテゴリーに属する動画を「カルト動画」と位置づけて考察した。この試みは、理解しがたい対象を把握するための枠組みを与えるだけでなく、既存研究とは異なる観点からのインターネット上のアマチュア動画に関する議論の発展、さらにはより広範なネットカルチャー研究の発展に寄与するものである。こうした成果が得られた一方で、本章には多くの課題も残されている。

第一に、動画の分析が不足している。本章では「淫夢」や「尊師ＭＭＤ」関連の動画を一括りに扱ったが、言うまでもなく、個々の動画に目を向けると構成要素や特徴は異なる。また「インターネットミーム」[Shifman 2014; Milner 2016 ほか]の研究が焦点を当てるような、複製や模倣を通じたコンテンツの生成・変容も「淫夢」や「尊師ＭＭＤ」の動画では顕著に認められる。これらの論点はインターネット上のアマチュア動画を論じるうえで重要な問題であり、「淫夢」や「尊師ＭＭＤ」関連の動画に限らず、具体的な作品を事例とした分析が求められる。

第二に、動画に関与する者たちの位置づけに関する考察が十分とは言えない。本章では「メインストリームとの差異」に目を向けたが、この論点について議論を深めるのであれば、例えば、動画に付随するコメントやスラングの使われ方など、オーディエンスの具体的なやりとりの分析が必要となる。また、「「カルト」という言葉は、社会学的、ならびに宗教的にアプローチされてきた」[Marhijs and Sexton 2011: 1] という説明がなされているように、カルトの要素を含むメディア・コンテンツの考察では、オーディエンスの関与に見られる宗教な要素や特徴は重要な論点である。実際、本章で取り上げた事例でも、特に「尊師ＭＭＤ」の元ネタとなった騒動では、「聖典」や「恒心教」といった宗教的含意を伴う言葉が（ネタとして）使用されてきた（そもそも「尊師」という言葉も宗教的含意を伴っている）。こうした現象はカルト映画やカルトＴＶの消費・受容で論じられてきた宗教性の問題と通じており、カルト動画についても同様の観点から考察する余地があるものと考える。

第三に、倫理的な問題もある。すでに指摘したように「淫夢」や「尊師ＭＭＤ」の動画は、その元となった作品や騒動に関連する人物を「ネタ」として扱い、基本的に笑いものにしてきた。そうした行為はもちろん倫理的な観点で問題となる。インターネット上では少し「ズレた」言動をとる者を晒し上げる文化があり、そのような動画の投稿者がまさしく「ネタ」として扱われ、嘲笑されるケースがある。その程度は「淫夢」や「尊師ＭＭＤ」よりも場合によっては過激である。こうした潮流に善し悪しの判断を下すこともさることながら、そもそも言及の是非も問われねばならない。それゆえ敏感な問題に言及した本章も是非の対象となる。少なくとも、内輪性が重要な意味を持つ話題を取り上げたという点について、本章はそしりを受けねばならない。ただ、倫理的な判断をするにしても、言及の是非を問うにせよ、一刀両断するのではなく、なぜ、物議を醸し、言及がはばかられる出来事、騒動、作品、人物がコンテンツへ組み込まれ、一部のネットユーザーに愛好されるのかを理解しなければならない。その際に「カルト動画」という視座は手がかりとなる。今の段階では倫理的な問題についてこれ以上の回答を持たないが、常に正面から向き合わねばならない課題であることを最後に付しておく。

1——総務省が二〇一六年に公表した調査結果によると、日本における YouTube 等の動画共有サービスの利用経験は七割を超え、二〇代では約九割に達している（平成28年版 情報通信白書［総務省 二〇一六］）。

2——二〇二〇年一〇月末現在、ニコニコ動画における投稿動画の総数は約一八〇〇万を数える。

3——「オワコン」とは「終わったコンテンツ」の略称で、日本社会を文脈とするインターネット空間でスラングとして使用される。なお、「コンテンツ」に限らず、サービスや人物も「終わった」対象として言及される。

4——遠藤薫編［二〇〇四］では、前述の「ゴノレゴ」や政治家の不祥事を素材とした「ムネオハウス」などを事例として取り上げている。

5——一連の経緯は以下の記事を参照。文脈をつなぐ（二〇一六年九月五日）「すべては一本のビデオから始まった　真夏の夜の淫夢入門その一」（https://kimu3.net/20160905/5001）。

6——二〇二〇年一〇月末現在、ニコニコ動画には「真夏の夜の淫夢」というタグが付けられた動画が約一二万二〇〇〇件存在している。

7——もちろん「ハセカラ騒動」に関しては、一連の経緯や出来事に目を向けるならば「内輪ネタに過ぎない」として退けるべきではない。炎上騒動に関連する人物や家族、周辺環境に関する情報収集・公表、ならびに様々な「嫌がらせ」については、倫理的な観点にとどまらず、法律上も問題視される。

8——文脈をつなぐ（二〇一六年一二月三〇日）「なぜ「例のアレ」に尊師ＭＭＤは増殖したのか?」（https://kimu3.net/20161230/5887）。

9——ＭＭＤ杯公式ホームページ「第一五回ＭＭＤ杯」（https://sites.google.com/site/mmdcuphp/home/15thmmdcup/15th-close#senkouiin）。

10——朝日新聞デジタル、二〇一七年九月一〇日「初音ミク「次の10年へ」歌い続ける電子の歌姫」（https://www.asahi.com/articles/ASK9B543LK9BUEHF002.html）。

第五章

オンライン・コミュニティの多様化と文化現象

――「下位文化理論」を手がかりとして

はじめに

本章では、オンライン・コミュニティに関する考察を通じてソーシャルメディアの利用が進展したインターネット空間における文化の位置づけを明らかにしていく。[*1]

オンライン・コミュニティとは、コンピュータ・ネットワークを介した人々の相互行為（相互作用）を通じて形成される集まりを指し、インターネットの本格的な普及前から関心を集め、数多くの研究が行われてきた。[*2] ブログ、ソーシャル・ネットワーキング・サービス（SNS）、動画投稿サイトなどインターネットを通じて提供されるサービスが多様化し、インターネットの大衆化が進展した現在においても、オンライン・コミュニティは依然存在している。[*3] むしろ、かつてと比べて、オンライン・コミュニティの数は増加し、種類も多様化している。こうした変化はオンライン・コミュニティ論の発展の可能性を示唆する。

しかし、オンライン・コミュニティへの関心は、情報通信環境の進展とともに若干下火となっている。インターネット空間にコミュニティを確認することはできる。だが、そうした集まりを説明する際には既存研究の知見である程度までは足りる。また、ＳＮＳやコミュニケーションアプリといった（比較的新しい）サービスの発展・普及に伴い形成されたオンライン・コミュニティは、すでに面識のある者たちがその成員である場合も多い。それゆえ、関心の所在は「オンライン」だけでなく、（むしろ）「オフライン」とも呼ばれる物理的な空間を基盤とする関係性にも置かれる。このような理由を挙げてみると、オンライン・コミュニティへの関心が低下しているというのもうなずける。

とはいえ、昨今のオンライン・コミュニティに目を向けてみると、従来とは異なる動態も認められる。その一つとして、多様なコミュニティの共存と成員間の相互行為という現象が挙げられる。ソーシャルメディアの登場・普及により、インターネット空間で活動する人は増加した。その結果、成員の社会的属性や、信念、価値、規範、習慣、いわゆる「文化」がそれぞれ異なるコミュニティがインターネット空間に成立し、共存するようになった。また、各々のコミュニティに帰属意識を持つ成員たちは、異なるコミュニティに帰属意識を持つ成員と様々な形で関係している。このような現象は、主としてオンライン・コミュニティの内部に見られる現象に焦点を当ててきた既存研究ではさほど関心が払われてこなかった。

そこで本章では、多様なオンライン・コミュニティの共存と成員間の相互行為に焦点を当て、現在のインターネット空間に見られる文化現象を論じる。考察に際しては、都市社会学の知見、とりわけ「下位文化理論」を参照する。下位文化理論とは、都市における多様なコミュニティの発展および特徴を、通念とは異なる独特の信念、価値、規範、慣習のセットである「下位文化」という観点から把握する視座である。都市社会学であれ、下位文化理論であれ、基本的には物理的な空間に形成された「都市」を対象としており、本書が対象とするインターネット空間の問題とは相容れないように映る。だがその枠組みは、ソーシャルメディア普及後のインターネット空間の諸相を把握し、オンライン・コミュニティの成員間で生じる文化的な摩擦や普及といった現象の説明に際して有効と考える。

一　コンピュータ・ネットワークを介した人々の集まりと「コミュニティ」

コンピュータ・ネットワークは場所や時間を共有しない不特定多数の人たちの相互行為や集まりを可能にした。こうした現象は目新しく、社会科学の分野でも研究対象として扱われてきた。それらの研究の初期、時期としてはインターネットの大衆化以前に活発な議論が展開されたテーマがある。そのテーマとは「コミュニティ」である。なぜ、人々によるコンピュータ・ネットワークの利用を論じる中で「コミュニティ」への言及が行われたのか。それは端的に、コミュニティの定義に当てはまるような人々の集まり、すなわち、「ある社会的領域で社会的相互作用をなし、また、一つあるいはそれ以上の付加的な共通の絆をもつ人びと〔の集まり〕」〔Hillery 1955＝1978: 304〕がコンピュータ・ネットワークを通じて形成されたからである。

コンピュータ・ネットワークの歴史を振り返ると、ワールド・ワイド・ウェブ（いわゆる「ウェブ」）が広く普及する前から、ニュースグループ、電子メール、メーリングリスト、リレーチャット、電子掲示板（ＢＢＳ）など対人間でメッセージのやりとりが可能なシステムが存在していた。そうしたシステムを介した人々の交流には、地理的な関係に基づかないものの、一定の領域に人々が集まり、相互行為を展開しているという点でコミュニティの特徴を見出すことができる。こうした観点からオンライン・コミュニティの議論が展開されるようになった。

オンライン・コミュニティの問題を扱った研究は数多く手掛けられてきたが、たびたび参照される文献がある。それは、ハワード・ラインゴールドの著書『バーチャル・コミュニティ』〔1993=1995〕である。同書は一九八五年に設立された「WELL（Whole Earth 'Lectronic Link）」と呼ばれるパソコン通信の電子会議システムにおける人々のやりとりを扱ったもので、ラインゴールドが「紀行文」〔Rheingold 1993=1995: 39〕と呼ぶように、自身の体験に基づいた議論が展開されている。

ラインゴールドはWELLに形成されたコンピュータを媒介とした社会集団を「バーチャル・コミュニティ」と定義し、「ある程度の数の人びとが、人間としての感情を十分にもって、時間をたっぷりかけてオープンな議論を尽くし、サイバースペースにおいてパーソナルな人間関係の網をつくろうとしたときに〔バーチャル・コミュニティは〕実現されるものである」〔Rheingold 1993=1995: 20〕と説明する。ラインゴールドの議論の範囲は、地理的な場所を共有していない人たちのオンラインでの交流、コンピュータ通信の歴史、MUD（Multi-User Dungeon）とアイデンティティ[*4]、グローバルなネットワーク、民主主義など多岐にわたるが、全体としては、バーチャル・コミュニティにおける参加者たちの交流を通じた相互扶助や文化的な豊かさ、そして政治的な意義を強調し、肯定的に評価している。

ラインゴールドの議論に対しては、バーチャル・コミュニティを理想として描き、問題点や否定的な面に目を向けていないという批判も提起されている〔Castells 2001=2009 ほか〕。ただし、そうした批判はオンライン・コミュニティの評価をめぐるものであり、コンピュータ・ネットワークを介した人々の交流が継起的に展開されている集まりをコミュニティとして把握すること自体が批判されているわけではない。

ラインゴールドの議論も含めて、コンピュータ・ネットワークを介して形成されるコミュニティに焦点を当てた議論は、当初、米国を中心に展開された。だが、コンピュータ・ネットワークは世界中で利用されるようになった。もちろん日本も例外ではなく、コンピュータ・ネットワークや関連システムを通じた人々の交流が展開され、そこに「コミュニティ」と呼べるような集団が形成された。そして、そうした現象に関心を持つ研究者がコミュニティという観点から考察を展開している。

日本でインターネットが本格的に普及する前の一九九三年には、パソコン通信の電子会議室の集まりを「電子コミュニティ」と定義し、電子コミュニティにおける参加者の活動状況や発言内容を調査・分析した研究成果が公表されている［川上・川浦・池田・古川 一九九三］。また、インターネットの利用者が増加し始めた一九九七年には、パソコン通信やインターネットといった「電子ネットワーキング」を介した人々の交流を通じて形成される集団をコミュニティと見なし、電子コミュニティの成り立ちや特徴、パソコン通信の会議室におけるやりとりを対象とした実証研究、インターネット（ウェブ）と電子コミュニティに関する考察などが行われている［池田編 一九九七］。インターネットの普及後も、ウェブを介した人々の集まりをコミュニティと見なし、そうしたコミュニティに見られる現象を考察対象とした研究は数多く行われている［遠藤 二〇〇〇／鈴木 二〇〇二／宮田 二〇〇五／池田編 二〇〇五ほか］。

二　オンライン・コミュニティ論の停滞

オンライン・コミュニティに着目した研究は、一般の人々によるコンピュータ・ネットワークの利用拡大と並行しながら活発に展開された。しかし、インターネット利用が一般化し、ブログやSNSといった（相対的に）新しいオンラインサービスが流行・普及したころには、オンライン・コミュニティに関心を示す議論に以前ほどの活気は見られなくなった。その理由はいくつか挙げられる。

第一に、オンライン・コミュニティの議論が十分に尽くされたという理由が考えられる。インターネット利用にかかる費用の低廉化、そして、ブログやSNSといった簡易な交流サービスの流行・普及により、オンライン・コミュニティの数、種類、参加者は増加した。しかし、オンライン・コミュニティという概念自体が棄却されるわけではない。

先にも挙げた「バーチャル・コミュニティ」という概念を軸としながらSNSにおける利用者の活動を調査・分析したマルコム・パークスは、かつてのバーチャル・コミュニティとの違い（後述）を指摘しながらも、「マイスペースやフェイスブックといった今日のソーシャル・ネットワーク・サイトは、オンライン上の社会的な広場であり、そこにはバーチャル・コミュニティの特徴が認められる。すなわち、ソーシャル・ネットワーク・サイトというのは、バーチャル・コミュニティのいわば最新版であり、おそらくはその完全版なのである」［Parks 2011 : 117］と述べている。彼はバーチャル・コミュニティの構成要件として、集団的な活動への関与、儀礼や社会的な取り決めの共有、参加者間の定番化された相互行為、一体感・所属意識・愛着、コミュニティの存在に関する自己認識を挙げているが、これらの要件はパークスも指摘するように、旧来のオンライン・コミュニティだけでなく、ＳＮＳを通じて形成される集まりにも認められる。このことは、新たなオンライン・コミュニティも既存研究の知見によってある程度は説明できることを意味する。つまり、改めてオンライン・コミュニティについて論じる必要はさほどない、ということになる。

第二に、ＳＮＳなどを通じて形成された新たなコミュニティの誕生により、「オンライン」への関心が低下したことが理由として挙げられる。

前述のとおり、パークスはＳＮＳを通じて形成される集まりはバーチャル・コミュニティの特徴が認められると述べているが、同時に、そうしたコミュニティを論じる際には、以前とは異なる視座からアプローチしなければならないとも述べている。その着目する対象とは、オフラインのコミュニティ、換言すると、地理的な場所において、すでに関係性を構築している人たちの集まりである。その理由は、「〔昨今見かける〕バーチャル・コミュニティは地理的な状況にあるオフライン・コミュニティがオンラインへと拡張されたものであることが多い」［Parks 2011: 120］からである。日本においても、例えば、近藤淳也［二〇一五］がＬＩＮＥ、ツイッター（Twitter）、フェイスブックといったソーシャルメディアを通じて形成されるコミュニティを、学校、職場、地域などの関係性が反映された「「リアル社会接続型」コミュニティ」と定義し、同様の指摘を行っている。

SNSを通じて形成される集まりは、対面的な状況での交流に基づく既存の人間関係が反映されていることが多い。このことは改めて論じるまでもない。ただ、オンライン・コミュニティ論との関係で一つ指摘しておきたいのは、考察に際して「オンライン」と呼ばれる状況だけでなく、「オフライン」とも呼ばれる物理的な場所における対面的なやりとりや集まりにも目を向けなければならなくなった、ということである。前述のとおり、オンライン・コミュニティの特徴は、既存研究の知見である程度まで説明できる。ただしそれだけでは現在のオンライン・コミュニティの有り様を十分に説明することができない。その不足部分を埋めるためには対面的な状況での交流を通じて形成された人間関係に着目する必要がある。場合によっては、対面的な状況の関係性の方が考察に際しての重要性は増す。他方、インターネット上の集まり自体への関心は相対的に低下することとなる。

第三に、現在のオンライン・コミュニティの実態が、研究が活発であった時分の「期待」とは異なるという理由も挙げられる。コミュニティに関する研究には、「現状分析概念」としてのコミュニティへの言及と、「期待概念」としてのコミュニティへの言及が並存している［浅川・玉野 二〇一〇ほか］。「「コミュニティ」は、その言葉がよい意味をもつがゆえに、よい語感をもつ。その意味のどれもが喜びを約束し、その喜びはたいていは、わたしたちが経験したいと思うものであって、ないことが残念に思われるようなものである」［Bauman 2001＝2008 : 8］、「要するに「コミュニティ」は、残念ながら目下手元にはないが、わたしたちがそこに住みたいと心から願い、また取り戻すことを望むような世界を表しているのである」［Bauman 2001＝2008 : 10］。こうしたコミュニティに対する期待はオンライン・

コミュニティ論の中にも見受けられた。

クリスピン・サーロウらはオンライン・コミュニティ論の系譜を整理する中で、オンライン・コミュニティへの言及は伝統的な共同体の回復という価値を含むと論じている［Thurlow et al. 2004］。同様に、ドミニク・カルドンは、バーチャル・コミュニティは「自由で開放された空間のなかに「コミュニティ」を再構築しようとする発想」が背景にあったと指摘する［Cardon 2010=2012 : 36］。先に参照したラインゴールドの議論について、カステルは「自由なコミュニケーションと個人的実現を特徴とする、新しい時代の到来」、「共通の価値と関心によって人々をオンラインでつなぎ、対面的な相互作用にも拡張し得るサポートと友情の絆を作る」［Castells 2001=2009 : 136-137］といった期待や理念を含んでいたと述べる。佐藤俊樹は、「ヴォランティアのコミュニティ」を理想像とするインターネットとコミュニティに関する議論は、原近代のコミュニティの再生を夢想するものである、と指摘している［佐藤 二〇一〇］。

ただし、インターネットが大衆化し、ソーシャルメディアの流行・普及により誰しもがオンライン・コミュニティへと参加するようになった現在、その実態は期待とはかけ離れている。

今日、インターネットの「コミュニティ」という虚構は、参加者が多様化した影響により瓦解した。インターネットの先駆者たちは、流動性が高く開放的で寛容な交流によって、世界が再統合されることを夢見ていた。ところが、インターネットが大衆化されても、社会的、地理的、文化的に同じ特徴をもつ個人の集結したコミュニティの飛び地が増殖しただけであった。

〔Cardon 2010=2012：47〕

ソーシャルメディアを通じて形成されるオンライン・コミュニティが「近隣で暮らすインターネット利用者が集結しているだけ」〔Cardon 2010=2012：47〕であることの評価については、改めて検討する必要がある。ただ少なくとも、現状のオンライン・コミュニティは「期待外れ」と見なされており、期待という観点からの議論は鳴りを潜めることとなる。

三 多様なオンライン・コミュニティの共存と成員間の相互作用

前節では、ソーシャルメディアの普及・流行とともにオンライン・コミュニティへの関心が下火となっていった理由を考察した。ブログやSNSといったサービスの流行・普及により新たなオンライン・コミュニティが誕生した。だが、そうしたコミュニティの説明は、概念上は既存研究の知見で事足りる部分がある一方、関心の焦点は対面的な状況との連続性に置かれる。加えて、期待という観点では「期待外れ」であった。それゆえ議論が活性化しない。だが、現在のオンライン・コミュニティをめぐる問題については議論の余地はないのだろうか。そこで本節では、議論の発展を図るために、日本社会を文脈とする事例を中心にオンライン・コミュニティの実態や現状を整理する。

図①および図②は、二〇〇八年一一月二八日に投稿された「ネット文化圏の勢力図を作ってみた。」というブログ記事に掲載されたイラストである。[*5]

イラストの作者は、日本社会を文脈とするインターネット空間において、一定の規模と独特な文化を有するコミュニティを「文化圏」と定義し、文化的な親和性を基準にそれぞれの文化圏を平面上に配置している。

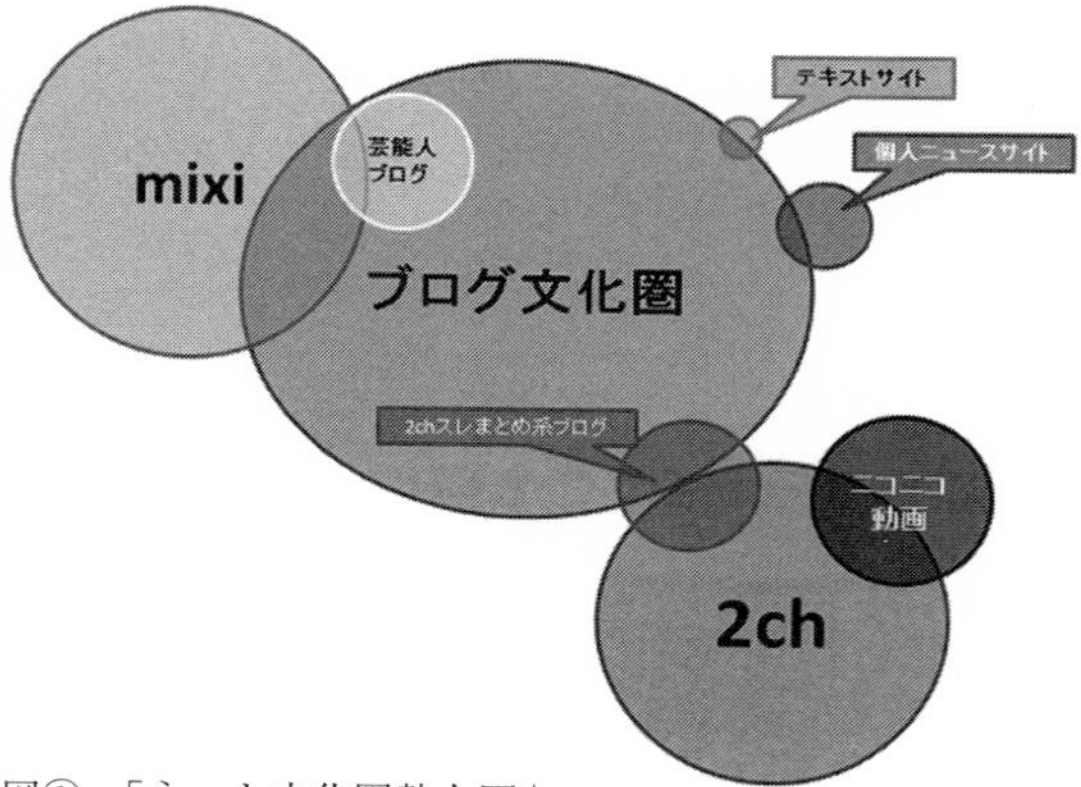

図①　「ネット文化圏勢力図」
（「ネットナナメ読み」http://builder.japan.zdnet.com/blog/10514442/2008/11/27/entry_27018244/）

図①から出発したネット発信文化圏の勢力図は、ブログ記事のコメント欄やSNSのミクシィ（mixi）を通じて寄せられた意見をもとに作者が幾度かの修正を行い、最終的には図②のようなイラストへと至った。一連の作業を経て作者は「すごく……カオスです……」、「僕の能力では全員が納得する勢力図を書くのは無理」と述べている。これらのコメントは、日本社会を文脈とするインターネット空間におけるオンライン・コミュニティの配置を描写することが極めて困難であることを物語っている。また、様々なオンラインサービスの登場により、「カオス（混沌）」と形容する状態がさらに進んだことを示している。ただし、ネット発信文

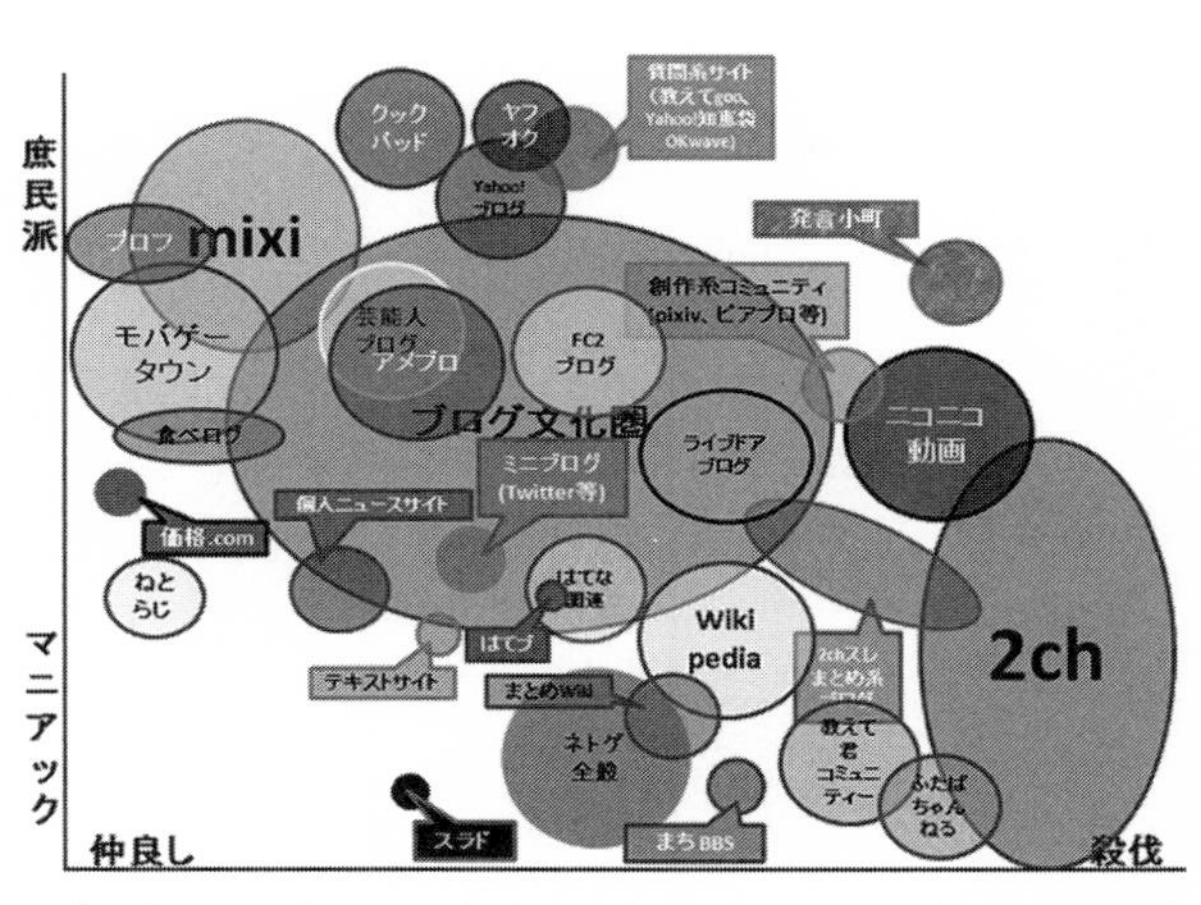

図② 「日本のネット発信文化圏勢力図になる予定だった何か」（同右）

化圏の勢力図は、現在のオンライン・コミュニティの様相を把握し、議論を発展させていくうえで大きな示唆を与えてくれる。

特に注目したいのは、多様なオンライン・コミュニティがインターネット空間で共存している状態である。二〇〇〇年代前半まで、日本社会を文脈とするインターネット空間では、電子掲示板サイト「2ちゃんねる」（一九九九年）が最大のオンライン・コミュニティであった。*6 しかし、手軽な情報発信や交流が可能なオンラインサービスが二〇〇〇年代前半から後半にかけて多数登場し、それらの利用を通じて、様々なオンライン・コミュニティがインターネット空間に形成されていった。

二〇〇三年頃から利用者が増加し始めたブログは、ホームページに替わる情報発信の手段として利用されたが、同時にトラックバックやコメント機能を通じた人々の交流も展開された。そして「それぞれのサービスがゆるやかなコミュニティと呼べる存在になっていった」[近藤 二〇一五：一二]。そして、二〇〇〇年代後半になるとSNSを通じた交流が盛んになり、先にも言及したような、対面的な集まりの延長にあるようなコミュニティがインターネット空間に形成されていった。

また、動画投稿サイトの「ニコニコ動画」（二〇〇六年）では、映像コンテンツ、いわゆる「動画」の視聴とコメントを通じて利用者間の交流が展開され、そこにもコミュニティとも呼べるような集まりが見受けられる。短文投稿サービスの「ツイッター」（二〇〇六年）では、フォロー、リツイート、お気に入りといった機能を通じて利用者間の交流が図られ、緩やかな集まりが形成されている。他にも、パソコンや家電の口コミサイト「価格.com」（一九九七年）、料理レシピ「クックパッド」（一九九八年）、化粧品「@cosme（アットコスメ）」（一九九九年）、飲食店情報「食べログ」（二〇〇五年）など、特定の話題を扱うサービスを介して「テーマ特化型のコミュニティ」［近藤 二〇一五］と呼ばれるようなコミュニティが存在している。[*7] ネット発信文化圏の勢力図の作者が「カオス（混沌）」と述べていたように、インターネット空間には、非常に多くのオンライン・コミュニティが形成されており、その数や種類は年々増加している。

日本社会を文脈とするインターネット空間に見られるオンライン・コミュニティの変遷、そして多様化という現象自体は改めて指摘することでもない。また、それぞれについての研究は少なからず行われている。だが、多様なオンライン・コミュニティがインターネット空間で共存している状態については、インターネットというプラットフォーム上で様々なソーシャルウェア（検索エンジン、ブログ、SNS、電子掲示板など）が自生している状態を「生態系」という比喩を用いて描写した濱野智史［二〇〇八］のような一部の議論を除いて、ほとんど言及されておらず、そこには考察の余地がある。

ここまでの整理が示すとおり、既存のオンライン・コミュニティ論は、コミュニティの内側に見られる現象に焦点を当てたものが中心であった。そのようなアプローチが問題であるというわけではない。だが、オンライン・コミュニティの多様化が進展している現在、インターネット空間におけるオンライン・コミュニティの配置を鳥瞰的にとらえる議論も可能であり、かつ必要であると考える。

四　オンライン・コミュニティの多様化とインターネット空間の「都市化」

前節ではオンライン・コミュニティ論の発展を図るため現状の整理を行い、インターネット空間における多様なオンライン・コミュニティの共存と、それぞれのコミュニティに帰属する成員間の相互行為が論点になり得ると述べた。こうした現象はこれまで十分に議論されておらず、考察を試みることでオンライン・コミュニティ論の発展が見込まれる。ただし、新たな考察を手掛けると一口に言っても、様々な問題設定が可能である。そこで本節では、インターネットの大衆化に伴うインターネット空間の人口増加を「都市化」という観点から把握し、都市化の問題を主題とする社会学の知見を参考にしながら、主にオンライン・コミュニティの多様化について考察を行う。

多様なオンライン・コミュニティの共存と成員間の相互行為が生じた理由として、一方で、ブログやSNSといったつながりや集まりを促進するソーシャルメディアの拡充が挙げられる。他方で、インターネットの大衆化という要因も挙げられる。あくまで仮定であるが、多様なソーシャルメディアが存在していても、それらの利用者や需要が乏しいのであればつながりや集まりは生まれない。ブログやSNS普及以前のオンライン・コミュニティが、現在と比較してさほど多様でなかったのは、一方で、オンラインサービスが現在ほどには充実していなかったという理由もあるが、他方で、利用者の数が相対的に少なく、社会階層や社会的属性も多少の偏りがあったという理由も挙げられる。[*8]

インターネットの大衆化という変数によって、多様なオンライン・コミュニティの共存と成員間の相互行為という現象を説明することは、それ自体、意味のある試みであろう。ただし、ここでは類似する社会現象にいったん目を向けてみる。その類似する社会現象とは、近代社会以降の都市化の進展とコミュニティの変容である。

都市化とコミュニティの関係について、古典的な研究に目を向けると、その言及の中心は、家族、村落、中世都市といったコミュニティから、大都市への移行に関心が置かれている。例えば、人々の社会関係を「ゲマインシャフト」と「ゲゼルシャフト」に類型化し、都市化に伴う「ゲゼルシャフト」への移行を指摘するような議論はその一つとして挙げられる。

また、都市社会学のシカゴ学派の研究系譜などに目を向けると、大都市の内部でエスニシティや独自の文化を共有する集団の問題を扱った議論が展開されている。一八世紀半ばから一九世紀にかけて起きた産業革命により、都市の人口は急激に増加した。都市へと流入したのは国内の農村に住んでいた人々だけではない。シカゴに代表されるように、国外から多くの移民が都市へと流入した。移民たちは民族ごとに集まり、居住地を形成した［Burgess 1925＝2011 ほか］。そして現在に至っても、都市にはエスニシティや文化を共有する複数のコミュニティの存在が認められる。このようなエスニック・コミュニティに限らず、日雇い労働者、ホームレス、犯罪者、同性愛者といった人たちの集まりも都市には存在している。これらのコミュニティは、それぞれ接触を持つか否かは別として、都市において共存している。

都市化の進展とコミュニティの変容に関するこのような説明自体、取り立てて強調するところはない。ただ、本章の問題関心と照らし合わせた際に類似性が認められる点は興味深い。まず、コミュニティから大都市への移行については、初期のオンライン・コミュニティとインターネットの大衆化に対応する。インターネットの大衆化以前、コンピュータ・ネットワークが構成する空間には、コンピュータ・ネットワークを利用する（できる）限られた者たちが参加し、ラインゴールドの議論が示唆するように、親密な結びつきや相互扶助の関係を伴う集まりを形成していた。しかし、インターネットの大衆化により、コンピュータ・ネットワークが形成する空間の人口は増加し（＝都市化）、牧歌的、ないし「理想的」なオンライン・コミュニティは縮小、あるいは消滅していった。だが、インターネット空間からコミュニティがなくなったわけではない。人口が増加したインターネット空間の内部には、利用者の社会的属性や関心ごとに分化した集まりが多数存在している。

日本社会を文脈とするインターネット空間に目を向けると、インターネットの大衆化が本格化する二〇〇〇年代前半までは、アングラ掲示板や、その系譜にある「2ちゃんねる」に代表される匿名掲示板のコミュニティが大きな勢力を占めていた。[*9] しかし、二〇〇〇年代に進展したインターネットの大衆化、そして、情報発信や交流を促進するオンラインサービス、いわゆるソーシャルメディアの流行・普及により、これまで積極的に活動していなかった者たちがインターネット空間に流入した。この新参者たちは、ブログ、SNS、動画（投稿）、ソーシャルゲーム、女性や主婦向けの掲示板、料理レシピなどのサービスを通じて交流し、コミュニティを形成した。ただし、旧来よりインターネット空間に存在していたコミュニティがなくなったわけではない。それぞれのコミュニティはインターネット空間で共存している。

コンピュータ・ネットワークによって構成され、時に地理的な場所や対面的な状況を示唆する「リアル」との対比で「バーチャル」とも呼ばれてきたインターネット空間やオンライン・コミュニティの問題を考察する際に、地理的な場所を基盤とする都市を主たる研究対象としてきた研究分野の知見を参考にすることが妥当であるか、ないしは、有効であるかという疑問は残る。だがそうした視座に基づく議論は、論者の知る限り、それほど多くはない。[*10] それゆえ考察を試みるだけでもいくばくかの意味は得られるだろう。

五　オンライン・コミュニティ成員間の相互作用と文化

前節では多様なオンライン・コミュニティの共存について、「都市化」という観点からの把握を試みた。その議論をふまえて、本節ではオンライン・コミュニティの成員間の相互作用に焦点を当て、文化の問題を考察する。その考察に際しては、フィッシャーの「下位文化理論」を参照する〔Fischer 1975=2012, 1982=2002, 1984=1996〕。

フィッシャーの下位文化理論は、都市に特徴的な生活様式を明らかにするアーバニズム研究の系譜に位置づけられ、都市におけるネットワークを基盤とする多様なコミュニティの発展および特徴を、通念とは異なる独特の信念、価値、規範、慣習のセットである「下位文化」という観点から明らかにするアプローチである。その理論的な特徴は、下位文化理論の先行研究である「構成理論と同様に、親密な社会圏が都市環境において存続していると主張する。しかし、決定理論と同様に、生態学的要因がコミュニティに重要な変化をもたらすと主張する」〔Fischer 1984=1996: 56〕というものである。要するに、「〔略〕都市の効果は、都市のコミュニティを破壊するという点にあるのではなく、むしろ都市が新しい下位文化を育む」〔松本編 二〇一四：四三〕という問題意識を軸としている。それでは、なぜ本章で下位文化理論を参照するのか。

一つは、下位文化理論の視座は、インターネット空間における人口の増加、すなわち都市化の進展と多様なコミュニティの共存という本章で焦点を当てている現象に対応させることが可能であると考えるためである。

下位文化理論は、都市への人口の集中という変数によってそれぞれ特徴的な信念、価値、規範、慣習のセット、いわゆる「下位文化」を持つ多様なコミュニティの形成を説明している。「大きなコミュニティは、小さな町よりも、より広い地域から意味を引きつける——移民は非常に多様な文化的背景をもちこみ、多様な社会的世界の形成に貢献する」［Fischer 1984=1996: 57］、「〔略〕都市生活はコミュニティの崩壊ではなく、複数の諸コミュニティの構築によって特徴づけられるというものである。それぞれのコミュニティは国民文化のなかで独自の変異をなす多様な文化集団である」［Fischer 1982=2002: 280］。

こうした下位文化理論の視座をインターネット空間の都市化に対応させると次のように言える。各種のソーシャルメディアの充実により、インターネット空間の人口が増加し、かつてはインターネット空間で積極的に活動していなかった人たち、例えば、女性、低年齢者、高齢者、低収入者、低学歴者などがインターネット空間へと流入した。そうした人たちは自身の属性や関心に基づいて集まった。結果、それぞれに特徴的な下位文化を有する多様なコミュニティがインターネット空間に形成された。[*11]

日本社会を文脈とするインターネット空間に引きつけた場合、例えば、独特の顔文字やアスキーアート、そして「2ちゃんねる語（2ちゃん語）」と呼ばれるようなスラングを用い、「ネタ的」［鈴木 二〇〇二］や「アイロニカル」［北田 二〇〇五］とも言われる相互行為が展開される電子掲示板サイト2ちゃんねるの集まりは、「下位文化」を持つオンライン・コミュニティと位置づけられよう。ただしもちろん、下位文化が認められるのは2ちゃんねるの集まりに限られない。ＭＭＯＲＰＧ（大規模多人数型オンライン・ロールプレイングゲーム）では、ゲームをプレイする際の決まり事や独特の用語が数多く存在している。動画投稿サイトのニコニコ動画では、動画に対して投稿されるコメントに独特の作法や慣習が認められる。ツイッターでは、アカウントをフォローする際のあいさつ、自分のアカウントをフォローした相手に対するフォロー（フォローバック＝フォロバ）、無断リツイート（引用）の禁止といった暗黙の作法が存在している。この他にも、各種のソーシャルメディアを通じて形成された集まりには、それぞれに独特な信念、価値、規範、慣習のセットである「下位文化」が認められる。このような独特な下位文化を持つオンライン・コミュニティの多様化は、ソーシャルメディアの拡充に伴うインターネット空間の人口増加によって進展したと考えられる。

　そして、下位文化理論を参照するもう一つの理由は、コミュニティ成員間の相互行為によって生じる文化現象を扱っているためである。

> 下位文化理論の立場は、都市住民は有意味な社会的世界に住んでいると考える。これらの世界には、（民族や職業のような）特定の特徴を共有する人びとが住んでいる。かれらはとりわけ互いに相互作用する傾向がある。
> [Fischer 1984＝1996：56]

　フィッシャーは下位文化の「強化」や「普及」を説明する際に、コミュニティの成員間の相互作用に言及している。下位文化の「強化」という観点では成員間で生じる摩擦や紛争が挙げられる。「異なる社会的世界にいる人びとは、しばしば、パーク流にいえば「触れ合っている」。しかし、その過程で互いにいらだってくる。（略）ある下位文化からきた人びとは、しばしば別の下位文化の人びとに脅威や攻撃性を見いだす。共通にみられる反応は、自分自身の社会的世界をしっかりといだくことである」[Fischer 1984＝1996 : 56]。つまり、異なる下位文化を持つコミュニティの成員との摩擦の結果、自らの属するコミュニティの下位文化を強く意識するようになるというわけである。

このような現象は日本社会を文脈とするインターネット空間にも認められる。その例として、ブログやSNSに投稿されたメッセージの内容、ならびに、その投稿者に対して批判や非難が巻き起こる「炎上」と呼ばれる現象が挙げられる。[*12] 炎上は、一面では、炎上に関与する行為者同士の相互行為として理解される。ただしそれは、社会的属性や文化の異なるオンライン・コミュニティの成員間の諍いという観点からも把握される[平井 二〇一二aほか]。一方には、ブログやSNSを通じて形成されたコミュニティが存在する。そのコミュニティは、すでに一定の関係性を持つ友人や知人によって構成され、仲間内の話の種として(結果的に炎上へと至るような)問題発言や反社会的行為を吹聴するメッセージが投稿される。そして他方には、電子掲示板サイト2ちゃんねる、ならびに同掲示板サイトの文化を共有するコミュニティが存在する。そうしたコミュニティでは、匿名の参加者が内輪の話題をもとに冗談、皮肉、嘲笑交じりのやりとりを展開している。双方のコミュニティはインターネット空間に共存しているが、文化的な親和性が低く、交じり合ってはいない。しかし、炎上へと至るようなケースでは、一方で、匿名掲示板のコミュニティの参加者は、問題発言や反社会的行為を吹聴した者への糾弾や個人情報の収集・暴露のためにブログやSNSのコミュニティへと接触し、他方で、ブログやSNSのコミュニティ参加者は謝罪や反論といった形で匿名掲示板サイトのコミュニティの参加者と接触する。ここには異なるコミュニティの成員間の相互行為を認めることができる。

他にも、SNSや動画投稿サイトなどが広く利用されるようになった二〇〇〇年代後半以降、特に2ちゃんねるの集まりを中心に、異なるコミュニティに属する成員を揶揄する言説が見受けられるようになった。例えば、ニコニコ動画で人気のコンテンツや話題を好み、ニコニコ動画以外の領域で同サイトのネタを喧伝する者は「ニコ厨」と揶揄された。また、ツイッターを通じて非常識な投稿や嘘を吹聴する者は「ツイカス」という蔑称で呼ばれている。2ちゃんねるのコミュニティに見られる揶揄や蔑称は、その集まりの内部で共有される相互行為の儀礼に過ぎないという見方もできる。ただし同時に、異なる下位文化を持つオンライン・コミュニティの成員間で生じた摩擦としても把握される。

下位文化を持つコミュニティの成員間で生じる相互行為の過程のうち、もう一つの「普及」とは、「ある下位文化成員が別の下位文化成員の行動や信念を採用することを指す」[Fischer 1975=2012: 141]。要するに、あるコミュニティに見られる特有の文化が、異なるコミュニティで採用されることを意味する。その事例としてフィッシャーは、米国の大都市で労働者階級の若者たちが学生風の若者集団のライフスタイルを採り入れる様子に言及している [Fischer 1975=2012: 141-142]。

こうした現象は、例えば、友人・知人との交流や異性の交際相手に恵まれた若者を意味する「リア充」というネットスラングの普及過程に認められる。「リア充」というネットスラングは、元は2ちゃんねるの「学生生活板」で二〇〇五年頃に誕生し、同掲示板の内部で使用されていたとされる。だが、時間の経過につれ、ブログサービスの「はてな」、動画投稿サイトの「ニコニコ動画」、そして「ツイッター」においても使用されるようになった。[*13] すなわち、匿名掲示板サイトのコミュニティで生まれたネットスラングは「リアル社会接続型」〔近藤 二〇一五〕とも呼ばれるような、既存の人間関係が反映されたオンライン・コミュニティまで波及していったのである。

この他にも、インターネットを介したやりとりで「笑い」を意味する表現として広く使用されている「w」という記号の普及過程も事例として挙げられる。「w」という記号は、もともとはMMORPGのチャットで使用されていた。しかし、二〇〇〇年代前半から2ちゃんねるの「ネトゲ実況板」や「ニュース速報（VIP）板」でも使用されるようになり、二〇〇六年にサービスが開始されたニコニコ動画では、当初から笑いを示す表現として使用されている。この他にも男性同性愛者（ゲイ）向けのポルノビデオの作中で使用されていた台詞が、ニコニコ動画や2ちゃんねるの「なんでも実況J（ジュピター）板」などでネットスラングとして使用され、そうしたネットスラングは様々なオンライン・コミュニティへと普及している。

本節では、フィッシャーの下位文化理論を参考としながら、多様なオンライン・コミュニティの共存と成員間の相互行為によって生じる文化現象を考察した。それぞれのオンライン・コミュニティに帰属意識を持つ成員の間で摩擦や文化の普及が生じている。こうした現象は一見取るに足らない。しかし、コミュニティの内側で展開される成員の相互行為に焦点を当ててきた従来のオンライン・コミュニティ論とは異なる視座を示している。このことは、やや停滞傾向にあるオンライン・コミュニティ論の発展のみならず、ソーシャルメディアの利用が進展したインターネット空間における文化の問題を考察する一つの道筋にもなり得るのである。

おわりに

本章では、ソーシャルメディアの発展・普及とインターネット空間の人口増加に伴う、多様なオンライン・コミュニティの共存と成員間の相互行為という現象に着目し、都市化の進展とコミュニティの変容の問題を扱った都市社会学の知見を参考にしながら、インターネット空間に見られる文化現象について考察した。ただし、議論の成熟には多くの課題が残されている。

第一に、オンライン・コミュニティの問題に都市社会学の視座を展開することの妥当性が十分に担保されていない。特に下位文化理論に依拠する考察は、コミュニティの成員間で生じる摩擦や文化の普及といった現象について、事例を交えた考察を行い、議論を深めていく必要がある。

第二に、インターネット空間の編成に目を向けなければならない。本章は、オンライン・コミュニティの特徴を記述するだけにとどまり、構造的な部分には触れていない。インターネット空間は、コンピュータ・ネットワークや人々の営みだけでなく、経済や政治といった諸制度の影響を受けている。多様なオンライン・コミュニティの共存、成員間の相互作用、下位文化といった問題を論じる際にも、インターネット空間と諸制度の関係に目を向けねばならない。

第三に、本章の考察は含意に乏しい面がある。オンライン・コミュニティ論の発展は含意の一つに数えられるが、それ以外の事柄は読み取りづらい。ただ、いくつかの示唆は内包されている。例えば、オンライン・コミュニティに見られる下位文化をカルチュラル・スタディーズの系譜にあるサブカルチャー研究と結び付け、そこに経済や政治といった諸制度の権力という問題を絡めたとき、オンライン・コミュニティで生まれる文化の意味へと考察を発展させていけるかもしれない。

ただ一応のところ、ソーシャルメディアの利用が進展したインターネット空間における文化の位置づけを明らかにするという目的は達成された。オンライン・コミュニティ内部に見られる現象に焦点を当て既存研究のアプローチとは異なり、オンライン・コミュニティ間の問題に焦点を当てた本章の試みは、オンライン・コミュニティ論の発展のみならず、インターネット上に見られる文化の研究、すなわち、ネットカルチャー研究の発展にも寄与しうるものと考える。

1——本書で言う「ソーシャルメディア」とは、「インターネットを利用して誰でも手軽に情報を発信し、相互のやりとりができる双方向のメディアであり、代表的なものとして、ブログ、Facebook や Twitter 等のＳＮＳ（ソーシャル・ネットワーキング・サービス）、YouTube やニコニコ動画等の動画共有サイト、ＬＩＮＥ等のメッセージングアプリ」（平成27年版 情報通信白書〔総務省 二〇一五〕）を指す。

2——コンピュータ・ネットワークを介して形成される「コミュニティ」を表す概念は統一されておらず、「バーチャル・コミュニティ」や「（インター）ネット・コミュニティ」という用語も使用される。本書では、「コンピュータを通じてネットワークに接続している状態」という包括的な意味を持つ「オンライン」という言葉を伴った「オンライン・コミュニティ」という概念を主に用いる。

3——本書では、インターネット利用者の増加、ならびに、利用者の増加に伴うインターネット空間の人口の増加を「インターネットの大衆化」と見なす。遠藤薫は、女性、高年齢層、低収入、低学歴グループのインターネット利用の増加、ならびに、娯楽目的のインターネット利用の増加という変化を「インターネット空間の「大衆化」」[遠藤 二〇一〇：一九]と説明している。本章における「大衆化」も遠藤の説明と基本的に通じている。日本社会の文脈では、携帯電話を通じたインターネット利用が一般化し、ブログやSNSなどの簡易な情報発信・交流サービスが普及した二〇〇〇年代前半から二〇〇〇年代後半にかけて、インターネットの大衆化が進んだと考えられる。

4――MUD（マルチユーザーダンジョン）とは、一九七〇～八〇年代にプレイされたテキストベースのオンラインゲームである。

5――ネットナナメ読み（二〇〇八年一一月二八日）「ネット文化圏の勢力図を作ってみた。」(http://builder.japan.zdnet.com/blog/10514442/2008/11/27/entry_27018244/)。

6――（ ）内の西暦はサービス開始年である。以降も同じ。

7――これらの他にも、例えば「モバゲー」（二〇〇六年）や「GREE（グリー）」（二〇〇四年）などが提供するソーシャルゲームを通じて形成されるコミュニティや、「発言小町」（一九九九年）や「ガールズちゃんねる」（二〇一二年）といった女性を対象とした電子掲示板を通じて形成されるコミュニティなどが挙げられる。

8――van Dijk［1999］は、コンピュータ通信の利用者の大部分は、男性であり、その中でも比較的若く、教育水準の高い、また高収入で、裕福な西側の国に住んでいる人々であったと指摘している。同様に遠藤［二〇一〇］も、一九九〇年代末までは、インターネット利用者は、男性、若年齢、高収入、高学歴の層に偏っていたと指摘している。

9――アングラ掲示板については第一章を参照。

10――例えば、遠藤［二〇〇〇］は、ワールド・ワイド・ウェブ空間と都市のストリートの光景との類似性を提起している。また、濱野［二〇〇八］は、2ちゃんねる開設者の発言をふまえて、2ちゃんねるを匿名的な都市空間と把握している。ただしいずれも示唆にとどまっており、本章のような視座から考察を行っているわけではない。

11——下位文化は「社会において優勢な規範」［Fischer 1975＝2012：133］、「ある社会の支配的規準」［Fischer 1975＝2012：135］、「より大きな社会の価値・規範とは異なる一群の価値・規範」［Fischer 1982＝2002：282］との対照で定義される。これらは「より大きな社会システムと文化」［Fischer 1975＝2012：135］とも換言し得る。ある社会における「大きな社会システムと文化」を措定するのは難しい。インターネット空間を対象としたときその困難はより高まる。ただし、下位文化理論の発展的な考察では、「外社会から相対的に区別された社会的ネットワークと、それにむすびついた特徴的な価値・規範・態度などによって構成される社会的世界」［松本 一九九二：四九］、「ある意味サブとして軽視されてきた友人との関係を随所に観察できる親密な社会的世界。もしくは親密な社会圏」［田村 二〇一三：二二］といった「上位（大きな社会システム）—下位」の関係に帰着しない議論が展開されている。本章でも、「上位—下位」の関係に帰着せず、都市化したインターネット空間において、その特徴によって相対的に区別される集まりを「下位文化を持つオンライン・コミュニティ」とする。ただし、「大きな社会システムと文化」への問いは求められる。

12——現在では企業や組織、有名人の行為や発言に対して批判が生じることも「炎上」と呼ばれる。詳しくは第六章を参照。

13——リア充というネットスラングの起源や広がりについては第七章を参照。

第六章

インターネットにおける炎上の発生と文化的な衝突

はじめに

本章ではソーシャルメディアを通じた一般ユーザーによる情報発信を端緒とする「炎上」と呼ばれる現象を考察する。炎上とは、ブログ、ソーシャル・ネットワーキング・サービス（SNS）、ツイッター（Twitter）といった手軽な情報発信や交流が可能なオンラインサービス、いわゆる「ソーシャルメディア」を通じて投稿されたメッセージ内容、ならびに投稿者に対して批判や非難が巻き起こる現象を指す。[*1] 当初、炎上は電子掲示板サイト2ちゃんねる内の出来事や話題の一つに過ぎなかったが、度重なる発生に伴いその認知も高まり、インターネットのニュースサイト、マス・メディア、雑誌、新書など様々な媒体で言及されるようになった。[*2]

このように時事問題を扱う媒体での言及が増える一方で、学術的な研究はそれほど多くの蓄積があるわけではない。[*3] また、考察の余地も残されている。一つの課題として、ブログ以降の議論が行われてこなかった。初期の炎上はブログの投稿をめぐって発生していたが、その後、ミクシィ（mixi）やツイッターに投稿されたメッセージを引き金に炎上が起きている。仮に、炎上がブログの段階で終息していたら、ブログの普及過渡期に見られる一過性の現象と見なせたかもしれない。しかし、類似の現象が新たなサービスの普及後にも発生している。こうした背景をふまえると、改めて考察に着手する必要性が見出せる。

もう一つの課題として、炎上が起こる理由をどのように説明するかという問題が挙げられる。例えば、是永論［二〇〇八］はオンライン・コミュニケーションの社会心理学によって炎上を論じている。その中でも、集団規範による説明は本章と重なる部分もある。ただし、集団や規範の担い手への言及が十分ではない。インターネット上には様々な集まりや取り決めが認められるが、すべてが炎上に関係するわけではない。本章で取り上げる炎上の主たる関与者は、問題含みのメッセージを投稿する若年層と、そのメッセージや投稿者を批判・非難する2ちゃんねる圏のユーザーである。[*4] それゆえ炎上の仕組みについて理解を深めるためには、それぞれの集まりやその内部の取り決め、すなわち、文化に焦点を当てた議論が必要となってくる。

以上のような問題意識に基づき、本章では、まず、一般ユーザーによるソーシャルメディアを通じた情報発信をきっかけとした炎上の事例を歴史的に整理し、類似現象と見なされる「フレーミング」との比較検討を行う。次いで、フレーミングとの違いを指摘したうえで、炎上の発生と展開を「2ちゃんねるの文化」と「若年層の携帯電話の文化」の関係性に着目して説明する。最後に、都市社会学の下位文化理論を参照しながら、炎上とインターネット空間の都市化の関係を考察する。

一　インターネットにおける炎上の歴史

一般ユーザーのソーシャルメディアを通じたメッセージの投稿を発端とする炎上の起源は、後述の

「祭り」と共通する面もあり同定するのは難しい。ただし、インターネット上の情報や筆者の定期的な観察を総合すると、二〇〇五年八月に起きた「きんもーっ☆事件」（表⑥―1）に求められる。[*5] 同事件は、東京都江東区有明で開催されていたコミックマーケット会場付近に出店していた飲食店の従業員が、自身のブログでイベントの来場者を「大量オタ。これほんの一部ですからね。これがぶぁぁぁぁあっているの。恐い！　きもい！」と誹謗中傷した書き込みに端を発している。その後、電子掲示板サイトの2ちゃんねるにスレッドが立てられたり、まとめサイトが作成されたりしてインターネット上で大きな話題となり、飲食店の運営会社にも苦情が殺到した。最終的には問題のブログは閉鎖され、運営会社も謝罪文を掲載した。そして同事件以降、ブログ炎上が立て続けに発生し、炎上と呼ばれる現象の認知が次第に広まっていった。二〇〇九年には芸能人のブログのコメント欄に中傷や脅迫の書き込みを行った者が名誉毀損や脅迫の容疑で書類送検される事件が起きた。同事件は新聞でも大きく取り上げられ、ブログ炎上は社会問題として認識されるようになった。[*6]

有名人のブログ投稿をめぐる炎上は二〇〇九年の事件以前も、そして以後もたびたび起きているが、一般ユーザーの投稿を発端とする炎上は、ブログから移行し、ミクシィやツイッターの投稿メッセージをめぐって起こるようになる。二〇〇六～二〇〇九年の間にインターネット上で注目を集めた炎上事件はミクシィの投稿に集中している。そして、二〇一一年になると炎上の発端はツイッターの投稿へと移行し、短期間で集中的に炎上が起きている。[*7]

二　フレーミングと炎上の違い

炎上は日本におけるブログの普及以後、定期的に発生している。しかし、ブログの普及前からコンピュータ・ネットワークを介した相互行為では諍いが起きており、学術的な研究も行われている。そこで先行研究への言及もかねて「フレーミング」（flaming）の議論に着目する。

フレーミングは「コンピュータによって媒介されたコミュニケーション〔以下、CMC〕における敵対的で攻撃的な相互行為」［Thurlow et al. 2004 : 70］と定義されており、ニュースグループやBBS（電子掲示板）など、不特定多数のユーザーが集まるオンラインサービスで主に確認されてきた。[*8] その特徴は次のとおりである［Thurlow et al. 2004 : 70］。

- 扇動的メッセージ
- 怒りを誘発するようなコメント
- 無礼で侮辱的なメッセージ
- 多分に冒瀆的で不愉快な罵倒
- 逸脱、わいせつ、不適切な言語
- 雑談の過熱

表⑥　主な炎上事件

	年	月	名称	概要	問題類型	サービス	身分	性別
1	2005年	8月	きんもーっ☆事件	コミックマーケット会場付近でホットドッグを移動販売していたアルバイトスタッフの女性（大学生）が、イベントの参加者を「恐い！ きもい！」などと誹謗中傷	誹謗中傷	ブログ	大学生	女性
2		9月	エアロバキバキ事件	交通事故に遭いそうになった大学生が相手の自動車パーツを破壊したと吹聴	モラル	ブログ	大学生	男性
3		9月	江ノ電バス事件	公道を走行中にバスに幅寄せされたことに憤り、バス会社にクレームを入れた後、謝罪に訪れた運転士らの顔写真、実名、会社名をブログに掲載	モラル	ブログ	フリージャーナリスト	男性
4	2006年	5月	TDCコスプレイベント事件	東京ドームシティで働いていたアルバイト女性が、コスプレイベントの参加者を「同じ世界に生きる人類とは思えない」と誹謗中傷	誹謗中傷	ブログ	アルバイト	女性
5		7月	かっつ事件	大学生がアルバイト先に訪れた皮膚病患者の写真を隠し撮りし、容姿を誹謗中傷	誹謗中傷	ミクシィ	大学生	男性
6		10月	『アタック25』カンニング事件	テレビのクイズ番組で優勝した大学生が番組の予選で、「カンニングしました（笑）」と暴露	モラル	ミクシィ	大学生	男性
7	2007年	8月	コミケでキセル事件	コミックマーケット会場の最寄り駅で無賃乗車をしたと吹聴	犯罪	ミクシィ	大学生	男性
8	2008年	10月	サイゼリヤ返金詐欺事件	ファミリーレストランのピザからメラミンが検出された問題で、ピザを食べていないにもかかわらず代金の返還を求めたと告白	犯罪	ミクシィ	高校生	男性
9		11月	テラ豚丼事件	牛丼店のアルバイト店員が山盛りの豚丼を作る過程を動画サイトに投稿	モラル	ニコニコ動画	アルバイト	男性
10		12月	ケンタッキー異物混入事件	ファストフード店で働いていた高校生が「ゴキブリを揚げていた」と吹聴。後に作り話であることが明らかとなったが、高校生は学校を自主退学	モラル	ミクシィ	高校生	男性

11	2009年	7月	駐車通報仕返し事件	駐車を通報された女子大生の交際相手が、通報者の車に醤油をかけて仕返ししたとブログに書き込み	モラル	ブログ	大学生	女性
12		10月	ホームレス暴行動画事件	大学生がホームレスに生卵を投げつける動画をミクシィで公開	犯罪	ミクシィ	大学生	男性
13	2011年	1月	ホテル従業員による有名人来店暴露事件	ホテルの従業員（大学生）が有名人来店を暴露	モラル	ツイッター	大学生	女性
14		2月	オシャレゴリラ事件	集団準強姦事件に関して女性の非を指摘するコメントをツイッターに投稿	モラル	ツイッター	大学生	男性
15		4月	東電新入社員ミクシィ炎上事件	東京電力の新入社員と名乗る女性が、同社を批判する人たちを疑問視する書き込みを掲載	モラル	ミクシィ	会社員	女性
16		5月	アディダス社員顧客中傷事件	スポーツ用品店に勤務する女性社員が、自身が勤務する店舗を訪れたサッカー選手とその家族を誹謗中傷する内容を投稿	誹謗中傷	ツイッター	会社員	女性
17		7月	なでしこJAPAN宴席実況事件	女子サッカーの日本代表選手との宴席で、同席者が選手の発言をツイッターで実況	モラル	ツイッター	大学生	男性
18		8月	大学生読者モデル炎上事件	読者モデルの大学生が性犯罪、無賃乗車、飲酒、喫煙等を示唆する内容をツイッターに書き込み	犯罪	ツイッター	大学生	男性
19		11月	一人飯男性中傷事件	女子短大生がファストフード店で食事をしていた男性を撮影し、容姿を誹謗中傷する内容をブログに投稿	誹謗中傷	ブログ	短大生	女性
20		11月	アパレル店員窃盗告白事件	服飾店の女性店員がゲーム機を置き引きし、転売したとブログに投稿	犯罪	ブログ	アルバイト	女性

※表の作成に際しては、二〇〇五年八月～二〇一一年一一月の期間で以下の要件に当てはまる主な事例を選択した。
①一般ユーザーの投稿をきっかけとする、②2ちゃんねるのニュースカテゴリに属する板でスレッドが継続的に作成された、③2ちゃんねるのスレッドの内容をまとめたサイト（いわゆる「まとめサイト」や「まとめブログ」）、およびアマチュアが運営するニュースサイトに事件と関連する記事が掲載された、④関連書籍［荻上 二〇〇七／小林 二〇一一ほか］で言及されている。
なお、番号、名称、問題類型は筆者が便宜的に付与したものである。

•嘲笑的コメント

炎上の事例に目を向けると、一方で、炎上の引き金となった投稿には「大量オタ。〔略〕恐い！　きもい！」（表⑥—1）、「ちょおキモいのいた」（表⑥—19）といった他人を侮辱するメッセージや、「ピザ食ってないのにピザの代金返還を求め、〔略〕三〇〇〇円ほどかせがせていただいた」（表⑥—8）といった逸脱や不適切と判断されるメッセージが認められる。他方で、問題の投稿を批判・非難するメッセージには「バカ」や「クズ」といった投稿者を罵倒する言葉が見受けられる。[*9] こうした特徴をふまえると、炎上はフレーミングの一種のように映る。だが、異なる現象として把握すべきと考える。このことを説明するために、既存のフレーミング論の批判的な考察を行ったパトリック・オサリバンとアンドリュー・フラナギンの研究を参照する［O'Sullivan and Flanagin 2003］。

彼らは、既存研究におけるフレーミングの定義の曖昧さを指摘しながら、ＣＭＣで見受けられる攻撃的なメッセージや相互行為のすべてを「フレーミング」と見なすことを疑問視する。こうした観点から議論を展開する中で彼らが着目するのは、相互行為が展開される状況の規範である。例えば、「バカ」や「クズ」といった罵倒を含意する言葉の応酬が相互行為の中で見受けられたとしても、メッセージのやりとりを行っている者たちが「言葉遊び」や「ジョーク」と認識している場合には相互行為の規範は侵害されておらず、敵対的で攻撃的な相互行為であるフレーミングには該当しない。

関連して、既存研究では「第三者」の存在を考慮していないとオサリバンとフラナギンは指摘する。

仮に、右のようなやりとりを「第三者」が問題視しても、メッセージの「送信者」と「受信者」が適切と認識している場合、相互行為の規範は侵害されておらずフレーミングにはあたらない。

外部の観察者が悪意を含意する言葉を確認しても、相互行為を行っている者の一方あるいは両方にとっては、習慣的合図、ユーモアの一種、道理にかなう叱責、故意だとわかる低俗な言葉、特定の作業合意に基づく非規範的な言葉の意図的利用として認識されているかもしれない。

〔O'Sullivan and Flanagin 2003: 73〕

こうした指摘をふまえると、コンピュータ・ネットワークを介した集まりで罵倒や中傷を含意するやりとりを見かけても、それらのすべてがフレーミングに該当するわけではないと言える。そしてこの知見はフレーミングと炎上の違いを示すうえで有効である。

炎上の引き金となった投稿には侮蔑や逸脱に該当する言葉が見受けられた。しかし、それらのメッセージを「受信者」が問題視している形跡はない。「受信者」のカテゴリーに当てはまる「マイミクシィ」の登録者（ミクシィ）や「フォロワー」（ツイッター）は、「送信者」の友人や知り合いが主である。[*10]それゆえ、侮蔑や逸脱の言葉を含む投稿は、ジョークや雑談を意味し、それらは相互行為の円滑な展開に寄与する。実際に、炎上の事例でメッセージの「送信者」と「受信者」の間で諍い（フレーミング）は発生していない。問題含みの投稿を批判・非難しているのは、主に電子掲示板サイト2ちゃんねる圏に集うユーザーたち、すなわち「第三者」なのである。

もちろん、炎上の過程で「第三者」がメッセージの「受信者」となり、「送信者」との間で罵倒や中傷の応酬、すなわち、フレーミングが起こることもあり得る。だが、「メッセージの投稿者が炎上の発生を認知した後、メッセージを消去したり、各種サービスの登録を解除したりする」という炎上でたびたび見かける過程へと移行した場合、第三者の立場は据え置かれる。2ちゃんねるの圏域に集うユーザーたちがメッセージの送信者を罵り続けても、それに対する応答が欠如する場合、フレーミングは成立しない。以上をふまえると、「フレーミング」と「炎上」は、見かけは類似する現象であるが、区別してとらえる必要があると言えよう。

三　炎上が起こる理由——異なる文化圏の衝突

前節ではオサリバンとフラナギンの議論を参考にフレーミングと炎上の違いを示した。メッセージの送信者と受信者の間で諍いが発生せず、第三者が一方的にメッセージを問題視することで成立する炎上は、フレーミングとは区別して扱うべきである。こうした概念整理をふまえ、本節では、問題含みのメッセージを投稿する送信者と、そのメッセージや投稿者に対して集中的な批判や非難を浴びせる第三者に着目して、炎上が起こる理由を説明していく。

1　2ちゃんねるの文化

まずは、問題の投稿メッセージが転載され、批判や非難が起こる電子掲示板サイト2ちゃんねるに目を向ける。考察を進めるうえで参考となるのは「祭り」と呼ばれる現象である。祭りとは、2ちゃんねるの特定スレッドが一つの話題で盛り上がっている状態を指す。祭りの有名な事例として、タレントの不祥事をきっかけとして米TIME誌のアンケートページに大量の投票が行われた「田代祭り」（二〇〇一年）や、丸紅の直販サイトで販売されたパソコンの値段の誤表記による大量注文をきっかけとして起きた「丸紅PC祭り」（二〇〇三年）、「ライブドア球団名公募祭り」（二〇〇四年）などが挙げられる。[*11]

これらの祭りと呼ばれる現象は突発的に発生し、一部を除いて各々の関連性はない。ただし、次のような共通する特徴が認められる。第一に、話題の継続性である。祭りの主たる発生源である2ちゃんねるの「ニュース速報板」では、通常、一つの話題に関するスレッドは短期間で消費され、継続することは少ない。だが、祭りの際にはスレッドが継続的に立てられ、数日〜数十日にわたって書き込みが続く。第二に、掲示板サイト外への展開が挙げられる。2ちゃんねるで祭りが起こると、各種のニュースサイトで取り上げられたり、祭りの概要をまとめたサイト（まとめサイト）が作成されたりする。第三に、祭りはウェブ内にとどまらず「オフ（会）」のような物理的な場所での活動に発展することもある。

こうした祭りの展開は炎上でも確認される。まず、炎上関連のスレッドは祭りと同様に継続する。その間に掲示板外の様々なウェブサイトで紹介されていく。さらに、活動はインターネット空間にとどまらず、炎上を招いたメッセージの投稿者が所属する組織等への電話（通称「電凸」）や、投稿者の居住地への訪問（通称「凸」）あるいは「スネーク」）といった物理的な場所での活動へと発展することがある。こうした双方の類似性は過程だけでなく、現象の原理にも認められる。

2ちゃんねるに馴染みのない者にとって、祭りは不可解な現象であろう。「丸紅PC祭り」は「安値でパソコンを購入できる」というわかりやすい理由がある。だが、「田代祭り」や「ライブドア球団名公募祭り」などはユーザーたちが盛り上がる理由がわからない。この問題を理解するには2ちゃんねるの文化への言及が必要となる。

同掲示板サイトの文化は「ネタ的」［鈴木 二〇〇二］や「アイロニカル」［北田 二〇〇五］といった指摘に集約される。2ちゃんねるではアスキーアートやスラングを交えながら、取るに足らない話題が真剣に扱われ、社会的に重要な問題については冗談、皮肉、嘲笑交じりの書き込みが行われる。祭りはそうしたネタ的ともアイロニカルとも評される文化を象徴する現象といえる。不祥事を起こしたタレントへの大量投票や新球団名の応募は明らかな悪ふざけである。ただし、ユーザーたちは自らの活動が悪ふざけであり、結果に反映されないことを自覚しながら、真剣に活動へと携わっている。そして、こうした行動様式は炎上にも見られる。

炎上も祭りと同じく、ユーザーたちが盛り上がる理由がわかりづらい側面がある。多くの事例で見られる犯罪の吹聴や誹謗中傷に対する批判や非難は理解しやすい。しかし他方で、宴席でのサッカー選手の発言を同席者の大学生がツイッターで実況した事件（表⑥－17）などは、大学生の行為が不適切であり、当時渦中にあった人物が関係していたという背景があったにせよ、犯罪の吹聴や誹謗中傷に比べて炎上が起こる理由がわかりづらい。だが、ネタや嘲笑の対象としては要件を満たしていた。

同事件では、ツイッターで実況を行った大学生の容姿が映った画像やプロフィールがSNS上で公開されていた。そして、それらの情報により投稿者は「リア充」と見なされた。「リア充」とは、現実の生活（＝リアル）が充実している人で、主に友人・知人との交流や異性の交際相手に恵まれた若者を指す。リア充は2ちゃんねるを発祥とするネットスラングであり、同サイト内では、嫉妬を伴いながら、ネタとして扱われ、時に皮肉や嘲笑の対象となる。それゆえ、犯罪の吹聴や誹謗中傷のように明白な非がなくても炎上へと発展する。炎上を招いたメッセージ投稿者の属性として「大学生」が多数を占めるが、それは「リア充」をはじめとして「ゆとり」や「DQN」といった、2ちゃんねる内でネタにされ、嘲笑されるカテゴリーと大学生が密接に関係しているためと考えられる。[*12]

本節では2ちゃんねるの祭りを手がかりに炎上の成り立ちを説明した。祭りと炎上は完全に同一というわけではない。祭りは炎上のように批判や非難が伴わず、掲示板サイトの中で完結する場合もある。しかし、双方とも現象の仕組みは共通している。炎上に見られる批判や非難は、投稿者の反省や所作の改善を真剣に追求するものではない。問題の投稿メッセージや投稿者の素性をネタに相互行為を展開することが可能であり、投稿者に対して所属組織から下された譴責や処分の情報を通じて「他人の不幸で今日も飯がうまい（メシウマ）」、あるいは「ざまぁ（ざまあみろ）」とあざ笑うことが可能であるがゆえに炎上は成り立つ。こうした文化は2ちゃんねるに親和的ではない者には不愉快に映るだろう。だが、2ちゃんねるでは一種の規範なのであり、炎上はその規範、すなわち文化を反映した現象と言える。

2 若年層を中心とする携帯電話の文化

前項では、炎上が成立する過程を2ちゃんねるの文化によって説明した。次いで、炎上の引き金となるメッセージの投稿、ならびにその投稿者についての考察を行っていく。

まず一つの前提として、投稿者は自身の投稿が2ちゃんねる、ならびにその圏域でネタにされ、炎上に発展することを見越していたら、問題含みのメッセージを投稿することはなかったのではないか、と考えられる。コンピュータ・ネットワークを介したやりとりでは、相互行為の相手を挑発する「煽り」や、過剰な反応が見込めそうな話題をあえて提起する「釣り」のように、問題含みのメッセージが意図的に投稿される場合もある。だが、炎上を招いた投稿メッセージに「煽り」や「釣り」の特徴は認められない。

このように考えると、投稿者の不注意が炎上の引き金となるメッセージの投稿を招いた、と言えそうである。だが、類似の事象が繰り返し起きていることや、投稿者の属性が大学生を中心とする若年層に集中しているといった規則性に着目すると、問題含みのメッセージが投稿される理由は個人の問題に還元できないのではないか、という論点が生じてくる。そこで本項では、若年層の日常生活の相互行為で中心的な位置を占める携帯電話の利用に着目して、炎上の原因となるメッセージが投稿される理由を探っていく。[*13]

前述のとおり、炎上を招いたメッセージの投稿者は大学生を中心とした若年層に集中している。一九八〇年代後半から一九九〇年代前半に生まれた彼らは「86世代」［橋元ほか 二〇一〇］とも呼ばれ、「ケータイのネットリテラシーが非常に高く、ケータイをメインに情報収集しコミュニケーションを行なって」いると言われる［橋元ほか 二〇一〇：五三］。彼らは中学生や高校生の頃から携帯電話を所持し、友人や知り合いとの携帯電話を通じた相互行為に慣れ親しんできた。[*14] その手段の中心は「ケータイメール」であろうが、「プロフ」も看過できない。

プロフはプロフィールサイトの略称で、携帯電話からの利用に適した自己紹介サービスである。二〇〇六年頃から流行し、利用者の大半は中高生が占めているという［佐野 二〇〇七／渡辺 二〇一〇ほか］。そのサービスの利用は容易であり、あらかじめ用意された質問に答えるだけでサイトが生成される。その質問項目は、名前（ハンドルネーム）、性別、誕生日、星座などの個人情報から、好きな食べ物、好きな異性のタイプ、将来の夢といった性向や自己表現に至るまで多岐にわたっている。プロフは一見すると自己紹介をするだけのサービスとして映るが、ゲストブック（掲示板）、リアルタイムブログ、メールボックスなどの機能も備わっており、友人や知り合いとの交流も可能である。実際、プロフは同世代の仲間内の関係を紡ぐうえで重要な役割を果たしてきたと言われている［佐野 二〇〇七／土井 二〇〇八ほか」。

なぜプロフに着目するのか。プロフは携帯電話に適したサービスで利用者も中高生が中心であることをふまえると、ブログ、ミクシィ、ツイッターへの投稿をきっかけとする炎上と結びつかないように映る。しかし、炎上を招いた投稿者のミクシィやツイッターのホーム画面を見ると、プロフとの類似性が確認される。[*15]

ミクシィへの投稿を引き金とした「サイゼリヤ返金詐欺事件」（表⑥―8）では、金銭をだまし取ったと日記に書き込んだ二名の高校生は、同サービスのホーム画面に自身の名前（本名）、年齢、誕生日、学校名といった個人情報を掲載していた。加えて、趣味、自己紹介、好きなペット、好きな有名人、好きな言葉といった性向や自己表現も掲載していた。これらはプロフの項目と類似している。また、問題となった日記には同年代の友人や知り合いによるものと見られるコメントが投稿されていた。これもプロフに設置されたゲストブックへの書き込みと類似している。

ツイッターの炎上事件に関しても同様のことが言える。サッカー選手との宴席を実況して問題視された事件（表⑥―17）では、フォロー関係にある友人や知り合いに向けて実況や返信をしている。ツイッターは投稿者と面識のない者もメッセージを見ることができる。しかし、同事件の引き金となったツイッターのやりとりを見る限り、知り合い以外の第三者に見られている意識は低いようである。また、投稿者はミクシィのホーム画面に名前（本名）、現住所、アルバイト先、学歴といった個人情報を公開し、好きな音楽や好きなスポーツといった趣味を紹介していた。

いずれのケースも、投稿者が実際にプロフのサービスを利用していたかどうかはわからない。しかし、プロフと通じる作法でミクシィやツイッターを利用していることはうかがえる。そして、このような個人情報の呈示を通じて友人や知り合いとの交流を図る行動様式は、なぜ炎上の引き金となるメッセージが投稿されたのか、という問いへの理解をもたらす。

前述のように、メッセージは友人や知り合いに向けられたものであり、投稿者は炎上を招いたメッセージが第三者に閲覧されることを念頭に置いていない。また、その投稿メッセージは仲間内では問題視されるとは限らない。むしろ、「裏領域の行動」[Goffman 1959]のように、仲間内での隔意のなさを表すやりとりとも言える。しかし、インターネットには壁や扉で隔てられた「裏領域」はない。そして、ブログ、ミクシィ、ツイッターといったサービスの設計は携帯電話向けに調整されているわけではない。そのため投稿メッセージが友人や知り合いではない第三者に発見・閲覧される可能性は携帯電話向けのサービスよりも高い。結果として、投稿メッセージが誹謗中傷や反道徳的な行為と判断され、さらにネタとして扱われながら、炎上へと発展していくのである。

3　ソーシャルメディアの普及と異なる文化圏の接触・衝突

炎上の発生には、一方における2ちゃんねるの文化と、他方における若年層が担う携帯電話の文化が関係している。ただし、双方はインターネットという共通のプラットフォームに根ざしながらも接点をほとんど持たなかった。それでは、なぜ双方が接点を持ち、炎上へと至るようになったのか。

まず、一方にインターネットにおける携帯電話の文化の広がりが挙げられる。前述のとおり、若年層はブログ、ミクシィ、ツイッターといったサービスをプロフ的な作法、すなわち、面識のある他者と交流する手段として用いていた。しかし、いずれも元々は携帯電話向けに設計されたサービスではない。[*16] それゆえ、プロフのように利用者属性や技術的特性により相互行為の領域が抑制されているわけではない。ブログ、ミクシィ、ツイッターは、携帯電話を通じた利用に対応し、若年層は主に携帯電話でサービスを利用している。だが、その相互行為の領域は利用者の意図にかかわらずインターネットの全域に広がる。

他方で2ちゃんねるの文化も通時的に見ると日本社会を文脈とするインターネット空間で広がりを示している。2ちゃんねるは一九九〇年代後半のアンダーグラウンド（アングラ＝UG）なインターネット文化を継承する掲示板で、その文化も特異であった。同掲示板サイトの文化を象徴するアスキーアートやスラングは「内輪」の繋がりを担保する手段として使用され［北田 二〇〇五／濱野 二〇〇八］、そのような作法は外部のウェブサイトには持ち込まれなかったという［加野瀬 二〇一〇］。しかし、利用者が増加し、社会の関心を集めるにつれ、掲示板文化の認知は広がっていった。また、ブログや動画投稿サイトのような新しいオンラインサービスにも2ちゃんねるの文化は波及し、掲示板の投稿をまとめたブログ（まとめサイト）や「ニコニコ動画」などは多くのユーザーを集めている。もともと掲示板内で完結する祭りの一つとも言える炎上が、アマチュアが運営するニュースサイトやまとめサイトで取り上げられ、時には、大手ポータルサイト「Yahoo! JAPAN」のトピックス（トップページ）や、雑誌・新聞等のマス・メディアで報道されること自体が、2ちゃんねる文化の広がりを示している。[*17]もちろん、「2ちゃんねる的なものがネットの全域を覆っているわけではない」〔東・濱野編 二〇一〇：四七四〕。ただし、時勢と新たなサービスの普及に伴い2ちゃんねるの文化が広がっていったことは確かである。

若年層が中心を担う携帯電話の文化と2ちゃんねるの文化は異なるものであり、双方の文化圏の間には境界も存在する。しかし、ソーシャルメディアが普及し、利用される過程で、双方の文化圏は拡大し、接触を持つ可能性が高まっていた。そして同時に炎上が発生する可能性も高まっていったのである。川上量生〔二〇一四〕は、一方で、比較的古くからインターネットに慣れ親しみ、2ちゃんねるの文化を含むインターネット上の文化に親和的な人たちを「ネット原住民」と定義し、他方で、携帯電話の文化に親和的で、ブログ、SNS、ツイッターといったソーシャルメディアの流行・普及とともにインターネット空間へ参入してきた人たちを「ネット新住民」と定義したうえで、炎上を双方の住民間の「文化的衝突」として説明している。川上の指摘もふまえて炎上が生じた仕組みを説明するならば、炎上というのは、異なる文化圏、およびその文化圏に属する人々の間の接触・衝突によって生じた現象である、と言うことができる。

四　下位文化理論から見る炎上――インターネット空間の都市化

前節では2ちゃんねるの文化と、若年層が中心を担う携帯電話の文化の双方に着目して炎上が発生する仕組みを論じた。炎上という現象を研究対象として設定し、インターネット上における文化圏の接触と衝突という観点から炎上を説明した本章は、インターネット上に見られる新たな現象を論じた試みとして評価しうる。だがここで論を終えると、ともすると（間々ある）新しい現象を取り上げただけの議論にとどまりかねない。要するに、学術的な示唆が乏しいままに終わる可能性がある。そこで以下では炎上に類する文化現象に着目して考察の発展を試みる。その際に着目するのは、都市社会学の下位文化理論の中で論じられてきた異なる下位文化を持つ集団の成員間で生じる摩擦や紛争である。

下位文化理論は、都市社会学者のクロード・フィッシャーが提示した理論で、都市におけるネットワークを基盤とする多様なコミュニティの発展および特徴を、通念とは異なる独特の信念、価値、規範、慣習のセットである「下位文化」の観点から明らかにすることを主眼としている。この理論は四つの基本命題と三つの派生命題から構成されており、そのうち「場所が都市的になればなるほど、下位文化の強度は増大する」［Fischer 1975＝2012：138］という下位文化の強化に関する命題において、異なる文化を有する集団間の文化的衝突に相当する言及が認められる。

下位文化の強度を促進する第二の過程は、集団間関係にかかわるものである。ある場所における下位文化の多様性と規模が大きければ大きいほど、下位文化同士の対照と紛争が増大し、その結果、下位文化の強度が増大する。集団の水準においては、共住が可能にする競争と紛争は、内集団の凝集性を促進する。

［Fischer 1975=2012：140］

フィッシャーの提示した下位文化理論は地理的な場所を基盤とする都市を対象としたものであり、その視座をインターネット空間の現象へ展開することが妥当か否かという問題はある。だが、炎上の考察を発展させていくうえで示唆を得ることができる。

一つは、炎上という現象をインターネット空間への人口の増加という観点から把握することが可能となる。フィッシャーの下位文化理論は、都市への人口の集中を変数とする理論であり、その理論に依拠するならば、炎上という文化的衝突は、インターネット空間における人口の集中によって生じた現象であると捉えられる。一節で示した炎上の事例に目を向けると（表⑥参照）、炎上は継続して発生しているように見える。しかし、炎上が頻発するのは、ブログ、ＳＮＳ、ツイッターといった「新しい」オンラインサービスの利用者が増加する時期と対応していた。つまり、「新しい」オンラインサービスの普及により、インターネット空間の人口が増加し、特有の文化を持つコミュニティが形成された。その結果、古くからインターネット空間で活動していた人々や、そうした人たちが帰属意識を持つコミュニティとの間で文化的衝突、すなわち、炎上が生じたと考えられる。

もう一つは、2ちゃんねるの文化に親和的な人々が、炎上を招いたメッセージの投稿者、およびその言動を皮肉や嘲笑の対象としていた理由を補足することができる。前節では、異なる文化圏に属する人々の間での接触や衝突という観点から炎上の仕組みを説明したが、「下位文化の強度の増大」という視座を取り入れると、もう少し踏み込んだ議論が可能となる。

フィッシャーは「下位文化の強度」について、「下位文化的な信念、価値、規範そして習慣が存在し、それらに愛着があり、力があることを指す」［Fischer 1975＝2012：138］と述べ、前述のように、対照と紛争により下位文化の強度が増大すると論じている。炎上の過程で、とりわけ2ちゃんねるの文化に親和的な人々が、「リア充」、「ゆとり」、「ＤＱＮ」といった異なる文化を持つ人々の所作を皮肉や嘲笑を交えつつ、批判・非難していたのは、自らが親和性を抱く集まりの文化の「強度」を確認し、その増大を図る行為であった、と言えるのではないだろうか。炎上を通じて、実際に2ちゃんねる、およびその圏域の文化の強度が増したか否かを実証するのは難しい。だが、2ちゃんねるの圏域に特有の習慣や規範が先鋭化する炎上は、「〔集団の水準において〕内集団の凝集性を促進」し、「〔個人の水準において〕自集団の規準をより強く確認」［Fischer 1975＝2012：140］する行為であったと考えるのは、決して的外れとまでは言えまい。

以上、都市社会学の下位文化理論の知見を参照することで、炎上をインターネット空間の都市化という観点から把握することを試みた。このような考察はインターネット上で生じた目新しい現象の説明にとどまらない研究の方向性を示すものである。しかし、もはや「炎上」は、本章で焦点を当ててきたソーシャルメディアを通じた一般ユーザーによる情報発信に端を発する現象の範囲に収まらない。いまや、有名人や企業によるインターネットを通じた情報発信や、テレビやラジオにおける発言をきっかけに巻き起こる批判や非難も「炎上」と定義されている［田中・山口 二〇一六］。こうした変化に目を向けるならば、異なる（下位）文化を持つコミュニティ、および成員間の衝突という観点から炎上を説明することはできなくなる。ただし、下位文化理論の中には炎上の範囲や意味の変容に対応するような命題も含まれている。

フィッシャーはコミュニティ間の紛争による下位文化の「強化」を「都市が生み出す社会変動の半面にすぎない」［Fischer 1975＝2012: 141］と述べたうえで、もう一つの「半面」をなす下位文化の「普及」に言及している。「場所が都市的になればなるほど、普及の源泉の数が増大し、下位文化への普及が増大する。普及とは、ある下位文化成員が別の下位文化成員の行動や信念を採用することを指す」［Fischer 1975＝2012: 141］。このことは要するに、一方のコミュニティの（下位）文化を、他方のコミュニティが採用することを意味している。この命題を炎上に展開すると次のように言える。

ブログ、ＳＮＳ、ツイッターの普及により、若年層を中心とする携帯電話の文化に親和的な人々がインターネット空間へと新たに流入した。そして、2ちゃんねるの文化に親和的な人々、およびその集団と接触が生まれて衝突が発生した。この衝突、すなわち炎上は、2ちゃんねる圏域に特有な文化の強度の増大をもたらした。しかし同時に、炎上の範囲や意味は拡大し、有名人や企業によるインターネットを通じた情報発信や、テレビやラジオにおける発言をきっかけに巻き起こる批判や非難も炎上と呼ばれるようになっていった。このことは2ちゃんねるの圏域で顕著に認められた炎上をめぐる作法が、別の文化圏へと普及したと把握することもできる。「ネタ的」や「アイロニカル」とも呼ばれる2ちゃんねるの文化が広く採用されたわけではない。ただ、問題含みのメッセージを発信した人物や組織を批判・非難するという作法に関しては採用された。その結果、炎上の範囲や意味は拡大していったのである。

炎上の範囲や意味の拡大に関する議論は別途の課題となる。だが本節で都市化の進展を対象とした理論に基づく考察を展開したことで、そうした発展的な研究の道筋を作ることができた。その先にあるのは、文化的な接触や衝突の問題ではなく、インターネット空間の大衆化という問題、そして、大衆をめぐる考察であろう。

おわりに

本章では、ブログ、SNS、ツイッターなどのインターネットを通じた情報発信・交流サービスへの一般ユーザーによる投稿を端緒とする炎上について考察した。先に述べたとおり、炎上の範囲や意味は拡大しており、本章の考察対象は、いまでは炎上の一端を構成するに過ぎない。だが、現在広く認知されている炎上の理解を深めるうえで、その原点を把握することは重要である。ソーシャルメディアを通じた一般ユーザーによるメッセージの投稿を引き金とした炎上の事例を歴史的に整理したうえで、日本社会を文脈とするインターネット空間に見られる特有の文化に着目して、炎上が発生する仕組みを読み解いた本章には一定の価値が認められる。また、都市社会学の下位文化理論を参照しながら炎上をインターネット空間の都市化と結びつけた発展的な考察については、地理的な場所を基盤とする都市を対象とする研究の知見をインターネット空間の現象へ援用することが妥当であるか否か検討するべきではあるが、炎上を単なるネットスラングやバズワードとしてではなく、学術的な研究対象として扱うことができた。このことも本章のささやかな成果である。

最後に今後の課題を挙げる。それはやはり炎上の範囲や意味の拡大への対応である。ここでは理論的な観点からの考察を課題として提示する。本章では下位文化の普及という観点から炎上の範囲や意味の拡大に触れたが、別の観点から考察することも可能である。例えば、一般人や有名人を問わず誰しもが批判や非難を受ける対象となり得るという問題は、可視性、公共性、リスク［Thompson 1995, 2005; Cardon 2010=2012］といった観点からの考察が考えられる。他にも、比較的初期の段階から炎上の問題を取り上げていた荻上チキ［二〇〇七］が指摘していた「群衆」という観点からの考察や、前節の最後に触れた「大衆化」や「大衆」という観点からの考察も想定される。このように炎上という現象は、その範囲や意味が拡大しても、むしろ、拡大することによって考察の幅に広がりが見込まれる。このことは学術的な研究対象としての発展の可能性を示すものである。また、炎上をめぐる規範的な視座、すなわち、炎上という問題にどのように向き合うかという社会的な課題に対しても、社会科学の知見を交えた研究は示唆を与えてくれるものと考える。

1――本章における「炎上」はインターネット空間で一般ユーザーが関与する現象を対象としているが、後述のとおり、現在では企業や組織、有名人の行為や発言に対して批判が生じることも「炎上」と呼ばれる。田中辰雄・山口真一［二〇一六］では、炎上を「ある人物や企業が発信した内容や行った行為について、ソーシャルメディアに批判的なコメントが殺到する現象」と定義している［田中・山口 二〇一六：五］。こうした事例を扱う際には、企業や組織の不祥事や有名人の失言といった位相からのアプローチも必要となる。

2――IT系のアナリストや批評家による言及として、伊地知晋一［二〇〇七］、荻上チキ［二〇〇七］、中川淳一郎［二〇〇九］、蜷川真夫［二〇一〇］、小林直樹［二〇一一］、永島穂波［二〇一一］などがある。

3――例えば、平井智尚［二〇〇七b］や是永論［二〇〇八］がブログ炎上をテーマとした考察を行っている。遠藤薫［二〇〇七］や鈴木謙介［二〇〇七］も炎上について若干の言及を行っている。また、田中・山口［二〇一六］は炎上に関する研究の一つの集大成と位置付けられる。ただし、現在においても学術的な研究の十分な蓄積があるわけではない。

4――「2ちゃんねる圏」については、第三章注1参照。

5――居酒屋で子供の挙動を注意されたことに腹を立てた保護者が店員に暴行し、その始終をインターネットの日記に掲載したことで批判が巻き起こった「JOY祭り」（二〇〇三年五月）は、炎上の先駆けとされる。ただし、本章ではブログ普及以降の炎上を対象としているので、ここで指摘するにとどめる。

6――同事件は警視庁が摘発に踏み切ったこともあり、全国紙各紙（読売新聞・朝日新聞・産経新聞：二〇〇九年二月六日、日本経済新聞：二月七日、毎日新聞：二月一〇日）で報道されている。各紙とも総合面や社会面で紙幅を大きく割いている。

7――ツイッターの書き込みを発端としてミクシィのページが発見されるケースもあるように、炎上は複数のサービスにまたがることもある。

8——比較的少数の参加者間で起こるフレーミングは具体的な事例を挙げるのが難しい。日本のパソコン通信で起きていたフレーミング（通称「バトル」）については以下のウェブサイト記事が参考になる。ちゆ一二歳「バトルウォッチャー・哭きの竜さんの一二年」（http://tiyu.to/n0502_sp.html）。

9——炎上を招くメッセージがたびたび投稿されることから、ツイッターは「バカ発見器」とも呼ばれる［永島 二〇一二］。

10——総務省の調査によると、ブログ、SNS、ツイッターといったソーシャルメディアに投稿する目的は「知人・友人に読んでもらいたいから」が最も多い（平成23年版 情報通信白書［総務省 二〇一一：一六八］）。

11——2ちゃんねるの祭りに関する考察は、平井智尚［二〇〇七a］や伊藤昌亮［二〇一一］などを参照。

12——それぞれのカテゴリーに当てはまる人々の振る舞いに対しては「リア充爆発しろ！」、「ゆとり（笑）」、「DQN氏ね」といった侮蔑や嘲笑が向けられる。

13——ここで言う「携帯電話」は、主に「フィーチャーフォン」を指す。なお、スマートフォンの普及と炎上の関係について、平井［二〇一二a］は、「炎上は今まで以上に発生するかもしれないし、もしくはまったく起こらなくなるかもしれない」［平井 二〇一二a：六九］という見通しを示しているが、現状をふまえると「今まで以上に発生」していると言えるだろう。

14——内閣府［二〇一一］の調査によると、自分専用の携帯電話を所有する割合は中学生で四二・八％、高校生で九五・一％となっている。また、自分専用または家族共有の携帯電話所持者のメール利用率は中学生が九四・六％、高校生が九八・七％となっている。

15——携帯電話向けサービスとミクシィの連続性については次のような指摘がある。「例えば最近ではmixiなどのSNSがモバイルでも強い存在感を発揮するようになっており、高校を卒業すると同時にホムペ（携帯電話向けホームページ」なども卒業してSNSに移行するというケースも見られる」。CNET Japan（二〇〇九年三月五日）「「ホムペ」「プロフ」「リアル」――ケータイ世代が生み出す新コミュニケーション」（https://japan.cnet.com/article/20389316/3/）。

16――例えば、ミクシィは利用者数が五〇〇万の二〇〇六年七月時点で、ページビュー（PV）はパソコン経由が六一億で、モバイル（携帯電話）経由の一二億を上回っていた（株式会社ミクシィ・プレスリリース、二〇〇六年〇七月二六日）。しかし、利用者の増加とともに双方の差は縮まり、利用者が一一五三万となった二〇〇七年八月には、モバイル経由のPV（六〇・九億）がパソコン経由のPV（五九・八億）を逆転する（同社二〇〇八年度第四四半期及び通期決算説明会資料）。ツイッターも、当初はパソコン経由の利用が中心であったが、日本語版サービスの携帯電話経由の利用登録が可能となった二〇〇九年一〇月以降、利用者は急増している。同月に約二〇七万であった利用者数は、半年後の二〇一〇年四月には約九八八万に増加している［ニールセン 二〇一〇ほか］。

17――「サイゼリヤ返金詐欺事件」（掲載日二〇〇八年一〇月二三日）や「アディダス社員顧客中傷事件」（同二〇一一年五月二〇日）などがYahoo! JAPANのトピックスに掲載された。

第七章 ネットスラングの広がりと意味の変容

――「リア充」を事例として

はじめに

本章ではインターネット空間の特定の文化圏で使用される独特な言葉、いわゆる「ネットスラング」に関する考察を行う。[*1] コンピュータ・ネットワークを介した人々の相互行為や集まりでは、インターネット（ウェブ）の普及前から独特な言葉が使用されていた。そうした文化はインターネットを介した人々の相互行為や集まりにも継承され、日本社会の文脈では電子掲示板サイトの「2ちゃんねる」を中心に様々なスラングが誕生し、使用されてきた。「2ちゃんねる用語」とも呼ばれるネットスラングに着目した議論はいくつか見受けられる。しかし現在は、一部のウェブサイトの文化圏にとどまらず、インターネット空間で拡散し、数多くのネットユーザーによって広く認知され、使用されるネットスラングも存在する。また、インターネット空間を越え、面識を持つ者同士のやりとりで使用されたり、マス・メディアで取り上げられたりするネットスラングも多々ある。このようなネットスラングの広がりについては、先行する議論では扱われておらず、考察の対象とするだけでも一定の意味はあると考える。

ただし、ネットスラングの広がりはその現象自体が興味深いだけでなく、学術的な研究の対象としても注目に値する。ネットスラングの広がりは、インターネットと関連することから新しい現象であるように見えるが、社会には類似の現象が認められる。それは都市空間に共在する集団間で生じる文化の普及である。こうした類似現象に着目することで、ネットスラングの広がりを都市の文化、とりわけ、サブカルチャーの問題に引きつけることが可能となる。そこで本章では、英国に端を発したサブカルチャー研究の知見を参考としながら、ネットスラングの広がりと意味の変容について考察する。その際には、事例として二〇〇〇年代後半から二〇一〇年代前半にかけて幅広く認知・使用された「リア充」というネットスラングを取り上げ、議論を展開していく。

一　コンピュータ・ネットワークを介した人々のやりとりとスラング

コンピュータ・ネットワークを介した相互行為と集まりでは、その成立初期から独特な文化が形成されてきた。その中で本章が着目するのは、独特な言葉、いわゆる「スラング」である。

スラングとは、特定の集団や文化の内部で使用される「特殊な言葉」[Sonenschein 1969]、あるいは「正式な言説に含まれない言葉である」[Labov 1992 : 340]。社会科学の分野では、言語論、相互行為（相互作用）論、非行論、若者論、サブカルチャー研究などで言及されてきた［Goffman 1959＝1974; Lerman 1967; Sonenschein 1969; Nelsen and Rosenbaum 1972; Dumas and Lighter 1978; Labov 1992 ほか］。これらの研究を通じて、スラングが特定集団の価値や規範、そして、別の集団との区別や境界を示す役割を果たすことが指摘されている。例えば、エドワード・ネルセンとエドワード・ローゼンバウムは、若者の文化とスラングの使用に関して、先行研究をふまえながら次のように説明している。「〔略〕若者文化のスラングは、文化的に区別される若者の特定、価値や規範の伝達、好意や敵意といった態度の表明、社会環境の選択的な理解や分類のそれぞれに寄与する」［Nelsen and Rosenbaum 1972 : 273］。日本社会の文脈で言えば、いわゆる「ギャル語」のような若い女性を中心に使われる言葉や［Miller 2004］、暴走族やヤンキーといった不良集団に特有の言葉遣いなどがその事例として挙げられる［佐藤 一九八四］。佐藤郁哉は、字画の多い難字、解読の難しい難字、そして造字が使用される暴走族の特異なグループ名のメッセージ性について次のように述べている。

〔略〕ことさらに特異なグループ名をつけ、自らのマージナリティと活動の非日常性を強調することは、社会一般の支持し、維持しようとする中心的な原理にもとづく秩序や日常性に対して、アンチテーゼをつきつけることである。これによって、若者たちは、「彼ら（they）」（＝「大人」、「世間」、「一般市民」……）とは違う「我々（we）」という自己像を形成することになる。

［佐藤 一九八四：一一二―一一三］

このようにスラングに関する議論は一定の蓄積を有するが、それらは物理的な空間で対面的な状況にある集団の内部で使用される言葉を前提としてきた。しかし改めて指摘するまでもなく、インターネットに代表されるコンピュータ・ネットワークを介した人々の相互行為や集まりにおいてもスラングの発生、ならびに使用が認められる。

コンピュータ・ネットワークを介した人々の相互行為や集まりでは、インターネットが本格的に普及する前から独特の表現が生み出され、使用されてきた。クリスピン・サーロウらはインターネットに特有の言語として「ネット用語（netlingo）」と「ネット言葉（netspeak）」を挙げている［Thurlow et al. 2004］。「ネット用語」とはインターネットで使用される言語形式であり、「複合語や混成語」、「略語や頭字語」、「大文字の使用、句読点、ハイフンの使用あるいは未使用」、「正確なスペルをぞんざいに扱うことやタイピングエラー」、「頭語や結語の省略や欠如」がその類型として挙げられている［Thurlow et al. 2004: 124］。また、「ネット言葉」とはオンラインの会話において人々が使用する言葉であり、その類型として「同音字や頭字語、ならびに双方の混成」、「句読点の独創的な使用法」、「大文字や各種記号を用いた強調」、「擬声語やスタイリッシュなスペル」、「キーボードを活用したエモティコンやスマイリー」、「直接的な要求」、「相互行為における指示」、「手の込んだプログラミング、カラー文字、感情表現、ならびに各種のグラフィックなシンボル」が挙げられている［Thurlow et al. 2004: 125］。コンピュータ・ネットワークを介した相互行為や集まりで使用される独特な言葉や表現に関しては、「ネット用語」や「ネット言葉」に限らず、様々な概念が当てはめられるが、それらの概念が示す対象は共通している。そこで本章では右の「ネット用語」や「ネット言葉」の類型も含む広範な概念として「ネットスラング」という用語を使用する。

ただし、一口にネットスラングに関する議論を展開すると言っても、ネットスラングはインターネットの利用者が使用する言語、ならびに利用者の置かれた社会的文脈が反映される。[*2] そのためインターネット空間の全域を対象とする議論は困難である。そこで本章は日本社会を文脈とするインターネット空間で使用されるネットスラングに絞って話を進める。

二　日本社会を文脈とするネットスラング

日本におけるネットスラングの源流はインターネット普及以前のパソコン通信の時代にさかのぼる。例えば、コンピュータ・ネットワークを介した相互行為や集まりを通じて知り合った人たちの対面的な場面における交流を意味する「オフ（会）」という言葉は、現在では広く認知・使用されるが、もともとはパソコン通信のやりとりで使用されていた。また、電子掲示板やチャットなどの交流サービスで自らは書き込みをせずに他の参加者のやりとりを見ているだけの人を意味する「ＲＯＭ」（Read Only Member）という言葉もパソコン通信の時代に誕生したとされる。この他、「(^^)」（笑顔）や「(^^;」（汗、ないし焦り）といった顔文字もパソコン通信の時代に登場し、発達した。ただし、スラングの数や種類、そして使用者が増加していったのはインターネットの普及以降である。

日本におけるインターネットの普及期にあたる一九九〇年代後半、コンピュータに関する一定の知識やスキルを備えた一部のユーザーたちは「アングラ（ＵＧ）サイト」を通じて活発な交流を展開した。アングラサイトとは、有料のソフトウェアや音楽の不正コピーのやりとり、クラッキングツールやコンピュータウイルスの配布・交換、掲示板荒らし、世間的には表沙汰にならない情報や不謹慎な話題を扱うウェブサイトの総称である。そこでは、有料のソフトウェア、および、それらのやりとりと関連する「割れ」、「和レモン」、「Ware」、「割れず」（Softwares：ソフトウェア）や「尻」（Serial：シリアル）といった言葉や、アングラサイトの巡回や掲示板荒らしといった行為と関連する「串」（Proxy：プロキシ）といった独特な言葉が使用されていた。また、アングラ系の電子掲示板サイト「あやしいわーるど」（一九九六年八月開設）では、「ドキュン（DQN）」（粗暴に振る舞う人たち）や「ヒッキー」（ひきこもり）のように、後のインターネット空間で定着したスラングが誕生したとされる。

だが、「ネットスラング」と呼びうる表現形態が隆盛したのは、電子掲示板サイト「2ちゃんねる」の開設（一九九九年五月）以後である。2ちゃんねるについては、批評、ジャーナリズム、学術研究などで様々な言及が行われてきたように多様な論点を孕んでいるが、ネットスラングという観点では、前述のアングラサイトのスラングを継承しながら独特の発展を遂げた「2ちゃんねる用語（2ちゃん語）」が議論の対象となる。

2ちゃんねる用語は、文字通り、「2ちゃんねらー」とも呼ばれる2ちゃんねるの参加者が使用するスラングである。2ちゃんねる用語の特徴としては、第一に、膨大な数が存在し、種類も非常に多岐にわたることが挙げられる。例えば、2ちゃんねる用語に関する事典『2典』〔2典プロジェクト 二〇〇二〕では、2ちゃんねる用語を文法規則に則して「動詞の命令形」、「漢字の使用法（当て字）」、「促音→長音の法則」、「類似したカナの使用」に分類しているが、隠語、絵文字、アスキーアート、ならびに各種表現の複合体なども含めると、その数や種類はさらに拡大される。*3

第二に、いわゆる「流行語」のような性質を持ち、流行り廃りが激しい。前掲の「ドキュン（DQN）」や「ヒッキー」、あるいは「うp（うぷ）」（画像などの電子ファイルをアップロードすること）のようにインターネット空間である程度定着した言葉もある一方、その多くは廃れている。例えば、「キボンヌ」（希望）、「逝ってよし」（死ね）、「香具師（ヤシ）」（奴）のような、2ちゃんねるの開設初期に頻繁に使用された言葉は、時間の経過とともに死語と化した。

第三に、改めて指摘するまでもなく、2ちゃんねるの参加者以外には理解が困難であることが挙げられる。かつて2ちゃんねるでは、初歩的な質問を行う者や、やりとりの流れを無視するような発言を行う者に対して「半年ROMってろ（ROMれ）」といった返答がなされていた。この慣用句は、しばらくはROMに徹して2ちゃんねるのやりとりや規範を理解してから書き込みを行うことを推奨する、という意味であるが、「半年」という期間が物語るように、掲示板内で展開されるやりとりや規範、その総称としての「文化」は、2ちゃんねるに馴染みはない者には理解が難しい。その中には、もちろん2ちゃんねる用語のようなスラングも含まれる。

さて、こうした特徴を持つ2ちゃんねる用語については、すでに複数の論者が言及しており、特に掲示板内での参加者間のやりとりに際して2ちゃんねる用語が果たす役割について指摘されている。遠藤薫編［二〇〇四］は、2ちゃんねる用語について、定型化されたレス（返信）やアスキーアートと並んで、2ちゃんねるという〈場〉を規定するスタイルと位置づけている。北田暁大［二〇〇五］は、掲示板の内部における内輪のやりとりをつなげていく手段の一つとして2ちゃんねる用語を位置づけている。同様に、濱野智史〔二〇〇八〕は、2ちゃんねる用語のような一見読みにくい独特な言葉を用いることは、その言葉を理解できる者同士が「2ちゃんねらー」であることを確認する役割を果たし、内輪空間の形成に寄与してきたと論じている。伊藤昌亮〔二〇一一〕は、「祭り」と呼ばれる2ちゃんねるの参加者が関与する集合行動を論じる中で、2ちゃんねる用語やアスキーアートを、2ちゃんねるの内側と外側を分ける定型表現と位置づけている。

これらの議論をふまえると、2ちゃんねる用語の役割は次のように理解される。すなわち、2ちゃんねる用語は、その言葉を使用する者たちが互いに掲示板の参加者であることを確認するうえで重要な意味を持つ。それは同時に、2ちゃんねるの「内側」と「外側」の間に境界を設定する。2ちゃんねる用語のこうした特徴は、(a)差異や独自性の要求、(b)拒否や拒絶に伴う感情の緩和、(c)社会的な相互行為や関係性の促進、(d)サブカルチャーや社会的地位への所属の宣言、(e)集団への所属意識をもたらす社会的同一化のツール、(f)秘密、といったスラングおよび隠語(argot)の機能〔Einat and Einat 2000〕と概ね通じており、2ちゃんねる用語がまさしく「ネットスラング」であることを確認することができる。

三　インターネット空間におけるコンテンツの拡散

ここまでコンピュータ・ネットワークを介した相互行為と集まりで使用されてきた独特な言葉や表

現をネットスラングとして把握し、日本社会を文脈とするインターネット空間を代表するスラングである「2ちゃんねる用語」に焦点を当て、ネットスラングの役割や機能を論じてきた。現在もインターネット空間では様々なスラングが使用され、新たなスラングも生まれている。そして、そうしたネットスラングの役割や機能も基本的に変わらない。つまり、2ちゃんねる用語に関する知見は、現在の文脈にも展開することができる。それゆえ一見すると、ネットスラングに関する議論はさほどの発展の余地がないように思える。しかし従来の議論では扱われていない問題もある。それはネットスラングの広がりという現象である。

現在、ネットスラングが頻繁に使用されるのは2ちゃんねるに限られない。例えば、笑いを意味する「w」や「草」というスラングは、ウェブを介した不特定多数の集まりだけでなく、電子メールやコミュニケーションアプリを通じたやりとりを含め、幅広く使用されている。同様に、2ちゃんねるの「なんでも実況J（ジュピター）板」（通称「なんJ」）を発祥とする「エセ関西弁（猛虎弁）」は、なんJ以外でも広く使用されている。

インターネット空間の現象をメディアや文化の観点から論じる研究領域では、インターネット空間で流通するコンテンツが、様々なユーザーの関与を経ながら、インターネット空間で拡散していく過程に関心が集まっている。そうした議論はソーシャルメディアの普及後にとりわけ活発に展開されるようになった。ヘンリー・ジェンキンスらは、デジタル・プラットフォームを通じて、オーディエンスたちがコンテンツの生産、発信、流通の過程に共同で参加し、結果として、オーディエンス間でのコンテンツの共有や広がりが促進されていく現象を「スプレッダブル・メディア（拡散するメディア）」という概念によって説明している［Jenkins, Ford and Green 2013］。また、「インターネットミーム」という概念を軸とする研究では、インターネットを通じた人々による複製や模倣を通じてコンテンツが拡散・増殖していき、その過程でコンテンツを構成する要素（言葉、物語、画像、映像、歌、音楽など）である「インターネットミーム」が変異し、多種多様なコンテンツが生成されていく現象を論じている［Shifman 2014; Milner 2016 ほか］。この他にも、インターネットを通じてコンテンツが急速に拡散し、流行現象へと発展していく現象が「バイラル（ウイルス性）」という概念によって説明されている［Berger 2013=2013］。これらの議論は概念や視座に違いはあるが、いずれもインターネット空間におけるコンテンツの広がりに注目している点では共通している。

インターネット空間における人々の関与を通じてコンテンツが拡散していく過程に言及する議論は、ネットスラングの問題に焦点を当てているわけではない。だが、ネットスラングもコンテンツと同様に、インターネット空間における人々の関与（例えば、複製や模倣）を通じて拡散している。すなわち、ソーシャルメディアの利用が進んだ現在の文脈でネットスラングの議論を展開する際には、「2ちゃんねる」のような特定の集まりにおけるスラングの使用に焦点を当てるだけでなく、ネットスラングがインターネット空間において、そして、時にはインターネット空間を越えて（もはやそれを「ネットスラング」と呼べるのかわからないが）普及していく過程にも目を向けるべきと考える。

四　「リア充」というネットスラングの広がり

1　「リア充」というネットスラングを対象とする調査・分析

以上のような問題意識に基づき、日本社会を文脈とするインターネット空間で誕生したネットスラングの広がりについて考察を進めていく。本章では事例として、「(インター)ネット」と対比される「リアル」(=直接面識を持つ)な友人・知人との交流や異性の交際相手に恵まれた若者を意味するネットスラング「リア充」を取り上げ、調査・分析を手掛けていく。

まず、「リア充」というネットスラングを事例として選択する理由については、一つとして、そのネットスラングが二〇〇〇年代後半に誕生し、使用されたからである。日本におけるネットスラングの議論は、二〇〇〇年代前半までの「2ちゃんねる用語」への言及にとどまっている。すなわち、ネットスラングに関する議論を発展させるためには、ソーシャルメディアが普及した二〇〇〇年代後半以降のネットスラングに着目する必要がある。もう一つの理由として、リア充というネットスラングの認知度が比較的高いためである。[*4] ネットスラングが「2ちゃんねる」のような特定の集まり以外でも使用されているというのは先にも述べたとおりである。だが、実際にどのようにしてネットスラングが広まり、使用されているのかという実態は知られていない。この問題を明らかにする際に、多少なりとも認知度の高いネットスラングを取り上げた方が、調査・分析がはかどり、なおかつその実態を把握しやすいのではないかと考える。

次いで、調査の方法としては、検索エンジン「Google（グーグル）」を使用する。具体的には、「リア充」というネットスラングが誕生した（とされる）翌年の二〇〇六年から二〇一五年の期間でそれぞれ一年ごとに期間を指定し「リア充」という言葉を検索する。[*5] そして検索結果に表示された上位五〇サイトのうち、実際に「リア充」という言葉が使用され、作成日や記事の掲載日を確認できるウェブサイトやページを抽出する。この方法は、検索時点のグーグルのアルゴリズムや最適化（SEO）に左右されるという大きな欠点がある。[*6]「当時（過去）」に多く閲覧されたウェブサイトやページが検索結果の上位に表示されるわけではない。こうした欠点を抱えているが、本章に限れば調査の有効性はある程度確保できる。仮に、検索対象とした言葉が特定のウェブサイトやページのみで使用されていた場合には、それが検索結果に反映される。「リア充」に関して言えば、その起源とされる「2ちゃんねる」以外で使用されていなければ、検索結果には原則として2ちゃんねるのページのみが表示されることとなる。逆に、検索結果に様々なウェブサイトやページが表示された場合には、そのスラングの広がりを認めることができるのである。

2　リア充の起源

インターネットの百科事典やブログ記事を参照すると、リア充というネットスラングは二〇〇五年

【リアル】最近見ないコテ【充実？】
http://ex10.2ch.net/test/read.cgi/campus/1131360679/

! 1 Name：学生さんは名前がない ［sage］ Date：2005/11/07（月）19:51:19
ID:YZ3D0M+80
通せば天国とか

大学生活板はリアル充実組のものになりました
! 1 Name：学生さんは名前がない ［］ Date：2005/11/11（金）22:45:09
ID:1WAeo4Zq0
オタクの方々はすみやかにオタク板にお引越ししてください ^^

! 17 Name：まるくぱんわ ◆ Nxbi0YvhnE ［sage］ Date：2005/11/11（金）
22:52:50 ID:oOlMLUMQ0
リアルが充実してる奴はこの板なんかに来るわけない！

ここにいる皆は僕の仲間のはずなんだ＞＜

! 23 Name：フォンデュ ◆ufondhu4AY ［］ Date：2005/11/11（金）22:56:05
ID:wxm/IEGb ○
リアル充実組ならこの時間は友達と飲み会とか彼女と楽しく過ごしてるはずだ。
http://ex10.2ch.net/test/read.cgi/campus/1131716709/

表⑦ 「リア充」の起源（ものくろーむな日常「「リア充」という言葉の意味と語源を探る」をもとに作成）

頃に2ちゃんねるの「大学生活板」で使用され始めた「リアル充実組」という用語がその起源とされる。

「「リア充」という言葉の意味と語源を探る」というブログの記事では、大学生活板に立てられたスレッドを調べてリア充の起源を探っている。[*7] 同記事では、二〇〇五年一一月頃にリア充の語源とおぼしき「リアル充実」という言葉が大学生活板のスレッドで使用されている様子が示されている（表⑦）。

その後も「リアル充実組」、「リアル充実」、「リアル非充実組」といった言葉がたびたび使用される中、二〇〇六年二月のスレッド内

リアル充実組が羨ましい
http://ex14.2ch.net/test/read.cgi/campus/1139149497/
！1 Name：学生さんは名前がない　[]　Date：2006/02/05（日）23:24:57
ID:z0erTXoD0
毎日多くの友達に囲まれたり
将来の夢に向かい努力したり
信じあえる恋人がいたり

！104Name：学生さんは名前がない　[]　Date：2006/02/07（火）02:26:57
ID:d+nxzjah0
もうなんつうか、リア充に無関心。
この状況に慣れすぎ。

！230 Name：学生さんは名前がない　[]　Date：2006/02/08（水）01:37:03
ID:zaddYTE40
学科には八人くらい（笑）の友達がいる。いつもそいつらと一緒。春休みはスキーに行くことになった。
部活の仲間もいいヤツばかり、むろん2ちゃんねらもいてオタ話もできて楽しい。先輩も楽しい人たくさん。
この前彼女ができた、初めての彼女だけど俺にはもったいないくらいかわいい子。
でもバイトしてないんだよな〜、これくらいじゃリア充っては言えないか！

表⑧　「リア充」の初出（？）（同右）

で「リア充」という言葉の使用が確認される（表⑧）。

以上のように、リア充という言葉は、2ちゃんねるの大学生活板で誕生し、当初は同板の内部で使用されていた。すなわち、もともとリア充という言葉は「2ちゃんねる用語」の一つであったのである。しかし、それほど時を置かずして、リア充という言葉は2ちゃんねる以外でも使用されるようになっていく。

調査対象期間のうち、二〇〇六年には中学生、高校生、大学生・予備校生向けの掲示板サイト「ミルクカフェ」の「東京学芸大学掲示板」や、レンタル掲示板サービスの「したらば掲示板」に設置された「関学ちゃんねる」などで「リア充」という言葉の使用が確認される（表⑨）。

このように二〇〇六年までは匿名掲示板における使用にとどまっているが、二〇〇七年以降になると様々なウェブサイトでリア充という言葉が使用されるようになる。

3　リア充の広がり

主に匿名掲示板サイトで使用されていた「リア充」は、二〇〇七年になると「ブログ」の記事で散見されるようになった。その中でもはてなが提供する「はてなダイアリー」ならびに「はてな匿名ダイアリー」での使用が目に付くようになる（表⑩）。また、はてなが提供するサービス以外のブログでも、リア充という言葉は見かけるようになった。その理由としては、ブログの利

サイト・ページ名	タ　イ　ト　ル
2ちゃんねる	リア充にはマスコミ・広告志望が多い
東京学芸大学掲示板	学大のみんなもリア充なの !? 東京学芸大学掲示板
高校合格－キャスフィ	松戸国際高校通ってる人
関学ちゃんねる	学校のクラスに無意識的な階級って存在したよね（´・ω・｀）

表⑨　「リア充」というスラングが使用されたウェブサイトやページ（2006年）
※それぞれのタイトルを検索することでウェブサイトやページを確認できるため URL は割愛する

サイト・ページ名	タ　イ　ト　ル
はてな匿名ダイアリー	俺がテレビ・映画を見られない理由は、リア充を見るのが辛いから。
そのままなめて	リア充になれない（エアーマンが倒せない替え歌）
KAZAANATOMY	なぜ暇人の非リア充がネットに集まるのか（自分も含め）
Discommunicative	リア充のコミュニケーション・プロトコルに接触してきたという話
はてな匿名ダイアリー	非モテは心が未成熟なのではないかという話し

表⑩　「はてなダイアリー」と「はてな匿名ダイアリー」における「リア充」への言及（2007年）

用者が増加したことや、ブログが検索結果の上位に表示されやすいといった要因が挙げられる。ただしいずれにせよ、2ちゃんねるを起源とするネットスラングが、2ちゃんねる用語の域を越えて使用されるようになったのは確かである。2ちゃんねるの集まりとは一線を画すブログにおける「リア充」という言葉の使用は、ネットスラングがインターネット空間において広がりを見せている様子を示している。そして二〇〇八年以降になると、リア充というネットスラングの広がりはさらに進展し、匿名掲示板サイトやブログに限らず、インターネット空間の様々な圏域で使用されるようになっていく（表⑪）。

いくつかの傾向として、第一に、「教えて！goo」や「Yahoo! 知恵袋」といったQ&Aサイトにおいて、「リア充って何ですか？」といったように「リア充」という言葉の意味を尋ねる質問が投稿され、その質問への回答が行われている。第二に、動画投稿サイトの「YouTube」や「ニコニコ動画」において、例えば「【初音ミク】リア充爆発しろ！【オリジナル曲】」（表⑪―二〇〇九年・1）のように、「リア充」ないし、対義語としての「非リア充」をタイトルに含んだ動画や楽曲が投稿されている。第三に、右のような一般ユーザー向けのオンラインサービスだけでなく、組織や企業が運営するニュースサイトの記事でも「リア充」という用語が使用されている。その中には、「ネットと現実、どっちが楽しい？「リア充」の先にある新しい友達関係」（日経トレンディネット、表⑪―二〇〇七年・1）のように「リア充」という用語の解説や現代における人間関係の特徴を評論する記事もある一方で、一種のキャッチフレーズとして「リア充」という言葉を使用している記事も見受けられる。例えば、「ニューズウ

表⑪ 「リア充」というスラングが使用されたウェブサイトやページのジャンル（検索結果表示順）

	1	2	3	4	5	6	7	8	9	10	合計
二〇〇六年	2ch	BBS	BBS	BBS							4
二〇〇七年	ニュースサイト	ブログ	はてな	はてな	はてな	はてな	ブログ	ブログ	ブログ	はてな	15
二〇〇八年	百科事典	はてな	ブログ	ニュースサイト	ブログ	動画	動画	はてな	はてな	ブログ	28
二〇〇九年	動画	動画	リサーチ	Q&A	ブログ	ブログ	ブログ	ニュースサイト	ブログ	ウィキ	26
二〇一〇年	Q&A	Q&A	ニュースサイト	動画	Q&A	Q&A	はてな	動画	はてな	ニュースサイト	24
二〇一一年	動画	動画	ニュースサイト	BBS	BBS	はてな	Q&A	Q&A	はてな	ニュースサイト	26
二〇一二年	まとめ	Q&A	その他	ブログ	ニュースサイト	ブログ	情報サイト	ニュースサイト	動画	電子書籍	25
二〇一三年	ブログ	Q&A	ニュースサイト	ブログ	動画	動画（百）	動画	動画（百）	出版	ニュースサイト	31
二〇一四年	動画	マスコミ	情報サイト	ブログ	情報サイト	イラスト	はてな	Q&A	Q&A	動画	32
二〇一五年	情報サイト	ニュースサイト	動画	ニュースサイト	ニュースサイト	ブログ	ニュースサイト	企業	ニュースサイト	その他	37

※「合計」は上位五〇サイト中、「リア充」という言葉が実際に確認されたウェブサイトやページの数である。
※二〇〇六年については四つのページ以外を確認することができなかった。
※「はてな」は「ブログ」に含まれるが、独特の（ブログ）文化が形成されていることから「ブログ」とは区別した。
※「動画（百）」は、ニコニコ動画に関する百科事典「ニコニコ大百科」を指す。

イーク日本版」の「「非リア充」のアルカーイダからアラブ革命の「リア充」へ」（表⑪—二〇一一年・10）といった記事はその一つに数えられる。

ネットスラングの広がりを明らかにする目的で「リア充」という言葉を調査対象に設定し、検索エンジンを用いた調査を実施した。調査を通じて、2ちゃんねるを発祥とするリア充というネットスラングが、ブログ、Q&Aサイト、動画投稿サイト、ニュースサイトなどで幅広く使用されていることが確認された。ネットスラングがインターネット空間における特定の集まりの「内部」で使用されるだけでなく、場合によっては「外部」へと拡散していく様子が明らかとなっただけでも調査は一定の成果を上げたと言える。

五　ネットスラングの広がりとサブカルチャー

インターネット空間における特定の集まりで使用されていたスラングが、時間の経過とともに広がりを見せ、別の領域でも使用されるようになるという現象は、「リア充」という言葉に限られるわけではない。[*8] それゆえ、インターネット空間の趨勢をある程度理解している者であれば、本章で示した調査結果にさほどの目新しさを覚えることはないだろう。ただし、日本におけるネットスラングの議論が2ちゃんねる用語への言及にとどまっていることに鑑みるならば、ネットスラングが特定の集まりの外部へと広がりを見せていることを指摘するだけでも一定の意味があると考える。加えて、さらなる考察の展開に際しての手がかりも与えてくれる。

「スプレッダブル・メディア」、「インターネットミーム」、「バイラル」といった概念を交えた議論が示すように、インターネット空間におけるコンテンツの広がりは、ソーシャルメディアの普及以降、顕著となり、考察対象として関心を集めている。とはいえ、ある集団から別の集団へとコンテンツ、あるいはより広義の「文化」が普及していく現象は、インターネット空間以外に目を向けてみると、取り立てて目新しいとは言えない。例えば、サブカルチャー研究の中で類似する現象は扱われている。そこで以下ではサブカルチャー研究の知見を参考としながら、ネットスラングの広がりの問題を考察していく。

サブカルチャー研究の系譜を概括すると、一つは、一九〇〇年代前半の米国シカゴに代表される大都市に見られた人種、宗教、職業、非行・犯罪を基盤とするコミュニティと文化の問題に焦点を当てた研究、いわゆる「シカゴ学派」の都市社会学の系譜にある研究が挙げられる。もう一つは、第二次世界大戦後の英国において、労働者階級出身の若者たちによるファッションや音楽などを通じた支配的な文化への対抗に焦点を当てた研究、いわゆる「カルチュラル・スタディーズ」の系譜に位置する研究が挙げられる。本章で焦点を当てるネットスラングの広がりに類する現象については、いずれの系譜の観点からも説明できる。例えば、都市社会学の研究に依拠した場合、クロード・フィッシャーが提示した「下位文化理論」において、ある都市コミュニティに見られる特有の文化（下位文化）が、他のコミュニティの成員によって採用される過程が扱われているが、こうした過程はネットスラングの広がりにも適用しうる。しかし、本章ではネットスラングが普及する過程を説明するだけでなく、結果として生じる現象まで考察の範囲を広げる。そこで以下では、カルチュラル・スタディーズの系譜にあるサブカルチャー研究を参照しながら議論を進めていく。

カルチュラル・スタディーズの系譜に属する（初期の）サブカルチャー研究は、親、教師、警察、「まともな若者」といった支配集団と反目する若者たちが、豊かな消費社会に流通する既成の文化を流用して作り上げた「特定の社会集団の象徴的な所有物」［O'Sullivan et al. 1994: 306］である「スタイル」を通じて支配集団と闘争や抵抗を繰り広げる過程に焦点を当てていた。他方で、特定の社会集団を象徴するスタイルが、その出自を越えて拡散し、反目する集団によって流用され、その意味が変容していく過程についても考察が行われている［Hebdige 1979=1986; Clarke 2006］。

ジョン・クラークはサブカルチャーのスタイルが外部の集団との関係で変容していく過程として「拡散（Diffusion）」と「分離（Defusion）」の二つを挙げている。

まず、「拡散」とは、サブカルチャーのスタイルが誕生した領域を越えて広がりを見せる現象を指す。その範囲は、「サブカルチャー集団の中で広がる場合がある。また、サブカルチャーの間で広がりを見せるかもしれない。もしくは、主流文化へと拡散していくかもしれない」［Williams 2011: 84］。このようにスタイルの拡散の範囲は多方面にわたるが、ここで注目するのは、主流文化へのサブカルチャーのスタイルの拡散、ならびに、その過程で生じるスタイルの修正や商品化である。そして、一連の過程における「ニュースメディア」や「商業組織」といった社会制度の働きである。社会制度のうち、ニユースメディアは、報道を通じてサブカルチャー集団やそのスタイルを拡散する。その際には、反社会的といったラベリングを貼り、サブカルチャーの再定義を行う。商業組織は、サブカルチャーのスタイルを広告や商品へと変換し、その販売を通じてスタイルを拡散する［Hebdige 1979=1986; Clarke 2006］。

次いで、「分離」とは「拡散」によって導かれる過程である。前述のとおり、サブカルチャーのスタイルが主流文化へと広がりを見せ、修正されたり、商品化が図られたりするとき、そのスタイルは出自の文脈から切り離される。その際には、元々のスタイルが有していた抵抗や闘争の意味は損なわれ、多くの場合、大衆により消費される商品になるという。

「分離」は、特定のスタイルがその発生した文脈や集団から移し替えられることを意味する。また、スタイルに含まれる要素の目新しさは特に強調され、「商業的な計画」として展開することを意味する。サブカルチャーのスタイルは、そのスタイルが発生したところでは包括的なライフスタイルとして存在する。〔ただしそのスタイルが〕商業的な結びつきを伴うようになったとき、新たな消費スタイルへと変移する。大抵の場合、より「受け入れやすい」要素が強調され、それ以外の要素は抑制され、取り除かれる。

［Clarke 2006 : 158］

以上のようなサブカルチャー研究の知見をふまえて、本章で対象としているネットスラングの広がりについて考察を展開していく。

まず、ネットスラングは日常生活で広く使用される言葉とは区別されるという点で「サブカルチャー」に該当する。また、それがネットユーザーを象徴する所有物とも言えることから「スタイル」の要素も備えている。そして、「リア充」というネットスラングについて言えば、特定社会の階級を基盤とする支配集団との闘争や抵抗とは異なるものの、いわゆる「スクールカースト」が示唆するように、日常生活で面識を持ち比較的親しい間柄にある友人や、異性の交際相手に恵まれている者と恵まれていない者の間にヒエラルキーが存在する中で、下位に位置する（と自認する）者たちの「自虐」、「妬み」、「羨望」が込められており、そこには上位に位置する者たちとの間のささやかな対立を読み取ることができる。

ただし、モッズ、ヒッピー、スキンヘッズといったサブカルチャーのスタイルと同様に、リア充というスラングも出自を越えて拡散していった。前節で見たとおり、その初期の段階は2ちゃんねるからブログへという流れが確認された。この流れは、サブカルチャー集団間でのスタイルの広がりに類する。だが、その後の過程には、主流文化への「拡散」、そして、発生した文脈からの「分離」に当てはまるような事例が見受けられる。

まず、「ニュースメディア」を通じた拡散や分離については、先に取り上げた「ニューズウィーク日本版」の記事（表⑪—二〇一一年・10）も一つの事例として数えられるが、それ以外にも事例は挙げられる。朝日新聞は東京版において「リア充⁉ @キャンパス」という特集記事を二〇〇九年一一月から二〇一二年八月にかけて連載していた。記事の内容は「大学新聞の記者たちに身近な話題を報告してもらう企画」という趣旨のとおり、主に東京都内の大学新聞の記者がキャンパスの話題などを紹介するものであった。だが、リア充という言葉は、もともと友人や異性の交際相手に恵まれない（と自認する）者たちによる「自虐」、「妬み」、「羨望」が込められた言葉であることをふまえるならば、東京都内の大学で大学新聞の活動に携わるような（充実した）若者が、（充実した）キャンパスの出来事を取り上げる新聞記事の特集は、リア充という言葉の修正や再定義に該当する。既存のサブカルチャー研究で指摘されていたような、サブカルチャーのスタイルに対する反社会的なラベリングは認められない。しかし、その報道は「〔サブカルチャーに〕固有のスタイルを解体し、配置転換」［Clarke 2006 : 156］を図っている。

次いで、「商業組織」による「リア充」という言葉の使用については、例えば、前節に挙げた調査で、インターネット通販サイト「amazon」のページが検索結果として表示され、大手出版社ＫＡＤＯＫＡＷＡの一ブランドである富士見書房が出版するライトノベル『おまえをオタクにしてやるから、俺をリア充にしてくれ！』の商品ページが確認された（表⑪―二〇一一年・20）。また、同年一一月に掲載されたニュースサイトの記事（表⑪―二〇一一年・25）では、大手広告代理店の電通が実施したソーシャルメディア上でのアクティブユーザー層を対象とする友達関係に関する意識調査の結果で、ソーシャルメディア上の「友達」の数と「現実生活での充実感」が一致しないことを説明する際に「リア充」という用語が使用されている。[*9] この他、ウェブサイトやページ以外でも、例えば、新書や評論といった幅広い読者を持つマス媒体においても「リア充」という言葉が使用されている〔小川 二〇一一ほか〕。こうした商業組織によるネットスラングの使用は、スタイルの「拡散」と「分離」を表している。リア充というネットスラングは、企業の生産物の中で使用されることで、その言葉は広く知られるようになっていった。同時に、その言葉が誕生した文脈から切り離され、目新しさが強調されながら、商業的な計画――コンテンツやマーケティングの文脈へと組み込まれていったのである。

最後にもう一つ事例を挙げる。二〇一五年一〇月九日、日本テレビ系列で放映された朝の情報番組「ZIP!」の特集で「リア充オタク」が紹介された。「リア充オタク」とは、博報堂ブランドデザイン若者研究所の原田曜平が著書『新・オタク経済――三兆円市場の地殻大変動』で使用した「リア充」と「オタク」を組み合わせた造語で、「一見すると普通の「リア充」と何ら見分けのつかないオタクの若者」〔原田 二〇一五：二〇〕を意味する。番組の放映後、「リア充オタク」がツイッター（Twitter）や電子掲示板、ならびにニュースサイトなどで話題となり、その扱いや定義をめぐって、リア充オタクというのは、「単なる「リア充」である」、「「にわか」オタクである」、「「オタク」ではない」といった意見が示された。「リア充オタク」の特集や、その扱いや定義をめぐる意見（主に批判）はとても興味深い。だがここで指摘したいのは、広告代理店に属する者によってマーケティングの対象として「リア充」が扱われ、平日朝の情報番組において、目新しい事象として取り上げられたことは、本章で論じてきた、サブカルチャーのスタイルの「拡散」と「分離」を示している、ということである。

おわりに

本章では、日本社会を文脈とするインターネット空間で使用されるネットスラングの様相を理解するという目的のもと、友人・知人との交流や異性の交際相手に恵まれた若者を意味する「リア充」というネットスラングに焦点を当て、考察を行った。

「2ちゃんねる用語」に代表されるように、かつてのネットスラングはインターネット空間の特定の集まりで主に使用されていたが、本章で事例として取り上げた「リア充」というネットスラングは、その出自とされる2ちゃんねるだけでなく、次第にブログ、ニュースサイト、Q＆Aサイト、動画投稿サイトなどインターネット上の様々な領域で使用されるようになり、果てはインターネット空間を超え、マス・メディアでも使用されるようになった。また、リア充という言葉が拡散していく過程では、元々とは異なる意味でリア充という言葉が使用されるようになり、企業が生産・販売するコンテンツやマーケティングへ取り込まれていった。こうしたネットスラングの「拡散」や「分離」という現象は、先行研究では扱われておらず、本章の試みは一定の価値を持つと言える。

もちろん、リア充という一つのネットスラングに焦点を当てた考察によって、ネットスラングに関連する現象の一般化を図れるわけではない。例えば、「淫夢語録」と呼ばれるネットスラング（群）は、「リア充」と同様に、ニコニコ動画、2ちゃんねる、ツイッターといった複数の領域で使用されてきた。

この現象はサブカルチャー集団間でのスタイルの拡散に該当する。しかし、リア充とは異なり（目に見える形では）主流文化への広がりを見せなかった。それゆえ、ネットスラングに関する研究をさらに進展させるためには、リア充とは異なる事例を取り上げ、比較分析を展開する必要がある。

とはいえ、ネットスラングが、かつてのように、インターネット上における特定の集まり、ないし、その文化圏で完結する言葉ではなくなった、と言うことはできるだろう。この指摘は、インターネット空間の趨勢に明るい者にとって目新しさはなく、さしたる意味を持たない。だが、ネットカルチャー研究、あるいは、より広義のインターネットの現象に焦点を当てた社会科学の発展という点では重要である。あるネットスラングが様々な領域へと拡散していき、結果、多くの人たちに認知され、さらには企業が提供・販売するコンテンツやマーケティングの文脈に取り込まれたとき、それは特定集団の象徴的な所有物と言えるのだろうか。そしてその研究アプローチは、文化研究のみならず、政治経済学や批判理論にまでに及ぶのではないか。これらの論点は今後の課題とするが、いずれにせよ、一見するとくだらないよう思われるネットスラングの問題は、研究の発展を図るうえで多くの示唆を与えてくれるのである。

1――「スラング」は標準的に使用される言葉ではないという点で「ジャーゴン」や「隠語」といった概念と共通する。本章で言及する「(ネット) スラング」の中にも「ジャーゴン」や「隠語」に該当する言葉は含まれる。本章では「(ネット) スラング」を広義な概念として用いるが、類似概念の定義や、それぞれの区分については検討すべき課題である。

2――例えば、「大笑い」を意味する「LOL」あるいは「lol」(laughing out loud) は有名なスラングであるが、主に使用されるのは英語圏を文脈とする空間であり、日本で「(笑)」や「w」が使用されるように、その他の言語圏では必ずしも一般的に用いられるわけではない。

3――鈴木淳史［二〇〇五］においても『2典』［二〇〇二］を参照しながら同様の整理が行われている。

4――二〇〇九年から二〇一二年まで実施されていた「女子中高生ケータイ流行語大賞」では、二〇一一年の年間大賞金賞に「リア充」という言葉が選ばれている。

RBB TODAY (二〇一一年一二月一日)「「リア充」「てへぺろ」「オシャンティー」……今年の女子中高生の流行語決定!」(https://www.rbbtoday.com/article/2011/12/01/83584.html) 等を参照。

5――二〇〇五年以前を対象としないのは、調査の結果、リア充という言葉が使用されているページやウェブサイトを見つけることができなかったためである。

6――調査は二〇一七年三月一四日から一六日にかけて実施した。

7――ものくろーむな日常 (二〇〇八年七月二九日)「「リア充」という言葉の意味と語源を探る」(http://d.hatena.ne.jp/cosmovita/20080729/1217354498)。

8――例えば、二〇〇〇年代後半以降、男性同性愛者 (ゲイ) 向けポルノビデオの出演者の発言がネットスラングとして広く使用されている。それらは「淫夢語録」とも呼ばれる (第四章参照)。

9――INTERNET Watch (二〇一一年一一月四日)「ソーシャルメディア友達が多いほど〝非リア充〟? 電通が「SNS100友調査」」(https://internet.watch.impress.co.jp/docs/news/488630.html)。

第八章

ネットユーザーによるコンテンツへの関与をめぐる批判的考察

——2ちゃんねるのまとめサイト騒動を事例として

はじめに

本章では、インターネット上のコンテンツをめぐるネットユーザーの関与を批判的な観点から論じたうえで、発展的な考察を試みる。

二〇〇〇年代後半以降、ブログ、ソーシャル・ネットワーキング・サービス（SNS）、動画投稿サイト、ツイッター（Twitter）といったソーシャルメディアの普及に伴い、かつて「受け手」と見なされてきた一般の人々による、文章、イラスト、音楽、映像といったコンテンツの生産、発信、流通への関与が増加した。「ウェブ2.0（Web 2.0）」、「消費者生成メディア（CGM）」、「ユーザー生成コンテンツ（UGC）」とも呼ばれるこうした現象は、メディアをめぐる一般の人々の能動的な活動に着目する研究領域でも関心を集め、議論が展開されてきた。だが、そうした議論に対しては批判的な目も向けられている。

ネットユーザーによるコンテンツへの関与は確かに進んでいる。だが、そうした関与は決して楽観的には評価できない。ネットユーザーがコンテンツと関与する際に利用するソーシャルメディアの大半は営利企業によって提供されている。そうしたサービスを提供する企業は、自社のプラットフォームで展開される人々の活動を「データ」と見なし、そのデータを「商品」として扱い、利益を得る。加えて、企業に属さないアマチュアの中にも、ネットユーザーが生み出したコンテンツを用いて（金銭的）報酬の獲得をもくろむ者が存在する。こうした現実は、インターネット上のコンテンツとネットユーザーの関与についての批判的な考察を可能にする。実際、ネットユーザーの活動を主体と構造の弁証法的な関係で把握し、構造に起因する支配、排除、搾取といった問題を学術的な概念や理論に基づいて考察する試みはすでに行われている。

ただし、ネットユーザーとコンテンツの関係に批判的な目を向けているのは、学術的な概念や理論を用いて問題を論じる研究者に限られるわけではない。インターネット上ではかねてより一部のネットユーザーによって同様の問題が認識・批判されており、そうした態度は一種の規範として共有されてきた。そこで本章では、主に電子掲示板サイト「2ちゃんねる」の書き込みを原則として無断で使用し、記事として掲載するブログ、いわゆる「2ちゃんねるのまとめサイト」の活動をめぐって生じた騒動を事例として選択し、批判的な考察を展開していく。

本章の狙いの一つは、一連の騒動を説明することにある。金銭的報酬の獲得を企図する者によるインターネット上のコンテンツの流用は、学術的には十分に言及されておらず、その現象を取り上げること自体にそれなりの意味があると考える。ただし最終的な狙いは、ネットユーザーによって提起された批判を学術的な観点から考察し、研究の発展を図ることにある。本章で取り上げる事例で特に注目したいのは、2ちゃんねるの書き込みを無断で使用し、金銭的報酬の獲得をもくろむ活動を批判する際に「ステマ」や「アフィ」といった「ネットスラング」が連呼されたことである。これらのネットスラングは一見取るに足らない。だが、インターネット上のコンテンツを流用して金銭的報酬を獲得する仕組みを人々に（再）認識させるうえで大きな影響力を発揮した。本章ではアルベルト・メルッチ、ならびに、彼の新しい社会運動論を取り入れた既存研究を参考にしながら、「象徴」をめぐる紛争・挑戦という観点から批判的な考察の発展を試みる。

一　ソーシャルメディアの普及とネットユーザーによるコンテンツへの関与

二〇〇〇年代前半から後半にかけて、ブログ、SNS、動画投稿サイト、ツイッターといった簡易に利用できるソーシャルメディアの流行や普及に伴い、文章、イラスト、音楽、映像といったコンテンツの生産、発信、流通へのネットユーザーの関与が増加した。こうした現象は「ウェブ2.0」、「消費者生成メディア」、「ユーザー生成コンテンツ」、あるいは「ウィキノミクス」［Tapscott and Williams 2006＝2007］といった概念で説明されてきた。その一つ「ウェブ2.0」に関しては次のように解説されている。

「ネット上の不特定多数の人々（や企業）を、受動的なサービス享受者ではなく能動的な表現者と認めて積極的に巻き込んでいくための技術やサービス開発姿勢」がその本質だと私は考えている。不特定多数の人々には、サービスのユーザーもいれば、サービスを開発する開発者も含まれる。誰もが自由に、別に誰かの許可を得なくても、あるサービスの発展や、ひいてはウェブ全体の発展に参加できる構造。それがWeb 2.0の本質である。

［梅田 二〇〇六：一二〇］

その呼び方はどうであれ、ネットユーザーによるソーシャルメディアを通じたコンテンツの生産、発信、流通への積極的な関与は、二〇〇〇年代前半以降、マーケティング、評論、ジャーナリズム、国家政策など様々な分野で多くの関心を集めてきた。それは学術分野も例外ではない。社会科学の文脈では、受け手、消費者、オーディエンスとも呼ばれてきた一般の人々によるコンテンツへの主体的な関与は、一部の情報社会論や能動的（アクティブ）オーディエンス論で見られたように、インターネットが登場する以前から、期待とともに言及されてきた。それゆえ、ソーシャルメディアを通じたネットユーザーによるコンテンツへの関与の顕在化は学術的な議論を活性化させた。

オーディエンスはもはや、メディアテクストの受動的な受信者ではない。オーディエンスたちは、「能動的な受容」というモデルに合わないほどに大きくなってしまった。オーディエンスは、メディアとなること、ネットで活動することを学びつつある。

［Ross and Nightingale 2003＝2007：202］

社会科学の文脈でソーシャルメディアを通じたネットユーザーによるコンテンツへの関与を積極的に論じてきた領域の一つとして、能動的オーディエンス論の系譜にあるコンバージェンス論がある。コンバージェンスとは、「多様なメディア・プラットフォームを横断するコンテンツのフロー、多様なメディア産業間の連携、そして、自分たちの欲する娯楽経験を方々に探し求めるメディア・オーディエンスの回遊行動」〔Jenkins 2006 : 2〕を意味する概念である。そうした現象は「企業が牽引するトップダウンの過程と消費者が牽引するボトムアップの過程の双方によって構成される」〔Jenkins 2006 : 18〕。その具体的な説明としては次の記述が参考となる。

フリッカー、YouTube、MySpace、Liveジャーナルといった企業が作り出したプラットフォームは、草の根のメディア制作者が、個人や集団の区分なく、創造的な活動において互いに協力・連携を図る共通の環境を提供する。そこには〔企業と草の根のメディア制作者が連携・融合する〕ハイブリッドな空間が存在する。そのような領域では、市民ジャーナリストやアマチュアの生産者が、文化の内部でこれまでにないような大きな可視性と影響力を獲得する。〔Jenkins and Deuze 2008 : 9〕

以上のような観点から考察を展開してきたコンバージェンス論は、受け手、消費者、オーディエンスと位置づけられてきた一般の人々が、情報端末やコンピュータ・ネットワークを利用して、コンテンツの生産、発信、流通といった活動に積極的に参加し、企業とアマチュアの活動が連携・融合（＝コンバージェンス）する文化の有り様を示している。

ソーシャルメディアの流行・普及と並行して活発な議論が展開されたコンバージェンス論に対しては、次節でも触れるように、「ウェブ2.0」や「ウィキノミクス」の言説と同様に批判の矛先が向けられている。ただし、情報通信環境の進展と人々の草の根的な活動の展開に着目し、具体的なコンテンツを対象としたケーススタディを積み重ねてきたコンバージェンス論は、コンテンツの生産、発信、流通をめぐるアマチュアの関与についての研究の発展に寄与したという点でその成果は高く評価される。

二　ソーシャルメディアのプラットフォームが生み出す利益や報酬

ソーシャルメディアの流行・普及に伴うコンテンツの生産、発信、流通へのネットユーザーの関与に焦点を当てる議論に対しては批判も提起されてきた。その一つとして、政治経済学に立脚した批判的なソーシャルメディア論が挙げられる。その論旨は、ウェブ2.0、ウィキノミクス、そして、コンバージェンスといった概念を用いて言及される一般の人々によるソーシャルメディアを通じたコンテンツへの積極的な関与は、実のところ、インターネット関連企業の資本の蓄積に寄与している、と要約される［van Dijck and Nieborg 2009; Fuchs 2017 ほか］。

各種のソーシャルメディアは概ね無償で提供されており、ユーザーは原則として金銭を支払うことなくサービスを利用することができる。そうしたサービスを通じてユーザーたちはコンテンツの生産、発信、流通といった活動を展開する。ただし、サービスを提供しているのは企業であり、企業はユーザーたちのソーシャルメディアを通じた活動から利益を得ていることを看過してはならない。

まず、ユーザーはサービス利用に際して、年齢、性別、居住地域、職業といったプロフィールを入力する。その後、ユーザーは自身の趣味や関心に沿った文章、写真、動画の検索、閲覧、投稿を行う。またそれらのコンテンツを介して、面識のある知人や友人と、あるいは、趣味や関心を共有する者たちと交流する。こうしたソーシャルメディアの利用行動はありふれており、改めて説明するまでもない。だが、マーケティングの観点から捉えた場合、ユーザーのありふれた行動は高い価値を有する。

現在、成長が著しいインターネット広告の分野では、個々のユーザー（消費者）の需要に即した広告の提供がその効果を左右する。それゆえ、ユーザーの需要を把握し、「ターゲッティング」するための詳細なデータ、例えば、年齢、性別、居住地域、職業、趣味、関心といった情報が高い価値を有することになる。[*1] こうしたデータの取得は容易ではない。だが、ソーシャルメディアのサービスでは、プロフィールの登録・更新、記事や広告の閲覧、メッセージのやりとり、キーワードの検索といったユーザーの「自発的な」行動を通じて、価値の高い情報が膨大にもたらされる。

ユーザー生成コンテンツ、ならびに、ソーシャル・ネットワーキングのプラットフォームのような無料でアクセス可能なプラットフォームの登場は、オンライン広告により利益を生み出している。ウェブ2.0、ソーシャル・ソフトウエア、ソーシャル・ネットワーキング・サイトといったカテゴリを伴いながら発展を遂げたウェブは、テレビやラジオといった伝統的なマス・メディアが展開してきた資本蓄積の戦略と近接しているように映る。写真や画像のアップロード、掲示板への投稿やコメント、知人へのメールの送信、フェイスブックにおける友人の蓄積やプロフィールの閲覧は、オーディエンス商品という特殊な形態の構成要素となる。その商品は広告主へと売却される。〔Fuchs 2017 : 132〕

例えば、ソーシャルメディアのサービスを提供する企業は、ユーザーが利用するサービスに広告枠を掲載し、広告主に販売する。また、ソーシャルメディアを通じたユーザーの行動はデータとして蓄積され、そのデータは企業のマーケティングで活用されたり、企業間で売買されたりする。ウェブ2.0、ウィキノミクス、コンバージェンス（論）の文脈で評価されていたソーシャルメディアを通じたネットユーザーによるコンテンツへの積極的な関与は、政治経済学の視点に立つならば、ソーシャルメディアのサービスを提供する企業に金銭的な利益をもたらす「商品」を生産する「デジタル労働」や「無償労働」として把握される〔van Dijck 2009; Andrejevic 2013; Fuchs 2014, 2017 ほか〕。

加えて、企業ばかりでなく、（同じ）アマチュアの中にも、ソーシャルメディアを通じたネットユーザーの活動から金銭的報酬の獲得をもくろむ者がいる。

アマチュア（とおぼしき人物や組織）が運営するホームページやブログの中には、ページ内に様々な広告が掲載されたウェブサイトが存在する。広告の種類は、「ディスプレイ広告」、「リスティング広告」、「アフィリエイト広告」など様々である*2〔サイバー・コミュニケーションズ監修 二〇一六〕。だが、いずれもページの閲覧数、広告のクリック、広告を介した商品購入や会員登録といった成果に応じたインセンティブ（主に金銭的報酬）がホームページやブログの運営者に与えられる点では共通している*3。

こうした仕組みを活用して多くのインセンティブを獲得するには、数多くの閲覧者を自身が運営するウェブサイトに集めなければならない。そのためには興味や関心を引くコンテンツを揃える必要がある。各種の情報端末やオンラインサービスの普及により、文章、イラスト、音楽、動画、ソフトウェアといったコンテンツを作成し公開することは比較的容易となった。だが、誰しもがコンテンツを作成できる（する）わけではないし、作成・公開しても注目を集めるとは限らない。ウェブサイトやブログの運営を通じてインセンティブを得ることができるといっても、その元となるコンテンツを揃えるのは決して容易ではないのである。ただし、そうしたコンテンツは自ら作成する必要があるわけでもない。誰かが作成しインターネット上で公開しているコンテンツを紹介したり、編集したりすることで多くの閲覧者を集めることも可能であり、実際にそのようなウェブサイトやブログは多数存在している。その具体例として、いわゆる「まとめサイト」や「キュレーションサイト」が挙げられる。

三　金銭的報酬の獲得を企図したコンテンツ流用とネットユーザーの反発
――2ちゃんねるのまとめサイトをめぐる騒動を事例として

1　「金儲けを嫌う」規範

前節では、ネットユーザーによるコンテンツへの関与が、企業の利益やアマチュアのインセンティブ（金銭的報酬）の獲得のために利用される過程を説明した。その試みは、インターネット、特にソーシャルメディアを通じたネットユーザーによるコンテンツへの関与を批判的に把握するうえで重要な意味を持つ。そして、コンバージェンス論やその視座を取り入れた研究では十分に言及されていない構造的な問題に目を向け、社会制度、資本（主義）、権力、イデオロギーといった概念や理論を交えた批判的な考察を展開していく際の示唆を与えてくれる。

だが、インターネット上に流通するコンテンツをめぐるネットユーザーの関与を利用して利益や金銭的報酬の獲得を企図することへの認識および批判は、学術的な領域に属する研究者のみが行っているわけではない。書籍、音楽、映画、ゲーム、ソフトウェアといった著作物を不正に配布・利用する違法行為、いわゆる「WAREZ」のコミュニティでは、不正に入手した著作物を利用して金銭的な利益を得ようともくろむ者はコミュニティから追放される[*4]［Décary-Hétu, Morselli and Leman-Langlois 2012］。また、日本における具体的な事例として、電子掲示板サイト2ちゃんねるで人気を集めていたキャラクターの商標登録を企業が申請した際には、同掲示板のユーザーから批判が提起され、結果、商標申請は取り下げられた［濱野 二〇〇八／川上 二〇一四ほか］。このように草の根的に共有されているコンテンツを利用して金儲けを試みる行為は、ネットユーザーの間で共有されている規範に抵触し、場合によっては批判・糾弾される。こうした規範は、日本社会を文脈とするインターネット空間では「嫌儲（けんもう）」とも呼ばれており、インターネットに特有の文化に親和的なユーザーの間で共有されてきた。

さて、この「嫌儲」と呼ばれる規範については次のような指摘が行われている。

嫌儲とはそもそもいったいどんな感情だろう。そしていかなる理由で発生したのだろうか。嫌儲が理由で炎上が発生した場合に、「嫌儲」のひとたちがどのような言葉で相手を非難しているかを観察しているとわかることがある。そのひとつは「インターネットで儲ける＝自分たちが搾取されている」という意識が存在することだ。自分たちがお金など関係なく楽しんでいた場で勝手に金儲けされているという怒りである。ネット原住民には、インターネットはみんなの共有財産という感覚がある。

［川上 二〇一四：三四］

嫌儲と呼ばれる規範を共有するネットユーザーが抱いている「「インターネットで儲ける＝自分たちが搾取されている」という意識」や、「お金など関係なく楽しんでいた場で勝手に金儲けされているという怒り」は、ネットユーザーによるコンテンツへの関与を利益や金銭的報酬に結びつけることへの批判と通じている。ただし、そうした批判が研究者ではなく、ネットユーザーの間で共有されている点は注目すべきである。そしてこのことは既存研究では十分に論じられておらず議論の余地がある考える。この問題について、以下では2ちゃんねるのまとめサイト（まとめブログ）をめぐる騒動を事例として取り上げ、考察を進めていく。

2　2ちゃんねるのまとめサイトと広告収入をめぐる問題

2ちゃんねるのまとめサイトとは、その名のとおり、電子掲示板サイト2ちゃんねるの書き込みを編集し、記事として掲載するブログ形式のウェブサイトである。その歴史は古く、2ちゃんねるの開設（一九九九年）から間もない時期からそのようなサイトは存在していた。ただし、数や種類が増加し、多くの閲覧者や関心を集めるようになったのは、ブログが普及した二〇〇〇年代前半から後半以降である。その隆盛を受けて、例えば、ニュースの生産や発信という観点から2ちゃんねるのまとめサイトの活動を取り上げた研究も行われている［平井 二〇一〇、二〇一五ほか］。ただし、本章で着目するのは、2ちゃんねるのまとめサイトの広告収入をめぐる問題である。

2ちゃんねるのまとめサイトには、「ディスプレイ広告」、「リスティング広告」、「アフィリエイト広告」、そして、スマートフォンページの「ネイティブ広告」に至るまで、様々な広告が掲載されており、運営者はサイトおよびページのアクセス数や広告のクリック数といった成果に応じてインセンティブ（金銭的報酬）を得ることができる。2ちゃんねるのまとめサイトはあまた存在し、すべてのサイト運営者が等しく一定の報酬を得ているわけではないが、多くの閲覧者を集めているサイトも存在し、そうしたサイトの運営者は一定の広告収入を得ているとされる。

さて、改めて指摘するまでもなく、2ちゃんねるのまとめサイトの主たるコンテンツは、2ちゃんねるのスレッドに投稿された書き込みをもとにした記事であり、記事の元となる書き込みは（自作自演ではない限り）運営者自身が投稿したものではない。もちろん、2ちゃんねるの書き込みを選別し、記事を作成する過程、いわゆる「編集」の作業にはサイト運営者の独自性が認められる。また、記事に関する運営者のコメントを掲載しているサイトも存在する。ただしそうした活動も、つまるところ、2ちゃんねるの投稿に依存しており、その投稿内容を流用（無断使用）して、サイト運営者が「金儲け」している、と把握することもできる。

以上示したような2ちゃんねるのまとめサイトの仕組みについては、日本社会を文脈とするインターネット空間の趨勢に明るい者にとっては周知の事柄である。また、広告収入の獲得を企図とする2ちゃんねるのまとめサイトの活動に対しては、継起的に批判が提起されており、時には「祭り」や「炎上」と呼ばれるような騒動へと発展している。[*5]

最初の大きな騒動としては、二〇〇五年から二〇〇七年にかけて発生した、「第一次ブログ連戦争」とも呼ばれる出来事が挙げられる。

二〇〇四年、2ちゃんねる内に「ニュース速報ＶＩＰ」（通称「ニュー速ＶＩＰ」）という板（カテゴリ）が新たに開設された。同板は多くの参加者を集め、間もなくしてニュー速ＶＩＰのスレッド、およびその書き込みをまとめるサイトが次々と登場した。それらのサイトの草分け的な存在として人気を集めた「**【2ch】**ニュー速ＶＩＰブログ（'・ω・'）」は、二〇〇五年にＩＴ系の情報雑誌「ネットランナー」が実施した「ベスト・オブ・常習者サイト」という企画で大賞を受賞し、運営者には賞金が贈呈されている。このようにニュー速ＶＩＰのまとめサイトへの注目や人気が高まる一方で、まとめサイトを経由した2ちゃんねるへの「厨房」（＝新参者）の流入、スレッド数の急増、掲示板システムへの負荷といった様々な問題が指摘されるようになり、その文脈でアフィリエイト（成功報酬型）広告を通じてまとめサイトの運営者が一定の収入を得ているのではないかという疑惑が浮上し、その問題がニュー速VIPを中心に2ちゃんねるの各所で議論された。

そうした最中、当時一定の人気を集めていたまとめサイトの運営者がアフィリエイト広告により数万円程度の収入を得ていることを示唆する情報が出回ったことで、まとめサイトに対する批判が噴出し、ニュー速VIP以外の板も巻き込んだ「祭り」へと発展した。[*6] その結果、一部のまとめサイトは閉鎖に追い込まれたが、2ちゃんねるのまとめサイトがなくなったわけではない。むしろ、二〇〇〇年後半から二〇一〇年代前半にかけてまとめサイトは隆盛し、企業が運営する情報サイトやニュースサイトに比肩する閲覧数（PV）を集める人気サイトも登場した。もちろん、そうしたサイトへの批判もなくならず、一つのきっかけにより大規模な騒動へと発展した。いわゆる「ステマ騒動」である。

3 ステマ騒動

二〇〇〇年後半から二〇一〇年代前半にかけて多くの閲覧者を集めた代表的な2ちゃんねるのまとめサイトとして「痛いニュース（ノ∀`）」、「ハムスター速報」、「やらおん！」[*7]、「はちま起稿」、「オレ的ゲーム速報@刃」などが挙げられる。これらのサイトは、以前に流行したニュー速VIPのまとめサイトとは異なり、それぞれのサイトのジャンルに即した記事を多く掲載していた。例えば、時事的な話題を扱うサイトは「ニュース速報板」（通称「ニュー速」）や「ニュース速報＋板」（通称「ニュー速＋」）、ゲームの話題を主に扱うサイトは「ゲーム業界、ハードウェア板」（通称「ゲハ」）、アニメの話題を扱うサイトは「アニメサロン板」などの書き込みをもとにまとめ記事を作成していた。ただ、いずれにせよ、2ちゃんねるのスレッドの書き込みを流用（無断使用）して記事を作成する手法に変わりはなく、複数の種類の広告がページ内に掲載されている構成も変わりはない。それゆえ以前と同様に、多くの閲覧者を集めるまとめサイトは相応の広告収入を得ているのではないかと言及されてきた。

ゲーム関連の話題を中心に扱っていた「はちま起稿」の元管理人が出版した書籍には、サイト開設から約一〜二年の間で、アフィリエイト広告の収入が毎月一〇万円に達し、人気のゲームタイトルに関する話題を集中的に取り上げた時期には月間収入は一三〇万円を超えたと記されている[*8]［清水 二〇一四］。また正確な数値は定かではなく、推測の域を出ないが、月間PVが一億に達したまとめサイトの広告収入は、ひと月あたり数百万円〜一千数百万円程度と試算されている。[*9]これらのまとめサイトについては、「都合のよい」書き込みを抽出し、偏向的な記事を掲載しているという問題や、特定の話題や立場を強調する（「煽る」）ような記事を掲載しているといった問題がたびたび指摘されてきた。そこには、「アフィリエイト収入を上げるという営利上の目的」［伊藤 二〇一五：四六］が存在し、「ページビューを稼ぐためにあえて扇情的な議論を仕掛けて」［伊藤 二〇一五：四六］いるという背景がある。こうしたまとめサイトの手法に対して、まとまった規模での批判こそ噴出しなかったが、ネットユーザーの一部は批判的な目を向けていた。

そんなまとめブログですが当の「2ch」利用者には快く思っていない人も多くいます。特に転載される頻度の高い「ニュース速報板」の利用者は自分たちの書き込みが無断で利用、転載されているにも関わらず自分たちには一銭の報酬もなく、まとめブログの管理人には（アフィリエイトによって）月数万〜数百万の報酬があるというのですから日々鬱憤が溜まっているという状況でした。[*10]

そうした中、二〇一二年一月初旬、アニメ、漫画、ゲームの話題を中心に扱うまとめサイト「やらおん！」が、まとめ記事を通じて特定のアニメ制作会社の作品を秘密裏に宣伝しているのではないかという疑惑が浮上した。この疑惑をきっかけとして、まとめサイトに対する激しい批判が2ちゃんねるの「ニュース速報板」を中心に展開された。その際に、同板のスレッドには「ステマ」や「アフィ（ブログ）」という言葉が頻繁に書き込まれた。「ステマ」とは、宣伝であることを隠した宣伝活動を意味する「ステルス・マーケティング」の略称であり、「アフィ（ブログ）」とは、アフィリエイト・プログラムを利用して収入を得ているブログ、およびその活動を指す。これらの言葉、とりわけ「ステマ」については、まとめサイトの活動全体を批判するスローガンとして使用され、騒動の規模は拡大していった。[*11] 同年一月中旬には、ゲーム関連の話題を中心に扱う「はちま起稿」が一連の騒動を揶揄するようなまとめ記事を掲載したことで、2ちゃんねるの「嫌儲板」や「ゲーム業界、ハードウェア板」の参加者たちの反発を買った。[*12] 結果、運営者の本名や出身校が晒されたり、同サイトが広告代理事業を展開する企業によって運営されていることが明らかにされたりした。その後、大規模な騒ぎは収束したものの、まとめサイトへの批判はくすぶり続け、最終的には、二〇一二年六月、2ちゃんねるの運営側から「やらおん!」、「ハムスター速報」、「はちま起稿」、「オレ的ゲーム速報@刃」、「ニュー速VIPブログ(`・ω・´)」の五つのまとめサイトに対しての同掲示板の書き込みの転載を禁止する通達が出されたことで、騒動は一応のところ沈静化した。*13

ネットユーザーによるコンテンツへの関与を金銭的報酬の獲得に結び付ける活動を批判する事例として、2ちゃんねるのまとめサイトをめぐる騒動を概観してきた。ネットユーザーたちは、まとめサイト、およびその運営者が2ちゃんねるに投稿された書き込みをもとに記事を作成し、広告収入を得ていることを認識しながら、そうした活動に対して批判的な目を向けてきた。そして時には「祭り」や「炎上」とも呼ばれる騒動へと発展し、その際に問題視されたサイト(の一部)は閉鎖や活動の縮小へと追い込まれた。こうした一連の流れは、ネットユーザーによるコンテンツへの関与を利益や金銭的報酬に結びつけることを問題視するネットユーザーの認識や所在を示すものである。加えて、批判的な視座に立つ研究の発展という点でも示唆を与えてくれる。

四 「名づけ」としての「ステマ」や「アフィ」

2ちゃんねるのまとめサイトをめぐる騒動に限らず、草の根的に共有されているコンテンツを利益や金銭的報酬を得るために流用する動きにネットユーザーが反発するという事例は先にも述べたとおりいくつか挙げられる[濱野 二〇〇八/川上 二〇一四ほか]。そうした騒動は「祭り」と呼ばれる現象と通じている。祭りとは、「2ちゃんねるの特定スレッドが一つの話題で盛り上がっている状態」［平井 二〇一二a：六四］を指しており、2ちゃんねるのまとめサイトをめぐる騒動も「祭り」の一種として数えることも可能であるが、そのような把握の仕方は、本章で問題として扱っている議論を発展させる際の手掛かりを与えてくれる。[*14]

2ちゃんねるの「祭り」を取り上げた議論の中には、アルベルト・メルッチの「集合行為」および、その一類型としての「（新しい）社会運動」に関する知見を参照し、考察を展開している研究がある［伊藤 二〇〇五、二〇一一／平井 二〇〇七a］。その中でも、特に、伊藤昌亮［二〇一一］は、メルッチの示した概念や理論を取り入れた考察を行っており、「シンボリックな（象徴的な）挑戦」、「メッセージとしての運動」、「意味のネットワーク」という新しい社会運動に見られる特徴を2ちゃんねるを起点に発生した「二四時間マラソン監視オフ」という祭りに援用し、議論を展開している。

ここでメルッチの知見を取り入れた先行研究に着目するのは、前節で取り上げた2ちゃんねるのまとめサイトをめぐる騒動を新しい社会運動の観点から把握するためである。また、新しい社会運動の知見を参照することで、ネットユーザーによるコンテンツへの関与についての批判的な考察の発展が見込まれるためである。そこで以下では、メルッチ、ならびに、伊藤の議論で取り上げられていた新しい社会運動の特徴のうち、「象徴的な挑戦」の局面に焦点を当てながら考察を展開していく。

新しい社会運動論では、産業社会からポスト産業社会への移行に伴い生じた紛争に焦点を当ててきた。メルッチは、脱工業化や情報化といった産業構造の変化によって、紛争の所在がかつてのような資本や財の生産・配分から、情報や知識の生産・配分へと移行したと指摘する。「複合社会における紛争は、情報や象徴的資源の生産にとって枢要であり、かつシステムによる強圧的な要請にさらされている領域で惹き起こされる」［Melucci 1989＝1997：57-58］。「複合社会においては、物質の生産に代わって、記号や社会的関係の生産がその中心となる。システム的紛争は、諸個人や集団が自らの行為の状況を調節する能力を中心に展開する」［Melucci 1989＝1997：43-44］。

脱工業化が進展するポスト産業社会（メルッチのいう「複合社会」）において、資源の中核を占めるのは「情報」であり、権力もまた情報の生産・配分をめぐって行使される。一方で、情報という資源を管理する者は「知の組織者」［Melucci 1989＝1997：98］として、「情報を枠づける強力な象徴的資源」、すなわち「マスターコード」を統制し、諸個人による問題の定義や意味の構成という次元に介入する。メルッチによると、マスターコードに従属し、意味の構成にかかわる機会、いわゆる「名づけ」から排除されていることが現代における真の搾取であるという［Melucci 1996：176-186］。

ただし、情報へのアクセスや解釈を完璧に統制することは不可能であり、諸個人がマスターコードとは異なる象徴の生産に携わり、問題の定義や意味の構成、すなわち「名づけ」を行う可能性も開かれている。ここには社会システムを司る権力主体と諸個人の間での象徴の生産・配分をめぐる対立の契機が見出されるのであり、諸個人が権力主体とは異なる名づけを行い、マスターコードの暴露や転覆を図ることが、新しい社会運動における「象徴的な挑戦」なのである。

以上概観した新しい社会運動の議論は一九八〇～九〇年代に展開されたものであり、情報通信技術が発達・普及した現在とは環境が異なる。だがメルッチは当時から、「知の組織者」、あるいは「マスターコードの製造業者」［Melucci 1996: 179］が統制するマスターコードとして「コンピュータ言語」や「情報技術の言語」［Melucci 1996: 179］を挙げており、メルッチの議論は現在の文脈にも展開しうると考える。むしろ、情報通信技術が発達・普及した現代においては、権力資源としての「情報」の重要性はさらに増しており、メルッチの議論についても、その重要性、ならびに応用可能性が増していると言える。実際、本章で取り上げてきた問題を説明する際にもその視座は有効と考える。

情報通信技術が広く普及した現代社会において、コンピュータやインターネットを通じた情報の生産、流通、蓄積の過程を管理する主体は、「知の組織者」、あるいは「マスターコードの製造業者」と位置付けられる。その代表として、例えば、マイクロソフト、アップル、グーグル、フェイスブックといった世界規模の情報通信関連企業が挙げられる。これらの企業が提供する製品やサービスを利用して人々は様々な情報行動を展開するが、そうした行動は、権力を行使する主体が統制するマスターコードによって規定されている。

サイバー空間を今のような形にしているソフトウェアとハードウェアが、人のふるまいに対する制約を構成する。この制約の中身はいろいろだけれど、それはサイバー空間へのアクセスの条件として体験される。〔略〕これらの特性を決めるのは、コード、あるいはソフトウェア、あるいはアーキテクチャ、あるいはプロトコルだ。それはコード作者の選んだ特性だ。それはふるまいを可能にしたり、不可能にしたりすることで、ふるまいを制約する。コードにはある価値観が埋め込まれているか、ある価値観を不可能にする。この意味で、これらもまた規制だ。
［Lessig 2006＝2007: 176］

このような見方に沿うと、本章で取り上げてきたネットユーザーによるコンテンツへの関与もマスターコードに規定されていると把握しうる。ネットユーザーはインターネットを通じてコンテンツの生産、発信、消費、共有といった活動に能動的に携わり、そうした活動に対して主体的な意味を見出しているように映る。しかし、そうした能動性や主体的な意味づけは、製品やサービスに埋め込まれたマスターコードによって規定されているに過ぎない。例えば、フェイスブックの「いいね！」、ならびにツイッターの「リツイート」や「お気に入り（ハートマーク）」のように、ソーシャルメディアにはユーザーが投稿したコンテンツ（文章、写真、動画など）を他者が評価する機能が備わっている。このような仕組みは、ユーザーの能動的かつ活発なコンテンツ生産を促すが、そうした動機づけも、マスターコードによって規定されたものに過ぎないと言える。二節でも指摘したように、ソーシャルメディアのサービスを提供する企業はユーザーの活動から利益を得ている。つまり、ソーシャルメディアを通じて展開されるユーザーの能動的な活動やその意味づけは、サービスを提供する企業に利益をもたらすようなマスターコードによって規定されている、と言うこともできる。

ただし前述のように、メルッチ、および彼の知見を参照する研究では、マスターコードによる諸個人の統制のみを強調しているわけではない。諸個人も情報の生産、流通、蓄積といった過程に関与することができ、その過程で問題の定義や意味の構成、すなわち「名づけ」を行うことができる。この諸個人による「名づけ」という行為、そして、名づけを通じたマスターコードの暴露や転覆も、マスターコードによる統制と同様に、情報通信技術が普及した社会においては、その実現の可能性が高まる。本章で取り上げた2ちゃんねるのまとめサイトをめぐる騒動はその一例として把握しうる。

2ちゃんねるのまとめサイトをめぐる騒動では、批判の的となったまとめサイトの一部が閉鎖に追い込まれたり、活動内容の変更を余儀なくされたりした。だが、まとめサイトのすべてがなくなったわけではなく、活動内容を変更したサイトも従来とは異なるやり方で「まとめ」を続けている。もちろん、それらのまとめサイトは広告の掲載を通じて成果に応じたインセンティブを得ている。つまるところ、2ちゃんねるのまとめサイトをめぐる騒動というのは、政治経済学の視点に立つ批判論者の言う「デジタル労働」や「無償労働」といった制度、ならびにその構造に変化をもたらしたわけでなく、しょせんは「ネットの祭り」の域を出ないとも言える。

しかし、まとめサイトに対する批判を通じて、2ちゃんねるに投稿された書き込みを流用して金儲けを企図する活動や方法が可視化された。そうした一連の過程で大きな役割を担ったのは「ステマ」や「アフィ」といったネットスラングの使用であった。「ステマ」や「アフィ」といったネットスラングは、まとめサイトの活動を批判するだけでなく、利益や金銭的報酬を生み出すためにネットユーザーの活動を利用する不可視の仕組みを指し示す。そうした（不可視な）仕組みは、情報通信技術が普及した社会におけるマスターコードの一種である。このマスターコードを暴露したのは、繰り返しとなるが、インターネットを通じたネットユーザーによる集合行為であり、その過程における「ステマ」や「アフィ」といったネットスラングの使用、すなわち「名づけ」であった。「ステマ」や「アフィ」といった言葉はネットスラングに過ぎない。しかし、インターネット空間の文化の一角をなすネットスラングを通じて、マスターコードを暴露するような「象徴的な挑戦」が実行されたことの意味は決して小さくはない。このことは、コンテンツをめぐるネットユーザーの関与の問題を、コンバージェンス論や批判的なソーシャルメディア論といった既存研究とは異なる観点から考察するうえで示唆を与えてくれる。それは冒頭に掲げた批判的考察の発展という本章の狙いにかなうものである。

おわりに

本章では、インターネットを流通するコンテンツへのネットユーザーの関与の増加を受けて手掛けられた議論を整理した上で、利益や金銭的報酬の獲得を企図する活動と、そうした活動に対するネットユーザーの批判に焦点を当て、議論を展開してきた。その際には事例として2ちゃんねるのまとめサイトをめぐる騒動を取り上げた。

2ちゃんねるのまとめサイトに対する批判は継起的に示され、時に「祭り」とも呼びうる騒動へと発展した。結果として、批判の矛先が向けられたまとめサイトの一部は閉鎖したり、活動内容を変更したりしたが、本章では、そうした帰結ではなく、まとめサイトが金銭的報酬を得る仕組みが強調され、可視化されたことに焦点を当てた。まとめサイトを批判する際にネットユーザーが頻繁に用いた「ステマ」や「アフィ」といった言葉はネットスラングに過ぎない。しかし、そのようなネットスラングが連呼されることで、まとめサイトが2ちゃんねるの書き込みを流用して金銭的報酬を得ていること、そしてそうした仕組みが可視化された。本章ではこうした仕組みをめぐる紛争を、メルッチ、および彼の議論に依拠した新しい社会運動をもとに考察した。その試みは、インターネット上のコンテンツをめぐるネットユーザーの関与を批判的に論じる既存研究には見られないアプローチであり、研究の発展の方向性を示すという本章の目的は一応のところ達成されたと言える。

だがもちろん課題も残る。最も大きな課題は限られた事例によって議論を展開している点にある。事例分析を通じて得られた知見は確かに興味深い面もある。しかし、そもそも2ちゃんねるのまとめサイトは、マス・メディアやポータルサイトと比べれば認知度は低く、まとめサイトの存在を認識していない人もいる。また、誰しもがまとめサイトの活動を批判的に捉えているわけではない。2ちゃんねるのまとめサイトに限らず、ソーシャルメディアやキュレーションサービスに批判的なまなざしを向けているネットユーザーは「一般的」とは言いがたいだろう。もちろん本章は一般化を意図したものではない。それでも、本章の試みや結論が事例に依存したものであることに変わりはない。この課題を解消するには比較分析の実施などが求められる。

その他、メルッチの新しい社会運動論に依拠した考察についても進展の余地がある。本章では主に

「象徴的な挑戦」に焦点を当てたが、「メッセージとしての運動」や「意味のネットワーク」と呼ばれる新しい社会運動の特徴も論点となる。2ちゃんねるのまとめサイトをめぐる事例は「騒動」へと発展した段階で一定の関心や注目を集めたが、本章でも指摘したとおり、まとめサイトに対する批判や不満はネットユーザーの間で継起的に共有・蓄積されてきた。こうした可視化されない段階は「意味のネットワーク」における「潜在的な局面」に当てはまる。この「潜在的な局面」では、マスターコードへの挑戦や新たな文化的経験の実験が繰り返され、それらの試みは「可視的な局面」、つまり、目に見える形の集合行為に効力を付与する。こうした観点から考察を行うことで「点」ではなく「線」として議論を展開することが可能となり、さらなる研究の発展も見込まれる。

以上の論点については月並みであるが今後の課題とする。ただしいずれにせよ、インターネット上のコンテンツとネットユーザーの関与を批判的に考察する研究は十分に尽くされているわけではなく、そうした研究の充実・発展という面で本章はわずかばかりの貢献を果たすことができたと考える。

1――「ターゲッティング」とは、インターネット広告の配信に際して、各々のユーザーに最適な広告を表示させることを意味する［サイバー・コミュニケーションズ監修 二〇一六／徳久・永松編 二〇一六］。

2――「ディスプレイ広告」はウェブサイトに表示される広告、「リスティング広告」は検索ワードやコンテンツに連動した広告、「アフィリエイト広告」は成功報酬型の広告である［サイバー・コミュニケーションズ監修 二〇一六］。

3――アマチュアがウェブサイトの運営やメディア・コンテンツの投稿を通じて収入を獲得する仕組みはある程度確立されており、その方法を指南する書籍やウェブサイトは多数存在している。

4――「WAREZ」とは、「Softwares」の略称で、商用ソフトウェア（シェアウェア）や音楽、ゲーム、映画といった著作物の無断複製や、コンピュータ・ネットワークを介した配布（アップロード）や取得（ダウンロード）を不正に行う活動の全般を指す言葉である。詳しくは第一章を参照。

5――2ちゃんねるのまとめサイトをめぐる騒動の経緯は以下の記事が参考となる。ねとらぼ（二〇一四年三月六日）「なぜ2ちゃんねるは「転載禁止」を選んだのか――「まとめサイトVS住民」繰り返す歴史」（http://nlab.itmedia.co.jp/nl/articles/1403/06/news127.html）。

6――騒動の渦中にあったまとめサイトの運営者が「アフィのためならなんでもするぜｗ」、「この調子で稼ぐww」、「月三万だけどアフィうめぇ wwwww」といった発言をしたという情報や、大手のまとめサイトが一日一〇万アクセスで月三〇〇万円を稼いでいるという情報が出回った。ただし、それぞれについて真偽を確かめることはできない。なお一連の経緯は以下のブログ記事が参考となる。あまたの何かしら。（二〇〇八年一月二七日）「2ちゃんねるコピペブログ騒動史　第二章：起」（http://amatanoyo.hateblo.jp/entry/20080127/1201445687）。

7――「やらおん！」は、元々は「今日もやられやく」というサイト名で活動を展開していた。

8――代表的なまとめサイトの一つに挙げた「オレ的ゲーム速報＠刃」の広告収入は月間約七〇〇万円に上るという（NHKクローズアップ現代＋（二〇一七年一一月一三日）「突然あなたも被害者に⁉〝ネットリンチ〟の恐怖」）。なお後述のように、同サイトに対しては2ちゃんねるの運営から書き込みの転載を禁止する通達が出されており、それ以降は、厳密には「2ちゃんねるのまとめサイト」とは呼べない。

9――netgeek「【速報】ハム速がアクセス数（月間1億PV）を公開して王者の貫禄を見せつける」（http://netgeek.

biz/archives/23561)、「2chまとめブログのアフィリエイト収入を徹底調査してみた」(http://netgeek.biz/archives/82418) 等を参照。

10 ——はてな匿名ダイアリー(二〇一二年一月一〇日)「【2chで何が起きたのか】誰でも分かる基礎からのステマ騒動まとめ」(http://anond.hatelabo.jp/20120110101235)。

11 ——ステマ騒動の仔細については以下のブログ記事が参考になる。はてな匿名ダイアリー(二〇一二年一月一一日)「誰でも分かるステマ騒動まとめ」(https://anond.hatelabo.jp/20120111205225)。空気を読まない中杜カズサ(二〇一二年一一月一一日)「二〇一二年、2ちゃんねると2ちゃんねるまとめサイトの間で何が起こっていたのか(前編)」(https://nakamorikzs.net/entry/20121111/1352705984)。

12 ——反感を招いたまとめ記事は、二〇一二年一月一一日に掲載された「2ちゃんねるで一揆発生! ニュース速報板住民の不信不満が爆発……大量移住へ」とされるが、二〇一八年七月現在、記事およびページは確認できない(インターネットのアーカイブサービス「Internet Archive」によって確認は可能である)。

13 ——まとめサイトに対する転載禁止の通達の概要については以下の記事が詳しい。J-CASTニュース(二〇一二年六月四日)「「悪質」まとめサイトが大ピンチ　2ちゃんねるから「転載禁止」通告」(https://www.j-cast.com/2012/06/04134429.html)。

14 ——まとめサイトをめぐる騒動は「炎上」と呼ばれる場合もある。平井智尚[二〇一二a]によると「炎上」と「祭り」は特徴に通じる面が多く、一連の騒動を「炎上」として把握する、あるいは「炎上」と「祭り」を並列しても差し支えはない。ただし、「炎上」はその範囲や意味が拡大しているため、本章では「祭り」という観点でとらえる。

第九章

インターネット空間における「ネタ」の意味

——「遊び」の研究を手がかりとして

はじめに

本章では、日本社会を文脈とするインターネット空間でネットユーザーたちが展開してきた「ネタ」を交えたやりとりに着目し、「遊び」の研究を参考にしながら、ソーシャルメディアの普及に伴い変容した現代のインターネット空間における「ネタ」の位置づけや意味を考察する。

日本社会を文脈とするインターネット空間において面識を持たない不特定多数の人々が関与するやりとりの特徴、そして、そのやりとりを通じて形成されてきた文化、いわゆる「ネットカルチャー」の特徴を一言で表すならば、「ネタ」という言葉に集約される。「ネタ」というのは、嘘、冗談、悪ふざけを含む言動を意味する俗語であり、学術的な用語ではない。だが、ネットユーザーたちのやりとりや文化を説明・理解する言葉として適当であり、主に電子掲示板サイト「2ちゃんねる」に焦点を当てた研究で「ネタ」への言及が行われている。また、それらの議論はインターネット空間のやりとりや文化の説明・理解に資するだけでなく、現代社会論やコミュニケーション論にも示唆を与えるものであった。このように一定の蓄積がある「ネタ」の問題にいま改めて言及する必要はないように思える。だが、考察すべき論点もある。それは、ソーシャルメディアの普及に伴い変容したインターネット空間における「ネタ」の位置づけや意味である。

「ネタ」に言及した議論の多くは二〇〇〇年代前半のものであり、二〇〇〇年代後半以降になるとほとんど見かけなくなった。その理由は、議論がある程度蓄積されたこともあるが、加えて、かつてのような「ネタ」が成立しづらくなったことも要因として挙げられる。インターネット空間における「ネタ」は、インターネット普及初期から続く匿名のやりとりや文化の流れをくむ圏域で発達し、その文化（圏）に親和的なユーザーの間で共有されてきた。しかし、ソーシャルメディアの普及に伴い、匿名のやりとりや文化に親和的ではない人たち、すなわち、「ネタ」を理解しない（できない）人たちがインターネット空間に参入するようになった。また、ソーシャルメディアを通じて即座に情報が拡散されることで、内輪性を条件とする「ネタ」が成立しづらくなった。

ただしこのような変化を経ても、なお「ネタ」交じりのやりとりはインターネット上に見受けられる。ネットユーザーたちは、時に倫理や道徳の観点では眉をひそめたくなるような言動を交えながら、「ネタ」を生み出し、そうした「ネタ」が消費されることでネットカルチャーは再生産されている。このような背景をふまえたうえで、本章では、主に社会学の文脈で論じられてきた「遊び」の研究を参考にしながら、現代のインターネット空間におけるネタの位置づけや意味を論じる。本章はソーシャルメディアが普及したインターネット空間の諸相の説明・理解に資することを一つの狙いとしている。あわせて、一定の蓄積を持つ「遊び」の研究の知見を取り入れることで、インターネットの現象に関する社会科学の発展を図ることをもう一つの狙いとしながら考察を展開していく。

一　2ちゃんねるにおけるやりとりと「ネタ」

日本社会を文脈とするインターネット空間における面識を持たない不特定多数のネットユーザーの相互行為、要するに、匿名のやりとりや、そのやりとりを通じて形成される文化を論じる際には、電子掲示板サイト「2ちゃんねる」の現象、ならびに関連する研究に触れねばならない。

2ちゃんねるの現象を取り上げた研究は数多く行われている。それらの中で、2ちゃんねるの域内におけるユーザーたちの活動を説明する際にたびたび使用されてきた言葉がある。それは「ネタ」である。

鈴木謙介〔二〇〇二〕は、インターネットのコミュニティと公共性を論じる中で、2ちゃんねるで展開されるコミュニケーションに言及し、嘘、冗談、悪ふざけといった、いわゆる「ネタ」を前提とする参加者同士のやりとりを「ネタ的なコミュニケーション」や「コミュニケーションのためのコミュニケーション（自己目的化）」と呼び、インターネットが普及した社会における新たな対人間のつながりという観点から、そうしたコミュニケーションの意味や可能性を論じている。遠藤薫編〔二〇〇四〕では、複合的なメディア環境におけるメディア間の相互参照（間メディア性）を通じて、インターネット上の言説が人々の集合的意見として可視化されていく過程を論じる中で、2ちゃんねる内で共有されている「ネタ」をきっかけとする「オフ会（ネタオフ）」の事例に言及している。北田暁大〔二〇〇五］は、「ポスト八〇年代」のアイロニズムの誕生を論じる中で2ちゃんねるのやりとりに着目し、その中に見られるマスコミを嘲笑する態度、いわゆる「嗤い」や「ネタ」について、一九八〇年代の日本社会のテレビ文化（純粋テレビ）に対する「反省」、ならびに、一九九〇年代のコミュニケーション技術やコミュニケーション構造の変容という観点から論じている。濱野智史［二〇〇八］は、前掲の鈴木や北田の議論を参照しながら、2ちゃんねるという内輪空間で展開される「ネタ」を交えたコミュニケーションの作法を説明している。この他にも、「吉野家コピペ」という2ちゃんねるの「ネタ」をきっかけとした「吉野家オフ」を事例に、儀礼的パフォーマンスの問題を論じた伊藤昌亮［二〇一一］の研究なども挙げられる。*1

「ネタ」という言葉は、物事の起こる原因や話の題材を意味する「種（タネ）」の倒語であり、いわゆる「俗語」に分類される。つまり、学術的な専門用語ではない。しかし、2ちゃんねるの圏域で展開されるユーザーたちのやりとりや、その文化を説明する用語として有用であった。また、その議論は現象の説明だけでなく、現代社会におけるコミュニケーションの問題を考える際にも示唆を与えてくれるものであった。

北田は「内輪での接続志向」と「アイロニカルな視線」を備えた2ちゃんねるに見られる「ネタ」交じりのやりとりを「繋がり」という言葉をもとに説明している。繋がりとは、他者との関係性の確立・維持を指す言葉で、一九九〇年代以降の若者のコミュニケーションでは、友人に代表される近しい他者との「繋がり」が重視されており、2ちゃんねるにおけるやりとりも繋がりを希求するやりとりとりの一種であると北田は論じている［北田 二〇〇五］。このようなやりとりは、北田も言及しているように、コミュニケーション論では「コンサマトリー（自己充足的）なコミュニケーション」と呼ばれる［池田・村田 一九九一／池田 二〇〇〇／松田 二〇一四／辻・是永・関谷 二〇一四ほか］。「コンサマトリーなコミュニケーション」とは、情報の伝達や説得に焦点を置く「道具的なコミュニケーション」と対比され、他者との会話や交流を主眼とするコミュニケーションを指す。この「コンサマトリーなコミュニケーション」は、インターネット以前の電話やポケットベルを通じた他者とのやりとりに関する研究の中で指摘されており、新たな現象というわけではない。また、若者たちの携帯電話やメールを通じたやりとりに関する研究でも同様の指摘が行われている［中村 一九九七／辻 二〇〇八／岡田・松田編 二〇一二ほか］。だが、そのようなやりとりが、面識を持たない不特定多数のインターネット空間の集まりにも認められるというのは興味深い。

《繋がり》の王国は、けっして2ちゃんねるに常駐する一部の「困った」人たちだけのものだけではない。2ちゃんねるを毛嫌いする若者は少なくないが、かれらもまた2ちゃんねると同型の社会性を生きているかもしれないのだ。電車に居合わせたオヤジの風貌や教師の「寒い」ギャグをメールで友人に実況する若者は、世界を《繋がり》のためにネタにしている点において、テレビ番組を肴にパソコンに向かう2ちゃんねらーと変わるところはない。2ちゃんねるとは、内容を付随化する形式主義、《繋がり》を求める同時代的リアルの象徴＝徴候なのである。

2ちゃんねるに見られる「ネタ」を交えたやりとり、ならびに、そのやりとりを通じて形成される文化の問題は、掲示板内に見られる現象の説明・理解のみならず、一九九〇年代以降の、とりわけ若者の間に顕著なコミュニケーションの問題を考察し、そうした議論の発展を図るうえでも示唆を与えてくれるのである。

［北田 二〇〇五：二〇八］

二 ソーシャルメディアの普及に伴う「ネタ」の変容

電子掲示板サイトの2ちゃんねるに見られる「ネタ」を交えたやりとりに言及した議論は、2ちゃんねる自体、ならびに、面識を持たない不特定多数のネットユーザーたちが関与する相互行為や文化の説明・理解に寄与した。あわせて、現代社会のコミュニケーション論にも示唆を与えてくれるものであった。しかし、二〇〇〇年代中盤以降になると、「ネタ」に言及する議論を見かけることは少なくなった。その一つの理由として考えられるのは、ある程度の議論が蓄積されたためである。前節で示したように、2ちゃんねるに見られる「ネタ」の問題はすでに取り上げられており、改めて言及する必要はない。だがそれ以上に、「ネタ」、ならびに「ネタ」を介したやりとりが成立しづらくなったことが影響していると考える。その背景には、ソーシャルメディアの普及がある。なぜ、ソーシャルメディアの普及により、「ネタ」および「ネタ」を交えたやりとりが成立しづらくなったのだろうか。この問題について、以下では、2ちゃんねるに見られる「ネタ」交じりのやりとりを成立させてきた「内輪の接続志向」と「アイロニカルな視線」〔北田 二〇〇五〕という二つの条件を手がかりとしながら考察を行っていく。

まず、「内輪の接続志向」とは、文字通り、親しい人たちや特定の話題を共有する人たちとの関係性の維持に重きを置くことを指す。2ちゃんねるでは、掲示板の域内における内輪の関係性を維持していくうえで「ネタ」が大きな役割を果たした。要するに、参加者間で「ネタ」が共有されることで、2ちゃんねるにおける内輪の関係性が維持されてきたのである。このような指摘は主に二〇〇〇年代前半に行われたが、それ以降、すなわち、ソーシャルメディアの普及後もインターネット空間には内輪の関係性が認められる。むしろ、オンラインサービスの多様化に伴い、インターネット空間では成員ならびに文化の異なる内輪の集まりが増加している〔平井 二〇一七〕。「ネタ」を介した関係性も、多様な内輪の集まりの一つとして、2ちゃんねるの圏域に、あるいは、ニコニコ動画やツイッターの圏域などに認められる。しかし他方で、「ネタ」を介した内輪の関係性の維持が困難になっていることも確かである。なぜならば、内輪で共有されていた「ネタ」がソーシャルメディアを通じて拡散されるためである。ここではその一例として、「左足壊死ニキ」の話題を取り上げる。

「左足壊死ニキ(ひだりあしえしニキ)」とは、東京近郊の交通機関や駅で目撃されるホームレス男性で、ツイッターに投稿された画像が注目を集め、二〇一三年頃からインターネット上で話題となった。当初は「ホームレス」

や「変な人」などと呼ばれていたが、2ちゃんねるの「なんでも実況板」（通称「なんJ」）で話題になると、同板で使用されていた「兄貴（アニキ）」の略称である「ニキ」というスラングを交えて言及されるようになり、「左足壊死ニキ」という名称が定着していった。そして次第に男性の話題はインターネット上で広まっていき、ツイッターに新たな画像が投稿されたり、まとめサイトやニュースサイトで記事として掲載されたりするようになった。また、動画投稿サイトにも関連動画が投稿されている。他にも、話題に便乗して注目を集めようとする者が男性に接触を図り、飲食物を提供する様子がツイッターに画像とともに投稿されている。

「左足壊死ニキ」と呼ばれるホームレス男性の話題は、都市伝説を扱うアングラ雑誌の漫画で取り上げられたものの、インターネット空間以外では扱われておらず、いわゆるインターネット上の「ネタ」の域にとどまる。ただし前述のとおり、その範囲はツイッター、2ちゃんねる、まとめサイト、ニュースサイト、あるいは、動画投稿サイトと多岐にわたっており、かつて見られたような内輪の「ネタ」とは性質が異なる。ソーシャルメディアを通じて「ネタ」が拡散され、その内輪性が失われていく現象は、二〇〇〇年代後半以降、顕著に見受けられるようになった。二〇一六年九月から二〇一七年三月頃にかけてインターネット上で話題となった「性の喜びおじさん」も類似の事例として把握することができる。*2

次いで、「アイロニカルな視線」の考察に移る。「アイロニカルな視線」とは、皮肉、嘲笑、軽蔑を意味する「アイロニー」を帯びた物事の捉え方を指す。2ちゃんねるのやりとりに見られるアイロニカルな視線については次の説明が参考となる。「それはスレッドのなかの発言でも、ブログでも、朝日新聞でもなんでもいい。ある対象を「ベタ」に（字義通りに）捉えるのではなく、たとえば朝日新聞であれば「またサヨが何かいっている」といったパターン認識をかけることで――いわば「2ちゃんねらー的色眼鏡」をかけることで――、常に「メタレベル」から解釈のズレを差し挟み、アイロニカルな「嗤い」（相手を見下すような「笑い」のこと）を誘っていく」［濱野 二〇〇八：九七］。この「アイロニカルな視線」は、「内輪の接続志向」と同様に、現在も2ちゃんねるをはじめ、まとめサイトやツイッターの書き込みなどに認められる。だが、ソーシャルメディアの普及後、「アイロニカルな視線」が向けられていた物事を「ベタ」に捉える傾向が見られるようになった。このような変化を「炎上」をもとに説明する。

平井智尚［二〇一二a］は、炎上を「ブログ、ミクシィ（mixi）、ツイッター（Twitter）などに投稿されたメッセージ内容、ならびに投稿者に対して批判や非難が巻き起こる現象」［平井 二〇一二a：六二］と定義し、議論を展開している。平井の研究で注目したいのは、炎上の発生と展開に関する考察である。

平井は、炎上の発生と展開を2ちゃんねるを中心に形成されてきた文化と、若年層による携帯電話のやりとりを通じて形成されてきた文化の衝突という観点から論じている。そして前者の文化と炎上の関係について次のように説明している。「炎上に見られる批判や非難は、投稿者の反省や所作の改善を真剣に追求するものではない。問題の投稿や投稿者の素性をネタに相互行為を展開することが可能であり、投稿者に対して所属組織から下された譴責や処分の情報を通じて「他人の不幸で今日も飯がうまい（メシウマ）」、「ざまぁ（ざまあみろ）」とあざ笑うことが可能であるがゆえに炎上は成り立つ」［平井 二〇一二a：六五］。炎上は問題視されるメッセージ、ならびにその投稿者に対して、不特定多数のネットユーザーによる批判や非難が噴出する現象である。ただし、平井が指摘するように、そうした批判や非難は、社会的な倫理観や道徳に基づくものというよりは、炎上を招いた投稿者を嘲笑するような意味合いが強い。ここにはまさしく「アイロニカルな視線」が認められる。しかし、平井より後の炎上に関する研究では、個人や組織に対して批判や非難が噴出する、すなわち、炎上が起こる理由として「社会的厚生」や「社会的制裁」といった動機を挙げている［田中・山口 二〇一六］。ここには「アイロニカルな視線」は認められない。[*3]

平井の研究が対象とする炎上の事例に「社会的厚生」や「社会的制裁」の側面が認められなかったわけではない。ただいずれにせよ、炎上の性質が次第に「社会的厚生」や「社会的制裁」へと移行していったのは確かである。このような変化が生じたのはなぜか。その理由の一つとして、ソーシャルメディアの普及以降、（炎上を招くような）問題含みの言動を素直に、いわゆる「ベタ」にとらえ、それらを問題視する人たちが増加したことが挙げられる。ソーシャル・ネットワーキング・サービス（SNS）やツイッター、あるいは、まとめサイトを通じて新たにインターネット空間へ参入した者たちは、ネットカルチャーに親和的とは限らず、その歴史にも通じているわけではない。要するに「ネタ」が通じないのである。同様の事例は炎上以外にも見受けられる。例えば、先に言及した伊藤［二〇一二］の研究の中で事例として取り上げられていた「吉野家コピペ」という「ネタ」に対するマジレス

（二〇一八年二月）や、[*4]「国際信州学院大学」という架空の大学と「うどんや蛞蝓亭（なめくじてい）」という架空の飲食店をめぐる騒動（二〇一八年五月）などが事例として挙げられる。[*5]

三　「ネタ」と「遊び」

前節では、2ちゃんねるに見られる「ネタ」を交えたやりとりを成立させてきた「内輪の接続志向」と「アイロニカルな視線」という条件に焦点を当て、ソーシャルメディアの普及により「ネタ」が成立しづらくなったことを指摘した。「ネタ」への着目は、匿名の状況で展開されるネットユーザーのやりとりや、そうした文化の説明・理解だけでなく、現代社会における若者とコミュニケーションの問題にも示唆を与えてくれた。だが、かつてのような「ネタ」が成立しづらくなった現在、もはや「ネタ」に着目する議論は必要ない。こうした見立ては一方において妥当である。しかし他方では、「ネタ」の有り様が変化していることが論点となり得る。この論点は、単に日本社会を文脈とするインターネット空間の諸相や動態を明らかにするだけでなく、学術的な概念や理論を交えた研究の発展にもつながるのではないか。こうした問題意識に基づき以下では、社会学の研究を中心に一定の蓄積を有する「遊び」の研究を手がかりとしながら、「ネタ」の問題に関する考察を展開していく。

繰り返し述べてきたように、「ネタ」という言葉は俗語であり、学術的な専門用語ではない。このことを殊更に問題視するつもりはない。だが、その言葉に即した議論から学術的な発展は見込みづらい。

結局のところ、2ちゃんねる、ならびにその周辺の現象を説明する用語の域を出ないのである。そうした議論は目を引くかもしれないが、ある種の「一発芸」にとどまる場合もある。だからといって、その議論に価値がないというわけではない。そこで本章では主に社会学の文脈で考察が重ねられてきた「遊び」の研究を参照しながら「ネタ」という問題を学術的な観点から論じることを試みる。

まず、確認するのは「遊び」とは何かという問題である。本章で参照する遊びの研究の祖と位置づけられるヨハン・ホイジンガは遊びを次のように定義している。

> 遊びとは、あるはっきり定められた時間、空間の範囲内で行われる自発的な行為もしくは活動である。それは自発的に受け入れた規則に従っている。その規則はいったん受け入れられた以上は、絶対的拘束力をもっている。遊びの目的は行為そのもののなかにある。それは、緊張と歓びの感情を伴い、またこれは「日常生活」とは「別のもの」という意識に裏づけられている。
>
> 〔Huizinga 1938=1973:73〕

また、ホイジンガの議論を継承しつつ、理論的な発展を図ったロジェ・カイヨワは遊びという活動を次のように定義している。

㈠自由な活動。すなわち、遊戯者が強制されないこと。もし強制されれば、遊びはたちまち魅力的な愉快な楽しみという性質を失ってしまう。

㈡隔離された活動。すなわち、あらかじめ決められた明確な空間と時間の範囲内に制限されていること。

㈢未確定の活動。すなわち、ゲーム展開が決定されていたり、先に結果が分かっていたりしてはならない。創意の必要があるのだから、ある種の自由が必ず、遊戯者の側に残されていなければならない。

㈣非生産的活動。すなわち、財産も富も、いかなる種類の新要素も作り出さないこと。遊戯者間での所有権の移動をのぞいて、勝負開始時と同じ状態に帰着する。

㈤規則のある活動。すなわち、約束ごとに従う活動。この約束ごとは通常法規を停止し、一時的に新しい法を確立する。そしてこの法だけが通用する。

㈥虚構の活動。すなわち、日常生活と対比した場合、二次的な現実、または明白に非現実であるという特殊な意識を伴っていること。

[Caillois 1967＝1990 : 40]

ホイジンガとカイヨワによる遊びの定義は、複数の論者も指摘するようにほぼ共通している［小川二〇〇一／三浦 二〇一三ほか］。その要点を整理すると、遊びとは、日常生活とは区別される時間・空間の範囲内で、行為者が一定の規則を共有しながら展開される楽しみを伴うような自由な活動である、と言うことができる。

以上のような遊びに関する議論は、インターネット空間で展開される人々の活動を対象としているわけではない。だが、インターネット空間で展開される人々の活動にもその知見を援用することは可能であり、本章で問題としている「ネタ」と呼ばれる人々のやりとりも「遊び」という観点から把握できるものと考える。

前述のとおり、「ネタ」交じりのやりとりとは、嘘、冗談、悪ふざけを含む人々の言動を指している。このような特徴を有した活動は、日常生活の枠組みから外れ、「『本気でそうしている』のではないもの」［Huizinga 1938＝1973：42］、あるいは「真剣／本気ではない」［星井 二〇一二：一一七］という遊びの性質と通じている。また、2ちゃんねるにおける「ネタ」を交えたやりとりに見られる「ゲームのルールのようなもの」［遠藤編 二〇〇四］といった特徴は、遊びの定義に含まれる「自発的に受け入れた規則」［Huizinga 1938＝1973］や「規則のある活動」［Caillois 1967＝1990］といった条件と通じている。実際、2ちゃんねるの参加者たちは、掲示板の内部で共有される言い回し（ネットスラング）、記号（顔文字やアスキーアート）、そして、態度（アイロニカルな視線）を自発的に受け入れ、それらを「規則」としながら交流を展開してきた。その他にも、ホイジンガやカイヨワによる遊びの定義に含まれる「緊張と歓びの感情」や「非生産的活動」といった条件も「ネタ」と呼ばれるやりとりの中に見受けられる。ネットユーザーが大人数で冗談や悪ふざけに興じる「祭り」（あるいは「炎上」の一部）には、「緊張と歓びの感情」や「非生産的活動」といった特徴が顕著に認められる。

四 「ネタ」の位置づけとその変容――「聖―俗―遊」のモデルを手がかりとして

ネットユーザーが展開する「ネタ」を交えたやりとりを「遊び」という観点からとらえることで、社会科学の知見に即して「ネタ」の問題を把握する道筋を作ることができた。だがこの作業は、単に「ネタ」を「遊び」という観点から把握するだけでなく、ソーシャルメディアの普及に伴うインターネット空間の変容に対応した分析、すなわち、二節で論じた「ネタ」の変容をふまえた議論を展開する際の手がかりともなる。そこで注目するのは「遊び」と「遊びではない」活動との関係である。

遊びの定義に示されているように、遊びは、遊び以外の活動と区別されている。こうした区別を体系的に論じたのはカイヨワである。カイヨワは、ホイジンガの遊びの議論は、礼拝や儀礼といった「聖なるもの（聖）」と、「遊び（遊）」を混同していると批判したうえで、「日常生活（俗）」を間にはさむ「聖―俗―遊」の序列モデルを提示した。[*6]「聖」と「遊」はいずれも、日常生活の利害や義務が伴う領域や活動、すなわち「俗」と区別されるという点では共通している。しかし、日常生活を超越し内的な緊張を伴う「聖」と、日常生活の利害や義務から解放され、楽しみや喜びに満ちた自由な活動が展開される領域である「遊」は相容れない。むしろ、双方は対極に位置している。このように整理したうえで、カイヨワは「聖」、「俗」、「遊」をそれぞれ独立した概念として扱い、超越的な力を帯びた「聖」を最上位に据え、それぞれを序列化した「聖―俗―遊」のモデルを提示した［Caillois 1950＝1994

ほか]。

カイヨワが提示した「聖―俗―遊」のモデルは、遊びに関する研究の理論的な発展、ならびに、分析概念としての応用をもたらした。ここでは、そうした発展的な研究の一つに数えられる井上俊［一九七七］による社会分析に着目したい。

井上は、カイヨワの「聖―俗―遊」のモデルを、日本社会における一九六〇～一九七〇年代の青年文化（ユースカルチャー）の分析へと援用し、「聖」に「理想主義（まじめ）」、「俗」に「実生活を支配する現実主義的功利主義（実利）」、「遊」に「青年文化」をそれぞれ当てはめ、青年文化へ傾斜し「遊」へと離脱していく若者たちの動向、そして、その動きに、理想主義（聖）や実生活の原則（俗）を相対化し、批判や対抗性を伴う意味を見出した［井上 一九七七］。井上の分析、ならびにその枠組みは、特定の時代に（おいてのみ）適合するものであったという限界も指摘されている。[*7] ただ、遊びという活動を、その他との相対で把握する試みは、インターネット空間に見られる「ネタ」を交えた活動の位置づけや意味を把握する際にも有効と考える。そこで以下では、「聖―俗―遊」のモデルに準拠しながらインターネット空間における「ネタ」の位置づけを論じていく。

日本社会を文脈とするインターネット空間の動態に「聖―俗―遊」のモデルを当てはめてみると、インターネット（ウェブ）の普及が進んだ一九九〇年代後半から二〇〇〇年代前半まで、「聖―俗―遊」の関係は、比較的均衡を保っていたと言える。当時インターネットをめぐって編成されていた「情報化社会の神話」や「情報化社会の夢」といった言説、そして、「バーチャル・コミュニティ」や「サイバースペース」といった議論からは、日常生活を超越する、あるいは理想主義を伴うようなインターネットの有り様、すなわち、「聖」を見出すことができる。[*8] また、インターネットは普及初期から、仕事、家庭生活、社会活動、学習など日常生活の諸活動と結びつき、その関係を深めてきた。ここには日常生活の原則に則したインターネット利用、つまり、「俗」の特徴を認めることができる。そして、「遊」に関しては、アングラサイトや個人ホームページ、そして「2ちゃんねる」において、「ネタ」を交えた活動が展開されていた。[*9]

しかし、インターネット利用が一般化した二〇〇〇年代中頃になると、SNS、検索サイト、通販サイト、旅行予約サイト、料理レシピサイト、Q&Aサイトなど日常生活に密着したウェブサイトやオンラインサービスが多くの利用者を集めるようになり、仕事、家庭生活、社会活動、学習といった日常生活の活動において、インターネットは次第に欠かせない道具となっていった。このことを「聖―俗―遊」のモデルに即して説明するならば、インターネット空間における「俗」の広がりを意味する。そしてこうした「俗」の拡大は、「聖」や「遊」に属する活動との関係性にも変化をもたらした。[*10] その中でもここで注目したいのは「ネタの世俗化」と呼びうる変化である。[*11]

例えば、2ちゃんねるについて言えば、同サイトの域内で展開されている参加者のやりとりには依然として「ネタ」(=遊び)が認められる。しかし、2ちゃんねるの書き込みをもとにした『電車男』の書籍化や映像作品化、サイトへの広告掲載、有料サービスの提供といった展開は「俗」の広がりを表す。金銭的報酬の獲得を企図する「まとめサイト(ブログ)」の隆盛も同様に把握することができる。[*12]

また、動画投稿サイトの「ニコニコ動画」についても、初期に見られた「モブの創造性」や「匿名による創作」〔ばるぼら・さやわか 二〇一七〕の中には「ネタ」が認められた。しかし、「オリコン一位を取る〔初音〕ミクのプロデューサー」〔ばるぼら・さやわか 二〇一七：一四五〕が登場したように、ニコニコ動画で人気を集めた作品やキャラクターのメディアミックス、そして、創作物（音楽、ダンス、イラスト等）を投稿し人気を集めた者のメジャーデビューなど「ネタ」とは相容れない「生産的活動」が目立つようになっていった。*13 同じく、動画投稿サイトの「YouTube」に「ネタ動画」をアップロードする「ユーチューバー（YouTuber）」が、広告収入を獲得し、「職業」と見なされている現状は、まさしく、インターネット空間における「ネタの世俗化」の広がりを表していると言える。

五　インターネット空間における「ネタ」の意味

日本社会を文脈とするインターネット空間の動態を「聖―俗―遊」の関係性という観点から考察することで、インターネット空間に見られる「ネタ」の世俗化を示すことができた。その議論をふまえたうえで、最後に現在のインターネット空間に見られる「ネタ」の意味を考察する。

「聖―俗―遊」のモデルに基づく社会分析では、青年文化へと離脱する若者たちの動きを「遊」と対応させ、「聖（理想主義）」や「俗（実生活の原則）」への対抗性や批判性という観点から一定の評価を行っていた。インターネット空間に見られる「ネタ」についても、かつては2ちゃんねるに見られる現象を「カウンターメディア〔対抗メディア〕」と評価、ないし期待する議論も散見された。[*14] しかし、同サイトは「カウンターメディア的なものから『電車男』的なものへと変わって〔いった〕」〔ばるぼら・さやわか 二〇一七：一四三〕と言われるように、その批判性や対抗性は希薄となっていった。前述のとおり、「俗」の拡大は2ちゃんねるに限らず、インターネット空間全体の傾向である。こうした現状をふまえるならば、もはや「ネタ」を問うことは意味がないように思える。

だが、世俗化が進展しても、インターネット空間から「ネタ」が完全に消えたわけではない。2ちゃんねる、ならびにその文化圏では、依然として「不可解」なネットスラングを交えたネタ的なやりとりが展開されている。2ちゃんねる以外でも、例えば、ツイッターのやりとりでは、ネタツイートやネタ画像が人気を集め、それらがリツイート〔RT〕や無断引用〔パクツイ〕を通じて広く拡散している。動画投稿サイトの界隈も商業化の進展は顕著であるが、〔その是非はさておき〕男性同性愛者〔ゲイ〕向けポルノビデオや炎上事件を素材とした動画、ならびに、無名のユーチューバーが「ネタ」として人気を集めるなど、「俗」へと回収されない展開も見受けられる。このようにインターネット空間には依然として「ネタ」に該当する活動や現象が認められる。それでは世俗化が進むインターネット空間において「ネタ」はどのような意味を持つのだろうか。

この問題を考えるために改めて遊びの研究に着目する。まず目を向けるのは「遊び」が持つ「気楽さ」である。カイヨワは「聖—俗—遊」のモデルを提唱した議論の中で次のように述べている。

要するに、聖なる活動から世俗の生活へ移る時には、人はほっとした気分になる。それは、世俗の生活での患いや逆境から、遊びの雰囲気へと移る際と同じことである。このいずれの場合にあっても、移行によって新たな段階の自由が得られるのだ。〔Caillois 1967＝1990：301〕

カイヨワの議論を本章の問題関心に引き付けると、ＳＮＳの普及以降、インターネット空間の世俗化が拡大する中、「ネタ」は人々にとっての気休めと位置づけられる、という捉え方ができる。ＳＮＳやコミュニケーションアプリといった交流サービスが普及した日本社会における若者の人間関係に言及する議論では、「友人関係の濃密化」〔浅野 二〇一一、二〇一三〕、「人間関係の常時接続化」〔土井 二〇一四〕、「友人の同質化」〔辻 二〇一六〕が進んだと指摘されている。またその結果、若者たちは「孤独不安症」〔橋元 二〇一二〕、「空気を読む圧力」や「テンションの共有」〔木村 二〇一二〕、「人間関係をめぐる疎外」〔土井 二〇一四〕といった困難に直面していると言われている。このような日常生活における人間関係と比べて、面識を持たない不特定多数の人たちがインターネット空間で展開する「ネタ」を介したやりとりは自由であり、気楽である。

「若者の人間関係」と「インターネット空間に見られる「ネタ」」の間に相関関係を導き出すのは難しい。しかし、若者の人間関係における格差や巧拙を意味する「リア充／非リア」、「ネト充／非ネト充」、「コミュ強／コミュ障」、「陽キャ／陰キャ」といった言葉がインターネット上で生まれ、「ネタ」を交えたやりとりが展開される領域でネットスラングとして頻繁に使用されてきたことに目を向けると、「若者の人間関係」と「インターネット空間に見られる「ネタ」」は、あながち無関係であるとも言いがたい。もちろん、インターネット空間に見られる「ネタ」を交えたやりとりが、若者の人間関係に見られる息苦しさを解消・緩和しているとまでは言えない。だが、表立って主張することがはばかられる人間関係にまつわる問題について、同様の意識や関心を抱く人たちがインターネットを通じて交流し、嫉妬や劣位の感情が言説として可視化されたことは無視できない。そして、そのような現象が、日常生活とは異なる文脈で、冗談や自虐といった「ネタ」を交えたやりとりの中で生じたことをふまえるならば、そこに意味を見出すことはできる。

「遊び」を取り巻く「気楽さ」に次いで目を向けたいのは「楽しみ」と「笑い」である。「遊び」は日常生活の利害や義務から自由で、楽しみを伴う活動という特徴を持つ。インターネット空間に見られる「ネタ」を交えたやりとりにも「楽しみ」が伴う。その「楽しみ」の根幹をなしてきたのは（「嗤い」を含む）「笑い」であると考える。

ネットユーザーによる「ネタ」交じりのやりとりでは、それらが嘘、冗談、悪ふざけであると示すために「笑い」を意味するネットスラングが多用され、発展してきた。その初期は、発言記録やインタビュー記事でも使用されていた「(笑)」という表現が用いられてきたが、次第に「(笑」、「ワラ」、「藁」といった表現も登場し、二〇〇〇年代には「(warai)」の省略形である「w」や「wwwwww」が広く使用されるようになった。さらに、二〇一〇年代になると「w」という記号が草に見えることから、「草」(「草生える」、「大草原」、「草不可避」などを含む) といった表現も使用されるようになった。

「笑い」を意味するネットスラングの展開は、それ自体が考察の対象となりうる。ただしここでは、「笑い」という「楽しみ」がネットユーザーの間で共有され続けてきたことに注目したい。そうした笑いは、例えば「w」や「wwwwww」といった表現が儀礼的に使用される場合もあるように、常に「楽しみ」を意味しているわけではない。しかし、儀礼として使用されていたとしても、むしろ、儀礼化するほどまでに、インターネット空間における「ネタ」交じりのやりとりは「笑い」に満ちていると把握することができる。それでは、「笑い」という「楽しみ」を伴う活動にどのような意味を見出せるのか。

「楽しみ」や「笑い」を伴う人々の活動については、本章で参照した「遊び」の研究以外でも言及されている。その一つ「サードプレイス」に関する議論では、公共のインフォーマルな集いの場である「サードプレイス」に人々が参加するのは楽しいからであり、そこでのユーモアや笑いを伴うやりとりを通じて人々は癒しを得ている、と指摘されている〔Oldenburg 1989＝2013 : 110-111〕。本章で言及しているインターネット空間の問題とサードプレイスの関係は改めて検討しなければならない。だが、サードプレイスの議論で言及されているユーモアや笑いを通じた癒しは遊びの効用と通じる面がある。「〔略〕遊びという言葉が〔略〕とりわけ、それはかならず、休息あるいは楽しみの雰囲気をともなう。それは、憩わせ、楽しませる」〔Caillois 1967＝1990 : 13〕。すなわち、インターネット上に見られる笑いという楽しみを伴う活動である「ネタ」にも「癒し」、「休息」、「憩い」といった効用があるものと考えられる。

インターネット空間で展開される「ネタ」を交えたやりとりを通じて、人々が実際に「癒し」や「休息」あるいは「憩い」を得ているか否かという問題は別途考察しなければならない。また、そのような効用が現代社会で人々が直面する諸問題の解消・緩和につながるとまでは言えない。だが、このような論点、そして問題提起は、社会科学の研究目的の一つに挙げられる「当為」につながるものである。[*15] 本章は「ネタ」という俗語に基づくインターネット論を、社会科学に即した研究として発展させることを一つの目的に掲げてきた。もちろん課題は残るものの、一連の考察を通じて「当為」の局面へと至ったことは「成果」であり、本章の目的は一応のところまで達成されたと言える。

おわりに

本章では、日本社会を文脈とするインターネット空間でネットユーザーたちが展開する「ネタ」を交えたやりとりについて論じた。インターネット空間の諸相を把握するうえで、また、インターネットの現象を対象とした社会科学の研究を発展させるうえで、「ネタ」という言葉、およびその議論は示唆を与えてくれる。しかし、「ネタ」という言葉は「俗語」であり学術的な観点から考察を展開するうえで心許ない。そこで本章では、主に社会学の文脈で論じられてきた「遊び」の研究を参考としながら「ネタ」に関する考察の発展を試みた。

「遊び」の研究、およびその知見に依拠することで、インターネット空間に見られる「ネタ」交じりのやりとりを「遊び」という観点から把握することができる。また、「遊び」と「遊びではない」活動との区分は、ソーシャルメディアの普及に伴い変容したインターネット空間における「ネタ」の問題を論じるうえで有用である。このような整理を行ったうえで、本章では、カイヨワの提示した「聖―俗―遊」モデルに依拠した社会分析を手掛かりとしながら、現在のインターネット空間に見られる「ネタ」の位置づけや意味を考察した。

ソーシャルメディアの普及以降、インターネット空間の世俗化が進展し、「ネタ」は成立しづらくなっていった。だが、インターネット空間には依然として「ネタ」交じりの活動が認められる。そのような活動にはいかなる意味を見出せるのか。本章では「遊び」に見られる「気楽さ」や「楽しさ」という性質に着目し、その性質をふまえて「ネタ」の持つ意味合いを考察した。

インターネット空間に見られる「ネタ」という現象を「遊び」の研究の知見を取り入れながら論じた本章の試みは、社会科学に即したインターネット研究の発展に多少は寄与できたと考える。しかし、コンピュータ・ネットワークを介した人々のやりとりを考察対象とした研究が抱える問題を再生産しているのではないかという疑問も生じる。インターネットに代表されるコンピュータ・ネットワークを介した人々のやりとりに関する研究は、「インターネットのパラドクス」〔Papacharissi 2005：215-216〕とも呼ばれるように、楽観（ユートピア）と悲観（ディストピア）の間で見解が二分されることが間々ある。こうした見解をふまえて本章に目を向けると、インターネットを介した人々のやりとりを楽観的に（あるいは悲観的に）評価する研究の焼き直しに見える。長々と考察を展開した結果、時に批判されてきた議論を繰り返すだけであれば、本章の試みは無駄ということになる。だが、本章は初期の研究のように、インターネット（オンライン）に楽観的な可能性を見出しているわけではない。人々が長きにわたり携わってきた「遊び」が、インターネット空間の「ネタ」にも認められると指摘しただけである。それゆえ、楽観的に見えたとしても、それは「遊び」、あるいは「ネタ」という概念に起因するものである。もちろん、楽観を含意する概念や理論に依拠することがそもそも問題であるという批判も想定される。

ただし、本章は「遊び」としての「ネタ」だけに焦点を当てたのではなく、「俗」との連関で「ネタ」の位置づけや意味を考察してきた。インターネット空間の世俗化と「ネタ」の関係を十分に説明するには具体的な事例を交えたさらなる考察が求められる。また、本章ではインターネット空間の現象に焦点を当てたが、物理的な空間を基盤とする活動とインターネット上の現象の関係も問わねばならない。これらの課題は留め置きながらも、インターネット空間の世俗化が進展する中で残存する「ネタ」に着目し、その意味へと接近した本章の試みは、インターネット上で展開される人々のやりとりに関する研究を発展させ、既存研究とは異なる考察の方向性を示せたという点で、多少の意義を認めることができるものと考える。

1——「吉野家コピペ」とは、牛丼チェーン店の「吉野家」における食事の様子を記したコピー・アンド・ペースト（コピペ）の「ネタ」で、もともとは個人の日記サイトに掲載された文章であったが、2ちゃんねるで引用された後、広くコピペされるようになり、人気を集めた。「吉野家オフ」は吉野家の実店舗で文章の内容に即した食事を行うというイベントであり、二〇〇一年一二月二四日に最初のオフ会が実施され、二〇〇二年一二月二四日のイベントには約二〇〇〇人が参加したとされる［伊藤 二〇一一ほか］。

2——「性の喜びおじさん」とは電車内で独り言を発していた男性の動画がツイッターに投稿され、その独り言の内容が特徴的であったためインターネット上で話題となった。その後、男性を盗撮した画像や記念撮影した画像がツイッターに投稿されるようになり、二〇一七年一月にはテレビ番組に出演した。先の「左足壊死ニキ」と同様に、一般人の言動をインターネット上に晒して「ネタ」にするような行為の問題については考えなければならない。

3——なお、田中・山口［二〇一六］は、炎上を「ある人物や企業が発信した内容や行った行為について、ソーシャルメディアに批判的なコメントが殺到する現象」と定義している［田中・山口 二〇一六：五］。

4——「吉野家コピペ」に対する「マジレス」とは、ソフトバンクのスマートフォン契約者向けのキャンペーンで吉野家の牛丼が無料で提供された際に、ツイッターに投稿された「吉野家コピペ」の改変を「ネタ」と理解せず、それを真に受けてコピペの内容に対する批判（マジレス）がツイッターに投稿された出来事を指す。

5——「国際信州学院大学」という架空の大学の教職員が、「うどんや蛞蝓亭」という架空の飲食店の貸し切り予約をキャンセルしたというツイッターの投稿をきっかけとした出来事で、架空の店舗に対する同情や架空の大学の教職員に対する非難がツイッターに投稿された。なお、「国際信州学院大学」は、実際に存在する大学であるかのような「ホームページ」が、2ちゃんねる（5ちゃんねる）の「ニュー速ＶＩＰ」板のユーザーによって「釣り」（騙す）目的で作成されていた。詳しくは以下を参照。

ITmedia（二〇一八年五月一四日）「うどん屋「ドタキャン受けた」とTwitter投稿　「気の毒」と拡散したが、店も加害者も架空」（http://www.itmedia.co.jp/news/articles/1805/14/news058.html）。

6——「カイヨワは、まずホイジンガのアイディアと説得力に深く感嘆する。しかし、それでも「遊」と「聖」を同一視することについては疑問を投げかけた」［井上・伊藤編　二〇〇九：二二九］。「おそらく以上のことが原因で、遊びと聖なるものを同一視する、このうえなく大胆なこの著作の主張が生まれた。同時にそれはこのうえなく脆弱な主張だと私には思われる」［Caillois 1950＝1994：232］。

7——藤村正之は、「聖」に対応する「戦後啓蒙主義の理想」が弱体化する一方で、消費社会の進展に伴い「遊」が日常化し、「俗」との境界が曖昧となったため、青年文化を「聖—俗—遊」の連関で説明することが困難になったという「限界」を指摘している［藤村　一九九〇］。また、長谷正人［二〇〇二］も同様の指摘を行っている。「八〇年代以降のいわゆる「ポストモダン」と呼ばれるような高度消費社会の出現によって、「遊び」は「消費」という形式において積極的な価値が与えられるようになっていった〔略〕だからもはやそのような社会では七〇年代にあったような、「遊び」の積極的価値を唱えることの衝撃性や対抗性は薄められてしまったのだ」［長谷　二〇〇二：四—五］。

8——佐藤俊樹［二〇一〇］は情報化社会の言説を批判的に考察する中で「情報化社会の神話」、「情報化社会の夢」、「機械仕掛けの神」といった表現を用いながら「情報技術が社会を変える」という「信仰」の存在を指摘している。

9——アングラサイトや個人ホームページについては第一章を参照。

10——「聖」と「俗」の関係については、宗教とインターネットに関する研究系譜を整理した論文で「第四段階にあたる現在の研究は、オンラインとオフラインの宗教コミュニティの実践と言説の交差に焦点を当てる傾向にある」［Campbell and Vitullo 2016：74］、「オンラインとオフラインの領域や実践の統合が強調される」

［Campbell and Vitullo 2016 : 84］と述べられていることから、情報通信環境の進展に伴い「聖」と「俗」の融合が進んでいることがうかがえる。ただしこのことが必ずしも「聖」の衰退を意味するわけではなく、「〔「聖」は〕「聖の制度化」をとおして「俗」の秩序のなかにとりこまれ、それを正当化し権威づけるのに役立っている」［井上 一九七七：一五二］という指摘があるように、「聖」の秩序や価値の強化をもたらす場合もある。「聖―俗―遊」のモデルに基づく考察をより充実させるためには、情報通信技術をめぐる「聖」の問題、ならびに「聖」と「俗」の関係を検討する必要がある。

11――「ネタの世俗化」は「遊びの俗化」の議論に着想を得ている。「遊びの俗化」とは、「消費社会化が進行し、「遊」が日常化すること」［藤村 一九九〇：一九］を意味する。

12――ここで言う「まとめサイト（ブログ）」とは、電子掲示板2ちゃんねるの書き込みを編集し、記事として掲載するブログを指す。詳しくは第二章および第八章を参照。

13――ORICON NEWS（二〇一〇年五月二五日）「初音ミク〝ボーカロイドアルバム〟が徳永を押さえ、初首位」（https://www.oricon.co.jp/news/76554/full/）。

14――二〇〇一年に刊行された『2ちゃんねる宣言』に掲載された当時の管理人とジャーナリストや社会学者らとの対談集について、ばるぼら・さわやか［二〇一七］は「「マスメディアに対抗する場としての2ちゃんねる」を語る、というモード」［ばるぼら・さわやか 二〇一七：一二三］と評している。

15――友枝敏雄［二〇〇六］は、社会学研究の目的として、①社会事象の記述（記述）、②社会事象の因果関係もしくはメカニズムの説明（説明）、③社会に存在する規範、制度、秩序の有効性や正当性を検討し、社会事象に対する政策的判断や価値判断を下す（当為）の三つを挙げている［友枝 二〇〇六：二三九―二四〇］。

終章

ネットカルチャー研究の課題

本書では、日本社会を文脈とするインターネット空間においてネットユーザーの活動を通じて形成されてきた独特な文化、いわゆる「ネットカルチャー」について社会科学に即した考察を展開してきた。まず第一章で「ポピュラー文化」と「参加文化」という観点からネットカルチャーを把握し、個別の対象の説明にとどまらないネットカルチャー研究のアプローチを検討し、本書全体の方向性を示した。

前半（第二章～第四章）のネットユーザーのコンテンツをめぐる草の根的な活動に焦点を当てた考察では、ニュース、テレビ、動画をめぐるネットユーザーの活動をそれぞれ研究対象とした。これらの活動は、いずれも、日本社会を文脈とするインターネット空間で継起的に展開されてきたが十分と言えるほどの研究蓄積を持たなかった。それゆえ、本書ではそれぞれについて歴史の整理したうえで、主にメディア研究の知見を参照しながら、概念や理論に即した考察を展開した。この試みは、ネットカルチャーを社会科学に基づいて論じるという本書の目的にかなう。加えて、メディア研究の拡充にもいくばくか資することができたと考える。

後半（第五章～第九章）では、ソーシャルメディアの普及により変容したインターネット空間におけるネットカルチャーの意味に焦点を当てた。最初に、ソーシャルメディアの普及に伴うオンライン・コミュニティの変容を取り上げ、都市社会学の概念・理論を参考としながら、インターネット空間において文化の異なるコミュニティが共存し、それぞれのコミュニティの成員間で相互作用が生じる現象を論じた。この現象については、続章で「炎上」や「ネットスラング」を事例としながら考察を展開した。また、ネットカルチャー、ならびにそれらを生み出すネットユーザーのやりとりが、金銭的な利益やインセンティブの獲得を目論む者によって利用される問題を批判的な観点から考察した。そして最後に、主に社会学の文脈で論じられてきた「遊び」の研究を参考としながら、ソーシャルメディアの普及に伴い、日常生活の関係性が浸透する現代のインターネット空間に見られる「ネタ」の意味を考察した。ネットユーザーのやりとりの根幹をなす「ネタ」は、嘘、冗談、悪ふざけを含んでおり取るに足らないものと見なされる。だが、そうしたやりとりには何かしらの意味を見出せるのではないか。こうした問いを立て、「遊び」の研究の知見を手がかりとして「ネタ」の持つ意味を検討した。

本書の目的はネットカルチャーを社会科学の概念や理論に即して論じることであった。ネットカルチャーと呼びうる現象は学術的な観点で様々な示唆を与えてくれる。しかし、繰り返し述べているように、それらには取るに足らないものが多分に認められる。また、一種の流行現象として消費されることも間々ある。それゆえ、学術的な観点からの議論は充実しているとまでは言えない。こうした問題を乗り越えるために、本書では、メディア研究、コミュニケーション研究、文化研究、社会学などの知見に依拠しながら考察を展開してきた。冒頭でも述べたとおり、本書は筆者独自の概念や理論の提示、あるいは、既存の概念や理論の修正を主眼とはしていない。ネットカルチャーと呼びうる現象を、既存の概念や理論を参照しながら、読み解いたに過ぎない。しかし、そうした一連の作業を通じて、社会科学に即したネットカルチャー研究を試みるという本書の目的を果たすことができた。この試みが成功したか否かは筆者が判断するところではない。だが、仮に不十分であったとしても、社会科学に即したネットカルチャー研究の発展につながる足場を作ることはできたと考える。このことを本書の成果として挙げる。

今後のネットカルチャー研究の発展は後続の研究に委ねることになるが、筆者自身の問題意識に即した研究課題をいくつか記しておく。

第一に、本書で取り上げた各論を掘り下げる研究の発展という課題が挙げられる。インターネットとニュース、インターネットとテレビ・オーディインスの関係、インターネット上のアマチュア動画、炎上、ネットスラング、批判的ソーシャルメディア論といった論点は、本書ではネットカルチャーの問題を論じる際の一項目として扱ったが、いずれも研究テーマの主題となり得る。それぞれの研究は、本書でも先行研究をいくつか取り上げたように、少なからず実施されている。しかし、包括的な研究が十分に蓄積されているとは言えない。インターネットが広く普及した現代社会ではいずれも研究すべき問題であり、その試みは、インターネットの社会科学に限らず、メディア研究、コミュニケーション研究、文化研究、社会学といった研究領域の発展にも資することが期待される。

第二に、右のとおり、本書で取り上げたそれぞれの論点については研究を発展させる余地があるが、総体的なネットカルチャー研究の発展は見込みづらいという課題がある。本書では停滞傾向にあるネットカルチャー研究の発展を企図したが、その背景にはネットカルチャー自体の存在感が薄れているという実情があった。もちろん、焦点を当てる文脈を「日本社会」に限定することなく、他の国家、言語圏、文化圏にまで広げればネットカルチャー研究の発展を見込むことができる。例えば、英語圏を文脈とするユーザーが主に利用する電子掲示板サイト「4chan」については、本書で対象としてきたようなネットカルチャーが認められ、いくつかの研究も手掛けられている［Phillips 2015; Jenkins, Ito and Boyd 2016; Nissenbaum and Shifman 2017 ほか］。それらの研究をふまえながら、ネットカルチャーの比較分析を実施するといった試みはネットカルチャー研究の発展につながる。ただし、本書を踏襲するような議論はやはり発展の余地が乏しい。それゆえ、ネットユーザーの活動を通じて形成されてきた独特な文化としてのネットカルチャーに焦点を当てる研究の発展は困難であると言明したうえで、新たな研究の道筋を模索した方が有益かもしれない。

そこで第三に、発展的な研究の道筋として、インターネットの大衆化という論点を挙げる。本書の第五章以降は、ソーシャルメディアの普及により変容したインターネット空間を考察の対象とした。ネットカルチャーの希薄化や研究の停滞が生じたのは、インターネット利用者や各種のオンラインサービスの利用者が増加し、インターネット空間の大衆化が進展したためである。本書ではこうした変化をふまえながら、ネットカルチャーの位置づけや意味を論じたが、むしろ、インターネットと大衆化の問題の方が研究課題として重要かもしれない。ただ、その考察に際して、ネットカルチャーの視座が放棄されるわけではない。例えば、本書で取り上げた「炎上」や「ネットスラング」の問題は、すでに指摘したように、インターネット空間の大衆化と関連している。また、ソーシャルメディアのやりとりに見られる「スラックティビズム」（社会運動のような行為）を論じる際には、本書でも取り上げたインターネットと集合行為の議論が参考となる。その他、コンテンツの問題や批判的なソーシャルメディア論からも示唆が得られるだろう。このようにインターネット空間の大衆化が進展しても、ネットユーザーの活動を通じて形成される文化は残存し、時に独特の色彩を放つ。インターネット空間に限らず、デジタルの制度化が進む現在において、その流れの中に組み込まれない文化、すなわちネットカルチャーは、社会を相対的、あるいは、批判的に眺める一つの道筋を与えてくれるのではないだろうか。

以上を今後の課題としたうえで最後に改めて述べておきたいことがある。各論を掘り下げる研究を展開するにせよ、大衆化といった問題を扱うにせよ、あるいは、まったく異なる研究を手掛けるにせよ、インターネットを介して展開される一般の人々のやりとり、ないし、その帰結として生じる出来事や現象、そして文化には、今後も取るに足らないものが多分に見受けられるだろう。場合によっては、道徳や倫理の観点で憤りを覚えるものや醜悪なものすら散見されるだろう。そうした出来事や現象を研究対象とする際には、「先行研究の整理」という手続きの段階で行き詰まるかもしれない。そのような行き詰まりの打開を図る際に、まさしく、取るに足らない現象に焦点を当てた本書が何かしらの役に立つのではないか。仮に、本書の論述内容から得られるものがなかったとしても、形式として参照する価値があるならば、本書は研究の発展に寄与することができる。そのときに、本書は学術的な成果を獲得することになる。いつかそうした成果が本書にもたらされることを期待しながら論を閉じる。

参考文献

赤川学（二〇一二）『社会問題の社会学』弘文堂
赤川学（二〇一三）「社会問題のサイクルと経路依存性――「非実在青少年」規制をめぐって」中河伸俊・赤川学編『方法としての構築主義』勁草書房：五二―七二頁
浅川達人・玉野和志（二〇一〇）『現代都市とコミュニティ』放送大学教育振興会
浅野智彦（二〇一一）『若者の気分　趣味縁からはじまる社会参加』岩波書店
浅野智彦（二〇一二）「趣味縁から公共性へ」小谷敏・土井隆義・芳賀学・浅野智彦編『若者の現在　文化』日本図書センター：二四五―二七四頁
浅野智彦（二〇一三）『「若者」とは誰か――アイデンティティの30年』河出書房新社
東浩紀・濱野智史編（二〇一〇）『ised 情報社会の倫理と設計［倫理編］』河出書房新社
池田謙一（二〇〇〇）『社会科学の理論とモデル5　コミュニケーション』東京大学出版会
池田謙一・村田光二（一九九一）『こころと社会――認知社会心理学への招待』東京大学出版会
池田謙一編（一九九七）『ネットワーキング・コミュニティ』東京大学出版会
池田謙一編（二〇〇五）『インターネット・コミュニティと日常世界』誠信書房
伊地知晋一（二〇〇七）『ブログ炎上――Web 2.0 時代のリスクとチャンス』アスキー
伊藤昌亮（二〇〇五）「ネットに媒介される儀礼的パフォーマンス――2ちゃんねる・吉野家祭りをめぐるメディア人

類学的研究」『マス・コミュニケーション研究』六六号：九一―一一〇頁
伊藤昌亮（二〇〇六）「オンラインメディアイベントとマスメディア――2ちゃんねる・24時間マラソン監視オフの内容分析から」『社会情報学研究』一〇（二）：九―二三頁
伊藤昌亮（二〇一一）『フラッシュモブズ――儀礼と運動の交わるところ』NTT出版
伊藤昌亮（二〇一五）「ネット右翼とは何か」『奇妙なナショナリズムの時代――排外主義に抗して』岩波書店：二九―六七頁
伊藤守（一九九九）「オーディエンスの変容を〈記述〉する視点と方法」『マス・コミュニケーション研究』五五：一一〇―一三〇頁
伊藤守（二〇〇六）「なぜ、いまニュース分析か」伊藤守編『テレビニュースの社会学――マルチモダリティ分析の実践』世界思想社：一―一四頁
井上俊（一九七七）『遊びの社会学』世界思想社
井上俊・伊藤公雄編（二〇〇九）『文化の社会学〈社会学ベーシックス3〉』世界思想社
井上トシユキ＋神宮前.org（二〇〇一）『2ちゃんねる宣言――挑発するメディア』文藝春秋
梅田望夫（二〇〇六）『ウェブ進化論――本当の大変化はこれから始まる』ちくま新書
稲葉振一郎（二〇〇九）『社会学入門――〈多元化する時代〉をどう捉えるか』日本放送出版協会
井上俊・長谷正人編（二〇一〇）『文化社会学入門――テーマとツール』ミネルヴァ書房
遠藤薫（二〇〇〇）『電子社会論――電子的想像力のリアリティと社会変容』実教出版
遠藤薫（二〇〇七）『間メディア社会と〈世論〉形成――TV・ネット・劇場社会』東京電機大学出版局
遠藤薫（二〇一〇）『三層モラルコンフリクトとオルトエリート――社会変動をどうとらえるか』勁草書房
遠藤薫編（二〇〇四）『インターネットと〈世論〉形成――間メディア的言説の連鎖と抗争』東京電機大学出版局

岡田朋之・松田美佐編（二〇一二）『ケータイ社会論』有斐閣選書
小川克彦（二〇一一）『つながり進化論――ネット世代はなぜリア充を求めるのか』中公新書
小川純生（二〇〇一）「カイヨワの遊び概念と消費者行動」東洋大学経営研究所『経営研究所論集』二四：二九三―三一一
荻上チキ（二〇〇七）『ウェブ炎上――ネット群衆の暴走と可能性』ちくま新書
片野浩一・石田実（二〇一五）「ユーザー・コミュニティ創発の創作ネットワークの研究――初音ミクコミュニティにみる価値共創」『季刊マーケティングジャーナル』三五（一）：八八―一〇七頁
加野瀬未友（二〇一〇）「個人サイトを中心としたネットにおける流通モデル」東浩紀・濱野智史編『ised 情報社会の倫理と設計［倫理編］』河出書房新社：二一八―二三六頁
川上量生（二〇一四）「ネットがつくった文化圏」川上量生監修『角川インターネット講座（4）ネットが生んだ文化――誰もが表現者の時代』角川学芸出版：九―四〇頁
川上善郎・川浦康至・池田謙一・古川良治（一九九三）『電子ネットワーキングの社会心理――コンピュータ・コミュニケーションへのパスポート』誠信書房
木島由晶（二〇一一）「動画共有サイトでは何が共有されないか」土橋臣吾・南田勝也・辻泉編『デジタルメディアの社会学――問題を発見し、可能性を探る』北樹出版：八一―九三頁
木村忠正（二〇一二）『デジタルネイティブの時代――なぜメールをせずに「つぶやく」のか』平凡社新書
北田暁大（二〇〇五）『嗤う日本の「ナショナリズム」』日本放送出版協会
小島博・執行文子（二〇一四）「テレビとインターネット：番組関連の同時利用の実態を探る――Eダイアリーとデプスインタビューによるケーススタディーの結果から」ＮＨＫ放送文化研究所『放送研究と調査』二〇一四年七月号：八二―一〇〇頁

後藤真孝（二〇一二）「初音ミク、ニコニコ動画、ピアプロが切り拓いたCGM現象」『情報処理』五三（五）：四六六―四七一頁
小林直毅（二〇〇三）「「消費者」、「視聴者」、そして「オーディエンス」」小林直毅・毛利嘉孝編『テレビはどう見られてきたのか――テレビ・オーディエンスのいる風景』せりか書房：二〇―四八頁
小林直樹（二〇一一）『ソーシャルメディア炎上事件簿』日経BP社
是永論（二〇〇八）「電子空間のコミュニケーション――ネットはなぜ炎上するのか」橋元良明編『メディア・コミュニケーション学』大修館書店：一六二―一七九頁
近藤淳也（二〇一五）「日本のインターネットコミュニティ」近藤淳也監修『角川インターネット講座（5）ネットコミュニティの設計と力――つながる私たちの時代』角川学芸出版
齋藤純一（二〇〇〇）『公共性』岩波書店
サイバー・コミュニケーションズ監修、MarkeZine編集部編（二〇一六）『ネット広告がわかる基本キーワード70』翔泳社
佐藤郁哉（一九八四）『暴走族のエスノグラフィー――モードの叛乱と文化の呪縛』新曜社
佐藤郁哉（二〇〇八）『質的データ分析法――原理・方法・実践』新曜社
佐藤俊樹（二〇一〇）『社会は情報化の夢を見る――［新世紀版］ノイマンの夢・近代の欲望』河出文庫
佐野正弘（二〇〇七）『大人が知らない携帯サイトの世界――PCとは全く違うもう1つのネット文化』マイコミ新書
志岐裕子（二〇一五）「テレビ番組を話題としたTwitter上のコミュニケーションに関する検討」慶応義塾大学メディア・コミュニケーション研究所『メディア・コミュニケーション』六五：一三五―一四八頁
清水鉄平（二〇一四）『はちま起稿――月間1億2000万回読まれるまとめブロガーの素顔とノウハウ』SBクリエイティブ

鈴木淳史（二〇〇三）『美しい日本の掲示板――インターネット掲示板の文化論』洋泉社
鈴木謙介（二〇〇二）『暴走するインターネット』イースト・プレス
鈴木謙介（二〇〇七）『ウェブ社会の思想――〈偏在する私〉をどう生きるか』日本放送出版協会
総務省（二〇一一）『平成23年版 情報通信白書』
総務省（二〇一五）『平成27年版 情報通信白書』
総務省（二〇一六）『平成28年版 情報通信白書』
田中辰雄・山口真一（二〇一六）『ネット炎上の研究――誰があおり、どう対処するのか』勁草書房
玉川博章（二〇〇七）「ファンダムの場を創るということ――コミックマーケットのスタッフ活動」玉川博章・名藤多香子・小林義寛・岡井崇之・東園子・辻泉『それぞれのファン研究――I am a fan』風塵社：一一―五三頁
田村公人（二〇一三）「都市下位文化理論の再検討――エスノグラフィーによる検証に向かって」『東京女子大学社会学年報』一：一八―三〇頁
辻泉（二〇一一）「オンラインで連帯する」土橋臣吾・辻泉・南田勝也編『デジタルメディアの社会学――問題を発見し、可能性を探る』北樹出版：一一二―一二七頁
辻泉（二〇一六）「友人関係の変容――流動化社会の「理想と現実」」藤村正之・浅野智彦・羽渕一代編『現代若者の幸福――不安感社会を生きる』恒星社厚生閣：七一―九六頁
辻大介（二〇〇八）「ケータイ、インターネットと人間関係」橋元良明編「メディア・コミュニケーション学」大修館書店：一四五―一六一頁
辻大介・是永論・関谷直也（二〇一四）『コミュニケーション論をつかむ』有斐閣
津田正夫・平塚千尋編（二〇〇六）『新版 パブリック・アクセスを学ぶ人のために』世界思想社
土井隆義（二〇〇八）『友だち地獄――「空気を読む」世代のサバイバル』ちくま新書

土井隆義（二〇一四）『つながりを煽られる子どもたち――ネット依存といじめ問題を考える』岩波書店
徳久昭彦・永松範之編（二〇一六）『改訂2版 ネット広告ハンドブック』日本能率協会マネジメントセンター
土橋臣吾（二〇〇三）「アクターとしてのオーディエンス」小林直毅・毛利嘉孝編『テレビはどう見られてきたのか――テレビ・オーディエンスのいる風景』せりか書房：四九―六七頁
友枝敏雄（二〇〇六）「言説分析と社会学」佐藤俊樹・友枝敏雄編『言説分析の可能性――社会学的方法の迷宮から』東信堂：二三三―二五三頁
内閣府（二〇一一）『平成23年度 青少年のインターネット利用環境実態調査 報告書』
永井純一（二〇一一）「デジタルメディアで創作する」土橋臣吾・南田勝也・辻泉編『デジタルメディアの社会学――問題を発見し、可能性を探る』北樹出版：一七一―一八五頁
中川淳一郎（二〇〇九）『ウェブはバカと暇人のもの――現場からのネット敗北宣言』光文社新書
永島穂波（二〇一一）『バカ発見器――インターネットから火がついた大事件!!』クイン出版
中村功（一九九七）「生活状況と通信メディアの利用」水野博介・中村功・是永論・清原慶子『情報生活とメディア』北樹出版：八〇―一一四頁
ニールセン（二〇一〇）『日本のオンラインメディアの現状』
難波功士（二〇一一）「なぜ「メディア文化研究」なのか」『マス・コミュニケーション研究』七八：一九―三三頁
西田善行（二〇〇九）「「視聴者の反応」を分析する――インターネットから見るオーディエンス論」藤田真文・岡井崇之編『プロセスが見えるメディア分析入門――コンテンツから日常を問い直す』世界思想社：一四五―一六九頁
西原和久（二〇〇七）「グローバル化時代の社会学理論――身体・暴力・国家」『社会学評論』五七（四）：六六六―六八六頁
2典プロジェクト（二〇〇二）『2典――2ちゃんねる辞典』ブッキング

蜷川真夫（二〇一〇）『ネットの炎上力』文春新書
橋元良明（二〇一一）『メディアと日本人――変わりゆく日常』岩波書店
橋元良明・電通・電通総研・奥律哉・長尾嘉英・庄野徹（二〇一〇）『ネオ・デジタルネイティブの誕生――日本独自の進化を遂げるネット世代』ダイヤモンド社
長谷正人（二〇〇二）「遊びにおける「離脱」と「拘束」」亀山佳明・富永茂樹・清水学編『文化社会学への招待――〈芸術〉から〈社会学〉へ』世界思想社：二一―二三頁
濱野智史（二〇〇八）『アーキテクチャの生態系――情報環境はいかに設計されてきたか』NTT出版
濱野智史（二〇一二）「ニコニコ動画はいかなる点で特異なのか――「擬似同期」「N次創作」「Fluxonomy（フラクソノミー）」」『情報処理』五三（五）：四八九―四九四頁
原田曜平（二〇一五）『新・オタク経済――3兆円市場の地殻大変動』朝日新書
ばるぼら（二〇〇五）『教科書には載らないニッポンのインターネットの歴史教科書』翔泳社
ばるぼら（二〇〇六）『ウェブアニメーション大百科――GIFアニメからFlashまで』翔泳社
ばるぼら（二〇一四）「日本のネットカルチャー史」川上量生監修『角川インターネット講座（4）ネットが生んだ文化――誰もが表現者の時代』角川学芸出版：四一―七八頁
ばるぼら・さやわか（二〇一七）『僕たちのインターネット史』亜紀書房
平井智尚（二〇〇七a）「2ちゃんねるのコミュニケーションに関する考察――インターネットと世論形成に関する議論への批判」『メディア・コミュニケーション』五七：一六三―一七四頁
平井智尚（二〇〇七b）「インターネットにおける「ブログ炎上」に関する一考察――コミュニケーション状況を取り巻く規範の概念を手がかりとして」『慶應義塾大学大学院社会学研究科紀要　人間と社会の探究』六四：四九―六〇頁

平井智尚（二〇〇九）「ネットユーザーはテレビをどう見てきたのか――史資料のカケラ」平井智尚・大淵裕美・藤田真文・島岡哉・小林義寛・小林直毅『ポピュラーTV』風塵社：一一一―七七頁
平井智尚（二〇一〇）「個人ニュースサイトの「ニュース」について考える」『メディア・コミュニケーション』六〇：一六七―一八一頁
平井智尚（二〇一二a）「なぜウェブで炎上が発生するのか――日本のウェブ文化を手がかりとして」『情報通信学会誌』一〇一：六一―七一頁
平井智尚（二〇一二b）「ウェブに見られるテレビ・オーディエンスの活動と公共性」大石裕編『戦後日本のメディアと市民意識――「大きな物語」の変容』ミネルヴァ書房：八九―一一九頁
平井智尚（二〇一三）「ウェブと公共性に関する概念・理論的研究の整理――新たな考察の展開に向けて」慶応義塾大学メディア・コミュニケーション研究所『メディア・コミュニケーション』六三：一一九―一二七頁
平井智尚（二〇一五）「個人ニュースサイトの活動にみるニュース空間の遍在性――狭義のニュース論を超えて」伊藤守・岡井崇之編『ニュース空間の社会学――不安と危機をめぐる現代メディア論』世界思想社：六〇―八三頁
平井智尚（二〇一七）「インターネット利用の大衆化とオンライン・コミュニティの変容――「都市化」の観点からの考察」『メディア・コミュニケーション』六七：三七―四九頁
藤田真文（二〇〇九）「マンガ原作でなぜ悪い？――テレビドラマとマンガの相互テクスト性をめぐって」平井智尚・大淵裕美・藤田真文・島岡哉・小林義寛・小林直毅『ポピュラーTV』風塵社：一四七―一八七頁
藤村正之（一九九〇）「青年文化の価値空間の位相――聖・俗・遊その後」高橋勇悦・藤村正之編『青年文化の聖・俗・遊――生きられる意味空間の変容』恒星社厚生閣：五―四二頁
古瀬幸広・廣瀬克哉（一九九六）『インターネットが変える世界』岩波新書
星井智（二〇一二）「遊びの現象学とその社会的意義」奈良産業大学情報学部『情報学フォーラム』八：一一五―一二

四
前川徹・中野潔（二〇〇三）『サイバージャーナリズム論――インターネットによって変容する報道』東京電機大学出版局
松田美佐（二〇〇八）「電話の発展――ケータイ文化の展開」橋元良明編『メディア・コミュニケーション学』大修館書店：一一―二八頁
松田美佐（二〇一四）『うわさとは何か――ネットで変容する「最も古いメディア」』中公新書
松村真宏・三浦麻子・柴内康文・大澤幸生・石塚満（二〇〇四）「2ちゃんねるが盛り上がるダイナミズム」『情報処理学会論文誌』四五（三）：一〇五三―一〇六一頁
松本康（一九九二）「都市はなにを生みだすか」森岡清志・松本康編『都市社会学のフロンティア2　生活・関係・文化』日本評論社：三三―六八頁
松本康編（二〇一四）『都市社会学・入門』有斐閣
三浦悠太（二〇一三）「〈プレイ〉／〈ゲーム〉概念の歴史的考察――デジタル社会における〈遊び〉概念の再構成に向けて」『慶應義塾大学大学院社会学研究科紀要　人間と社会の探究』七五：三一―四七頁
宮田加久子（二〇〇五）『きずなをつなぐメディア――ネット時代の社会関係資本』NTT出版
毛利嘉孝（二〇〇九）『ストリートの思想』NHKブックス
渡辺潤・伊藤明己編（二〇〇五）『〈実践〉ポピュラー文化を学ぶ人のために』世界思想社
山腰修三（二〇一二）『コミュニケーションの政治社会学――メディア言説・ヘゲモニー・民主主義』ミネルヴァ書房
山本明（二〇一一）「インターネット掲示板においてテレビ番組はどのように語られるのか」『マス・コミュニケーション研究』七八：一四九―一六七頁
渡辺真由子（二〇一〇）『子どもの秘密がなくなる日』主婦の友新書

Andrejevic, Mark（2013）Estranged free labor, In Scholz, Trebor（eds.）*Digital Labor: The Internet as Playground and Factory*, Routledge.

Ang, Ien（1996）On the Politics of Empirical Audience Research, *Living Room Wars: Rethinking Media Audiences for a Postmodern World*: 35-52, Routledge.（＝山口誠訳（二〇〇〇）「経験的オーディエンス研究の政治性について」吉見俊哉編『メディア・スタディーズ』せりか書房）

Bauman, Zygmunt（2001）*Community: Seeking Safety in an Insecure World*, Polity.（＝奥井智之訳（二〇〇八）『コミュニティ――安全と自由の戦場』筑摩書房）

Berger, Jonah（2013）*Contagious: Why Things Catch on*, Simon & Schuster.（＝貫井佳子訳（二〇一三）『なぜ「あれ」は流行るのか？――強力に「伝染」するクチコミはこう作る！』日本経済新聞出版社）

Booth, Paul（2016）*Digital Fandom 2.0: New Media Studies 2nd Edition*, Peter Lang.

Burgess, Ernest W.（1925）The Growth of the City: An Introduction to a Research Project, In Park, Robert E. and Burgess, Ernest W.（eds.）*The City: Suggestions for the Investigation of Human Behavior in the Urban Environment*, University of Chicago Press.（＝松本康訳（二〇一一）「都市の成長――研究プロジェクト序説」松本康編『都市社会学セレクション第1巻　近代アーバニズム』日本評論社：二一―三八頁）

Caillois, Roger（1950）*L'homme et le sacré. Édition augmentée de trois appendices sur le sexe, le jeu, la guerre dans leurs rapports avec le sacré*, Galimard.（＝塚原史・吉本素子・小幡一雄・中村典子・守永直幹訳（一九九四）『改訳版 人間と聖なるもの』せりか書房）

Caillois, Roger（1967）*Les Jeux et les Hommes*［*Le masque et le vertige*］, *édition revue etaugmentée*, Gallimard.（＝多田道太郎・塚崎幹夫訳（一九九〇）『遊びと人間』岩波書店）

Campbell, Heidi A. & Vitullo, Alessandra（2016）Assessing Changes in the Study of Religious Communities in Digital Religion Studies, *Church, Communication and Culture*, Vol.1（1）: 73–89, Taylor & Francis.

Cardon, Dominique（2010）*La démocratie Internet: Promesse et limites*, Seuil.（＝林香里・林昌宏訳（二〇一二）『インターネット・デモクラシー——拡大する公共空間と代議制のゆくえ』トランスビュー）

Castells, Manuel（2001）*The Internet Galaxy: Reflections on the Internet, Business, and Society*, Oxford University Press.（＝矢澤修次郎・小山花子訳（二〇〇九）『インターネットの銀河系——ネット時代のビジネスと社会』東信堂）

Clarke, John（2006）Style, In Hall, Stuart and Jefferson, Tony（eds.）*Resistance Through Rituals: Youth Subcultures in Post-War Britain*: 147-161, Routledge.

Décary-Hétu, David, Morselli, Carlo and Leman-Langlois, Stéphane（2012）Welcome to the Scene: A Study of Social Organization and Recognition among Warez Hackers, *Journal of Research in Crime and Delinquency*, Vol.49（3）: 359-382, SAGE.

Duffett, Mark（2013）*Understanding Fandom: An Introduction to the Study of Media Fan Culture*, Bloomsbury Academic.

Dumas Bethany K. and Lighter, Jonathan（1978）Is Slang a Word for Linguists?, *American Speech*, Vol.53（1）: 5-17, Duke University Press.

Einat, Tomer and Einat, Haim（2000）Inmate Argot as an Expression of Prison Subculture: The Israeli Case, *The Prison Journal*, Vol.80（3）: 309-325, SAGE.

Fischer, Claude S.（1975）Toward a Subcultural Theory of Urbanism, *American Journal of Sociology*, Vol.80（6）: 1319-1341, University of Chicago Press.（＝松本康訳（二〇一二）「アーバニズムの下位文化理論に向かって」森岡清志編『都市社会学セレクション第2巻　都市空間と都市コミュニティ』日本評論社：一二七—一六四頁）

Fischer, Claude S.（1982）*To Dwell Among Friends: Personal Networks in Town and City*, University of Chicago Press.（＝

松本康・前田尚子訳（二〇〇二）『友人のあいだで暮らす――北カリフォルニアのパーソナル・ネットワーク』未来社）
Fischer, Claude S.（1984）*The Urban Experience*, Harcourt.（＝松本康・前田尚子訳（一九九六）『都市的体験――都市生活の社会心理学』未来社）
Fiske, John（1987）*Television Culture*, Routledge.（＝伊藤守・藤田真文・常木瑛生・吉岡至・小林直毅・高橋徹訳（一九九六）『テレビジョンカルチャー――ポピュラー文化の政治学』梓出版）
Fiske, John（1989）*Reading the Popular*, Routledge.（＝山本雄二訳（一九九八）『抵抗の快楽――ポピュラーカルチャーの記号論』世界思想社）
Fuchs, Christian（2014）*Digital Labour and Karl Marx*, Routledge.
Fuchs, Christian（2017）*Social Media: A Critical Introduction Second Edition*, SAGE.
Giddens, Anthony（2006）*Sociology 5th Edition*, Polity.（＝松尾精文・西岡八郎・藤井達也・小幡正敏・立松隆介・内田健訳（二〇〇九）『社会学　第五版』而立書房）
Goffman, Erving（1959）*The Representation of Self in Everyday Life*, Doubleday & Company Inc.（＝石黒毅訳（一九七四）『行為と演技――日常生活における自己呈示』誠信書房）
Habermas, Jürgen（1990）*Strukturwandel der Öffentlichkeit*, Suhrkamp Verlag.（＝細谷貞雄・山田正行訳（一九九四）『［第2版］公共性の構造転換――市民社会の一カテゴリーについての探究』未来社）
Hartley, John（1987）Invisible Fictions: Television Audiences, Paedocracy, Pleasure, *Textual Practice*, Vol.1（2）: 121-138, Routledge.
Hartley, John（2008）“The Supremacy of Ignorance over Instruction and of Numbers over Knowledge”: Journalism, Popular Culture, and the English Constitution, *Journalism Studies*, Vol.9（5）: 679-691, Routledge.

Hartley, John（2009）Journalism and Popular Culture, In Wahl-Jorgensen, Karin & Hanitzsch, Thomas（eds.）*Handbook of Journalism Studies*, Routledge.

Hebdige, Dick（1979）*Subculture: The Meaning of Style*, Methuen & Co Ltd.（＝山口淑子訳（一九八六）『サブカルチャー――スタイルの意味するもの』未来社）

Hodkinson, Paul（2011）*Media, Culture and Society: An Introduction,* SAGE.（＝土屋武久訳（二〇一六）『メディア文化研究への招待――多声性を読み解く理論と視点』ミネルヴァ書房）

Hillery, George A.（1955）Definitions of Community: Areas of Agreement, *Rural Sociology*, Vol.20（2）: 111-123.（＝山口弘光訳（一九七八）「ヒラリー／コミュニティの定義――含意の範囲をめぐって」鈴木広編『都市化の社会学［増補］』誠信書房）

Huizinga, Johan（1938）*Homo ludens: Proeve eener bepaling van het spel-element der cultuur*, H. D. Tjeenk Willink & Zoon（＝高橋英夫訳（一九七三）『ホモ・ルーデンス』中央公論新社）

Jancovich, Mark（2002）Cult Fictions: Cult Movies, Subcultural Capital and the Production of Cultural Distinctions, *Cultural Studies*, Vol.16（2）: 306-322, Taylor & Francis.

Jenkins, Henry（1998）*The Poachers and the Stormtroopers: Cultural Convergence in the Digital Age*.（http://web.mit.edu/~21fms/People/henry3/pub/stormtroopers.htm）

Jenkins, Henry（2006）*Convergence Culture: Where Old and New Media Collide*, NYU Press.

Jenkins, Henry（2013）*Textual Poachers: Television Fans and Participatory Culture,* Updated Twentieth Anniversary Edition, Routledge.

Jenkins, Henry and Carpentier, Nico（2013）Theorizing Participatory Intensities: A Conversation about Participation and Politics, *Convergence: The International Journal of Research into New Media Technologies*, Vol.19（3）: 265-286,

SAGE.

Jenkins, Henry and Deuze, Mark（2008） Editorial: Convergence Culture, *Convergence: The International Journal of Research into New Media Technologies*, Vol.14（1）: 5-12, SAGE.

Jenkins, Henry, Ford, Sam and Green, Joshua（2013） *Spreadable Media: Creating Value and Meaning in a Networked Culture*, NYU Press.

Jenkins, Henry, Ito, Mizuko and Boyd, Danah（2016） *Participatory Culture in a Networked Era: A Conversation on Youth, Learning, Commerce, and Politics*, Polity.

Karakaya, Polat. Rabia（2005）The Internet and Political Participation: Exploring the Explanatory Links, *European Journal of Communication*, Vol.20（4）: 435-459, SAGE.

Labov, Teresa（1992） Social and Language Boundaries among Adolescents, *American Speech*, Vol.67（4）: 339-366, Duke University Press.

Lerman, Paul（1967） Argot, Symbolic Deviance and Subcultural Delinquency, *American Sociological Review*, Vol.32（2）: 209-224, American Sociological Association.

Lessig, Lawrence（2006） *Code: Version 2.0*, Basic Books.（＝山形浩生訳（二〇〇七）『CODE VERSION 2.0』翔泳社）

Livingstone, Sonia（2004） The Challenge of Changing Audiences Or, What is the Audience Researcher to do in the Age of the Internet?, *European Journal of Communication* Volume, Vol.19（1）: 75-86, SAGE.

Livingstone, Sonia（2005）On the Relation between Audiences and Publics, In Livingstone, Sonia（ed.）*Audiences and Publics: When Cultural Engagement Matters for the Public Sphere*, Intellect Books.

McQuail, Denis（2005） *McQuail's Mass Communication Theory 5th edition*, SAGE.（＝大石裕監訳（二〇一〇）『マス・コミュニケーション研究』慶應義塾大学出版会）

Mathijs, Ernest and Sexton, Jamie（2011）*Cult Cinema: An Introduction*, John Wiley & Sons.

Mathijs, Ernest and Mendik, Xavier（2008）*The Cult Film Reader*, Open University Press.

Melucci, Alberto（1989）*Nomads of the Present: Social Movements and Individual Needs in Contemporary Society*, edited by John K. and Paul M., Hutchinson Radius.（＝山之内靖・貴堂喜之・宮崎かすみ訳（一九九七）『現代に生きる遊牧民――新しい公共空間の創出に向けて』岩波書店）

Melucci, Alberto（1996）*Challenging Codes: Collective Action in the Information Age*, Cambridge University Press.

Miller, Laura（2004）Those Naughty Teenage Girls Japanese Kogals, Slang, and Media Assessments, *Journal of Linguistic Anthropology*, Vol.14（2）: 225-247, American Anthropological Association.

Milner, Ryan M.（2016）*The World Made Meme: Public Conversations and Participatory Media*, The MIT Press.

Nelsen, Edward A. and Rosenbaum, Edward（1972）Language Patterns within the Youth Subculture: Development of Slang Vocabularies, *Merrill-Palmer Quarterly of Behavior and Development*, Vol.18（3）: 273-285, Wayne State University Press.

Nissenbaum, Asaf and Shifman, Limor（2017）Internet Memes as Contested Cultural Capital: The Case of 4chan's /b/ Board, *New Media & Society*, Vol.19（4）: 483-501, SAGE.

Oldenburg, Ray（1998）*The Great Good Place: Cafes, Coffee Shops, Bookstores, Bars, Hair Salons, and Other Hangouts at the Heart of a Community 2nd edition*, New York: Marlowe & Company.（＝忠平美幸訳（二〇一三）『サードプレイス――コミュニティの核になる「とびきり居心地よい場所」』みすず書房）

O'Sullivan, Patrick B. and Flanagin, Andrew J.（2003）Reconceptualizing 'Flaming' and Other Problematic Messages, *New Media & Society*, Vol.5（1）: 69-94, SAGE.

O'Sullivan, Tim, Hartley, John, Saunders, Danny, Montgomery, Martin. and Fiske, John（1994）*Key Concepts in Communi-*

cation and Cultural Studies Second Edition, Routledge.
Papacharissi, Zizi（2002）The Public Sphere: The Internet as a Public Sphere, *New Media & Society*, Vol.4（1）: 9-27, SAGE.
Papacharissi, Zizi（2005）The Real-Virtual Dichotomy in Online Interaction: New Media Uses and Consequences Revisited, *Communication Yearbook*（29）: 215–237, Routledge.
Parks, Malcom R.（2011）Social Network Sites as Virtual Communities, In Papacharissi, Zizi（eds.）*A Networked Self: Identity, Community, and Culture on Social Network Sites*, Routledge.
Phillips, Whitney（2015）*This Is Why We Can't Have Nice Things: Mapping the Relationship between Online Trolling and Mainstream Culture*, The MIT Press.
Picone, Ike（2016）Grasping the Digital News User: Conceptual and Methodological Advances in News Use Studies, *Digital Journalism*, Vol.4（1）: 125-141, Taylor & Francis.
Picone, Ike, Courtois, Cédric and Paulussen, Steve（2014）When News is Everywhere: Understanding Participation, Cross-Mediality and Mobility in Journalism from a Radical User Perspective, *Journalism Practice*, Vol.9（1）: 35-49, Taylor & Francis.
Rheingold, Howard（1993）*The Virtual Community: Homesteading on the Electronic Frontier*, MIT Press.（＝会津泉訳（一九九五）『バーチャル・コミュニティ――コンピューター・ネットワークが創る新しい社会』三田出版会）
Ross, Karen and Nightingale, Virginia（2003）*Media and Audience*, Open University Press.（＝児島和人・高橋利枝・阿部潔訳（二〇〇七）『メディアオーディエンスとは何か』新曜社）
Schneider, Steven M. and Foot, Kirsten A.（2005）Web Sphere Analysis: An Approach to Studying Online Action, In Hine Christine（ed.）*Virtual Methods: Issues in Social Research in the Internet*, BERG.

Shifman, Limor（2014）*Memes in Digital Culture*, The MIT Press.

Sonenschein, David（1969）The Homosexual's Language, *The Journal of Sex Research*, Vol.5（4）: 281-291, Taylor & Francis.

Storey, John（2015）*Cultural Theory and Popular Culture: An Introduction*, Routledge.

Tapscott, Don and Williams, Anthony D.（2006）*Wikinomics: How Mass Collaboration Changes Everything*, Portfolio.（=井口耕二訳（二〇〇七）『ウィキノミクス――マスコラボレーションによる開発・生産の世紀へ』日経ＢＰ社）

Thompson, John B.（1995）*The Media and Modernity: A Social Theory of the Media*, Stanford University Press.

Thompson, John B.（2005）The New Visibility, *Theory, Culture & Society*, Vol.22（6）: 31-51, SAGE.

Thornton, Sarah（1995）*Club Cultures: Music, Media and Subcultural Capital*, Polity.

Thurlow, Crispin, Lengel, Laura and Tomic, Alice（2004）*Computer Mediated Communication: Social Interaction and The Internet*, SAGE.

Turner, Graem（1996）*British Cultural Studies: An Introduction. 2nd. Ed*, Routledge.（=溝上由紀・毛利嘉孝・鶴本花織・大熊高明・成実弘至・野村明宏・金智子訳（一九九九）『カルチュラル・スタディーズ入門――理論と英国での発展』作品社）

van Dijk, Jan（1999）*The Network Society*, SAGE.

van Dijck, Jose（2009）Users like you? Theorizing agency in User-Generated Content, *Media, Culture & Society*, Vol.31（1）: 41-58, SAGE.

van Dijck, Jose and Nieborg, David（2009）Wikinomics and its Discontents: A Critical Analysis of Web 2.0 Business Manifestos, *New Media & Society*, Vol.11（4）: 855-874, SAGE.

Williams, J. Patrick（2011）*Subcultural Theory: Traditions and Concepts*, Polity.

初出一覧

第一章　書き下ろし

第二章　「個人ニュースサイトの活動にみるニュース空間の遍在性――狭義のニュース論を超えて」（伊藤守・岡井崇之編『ニュース空間の社会学――不安と危機をめぐる現代メディア論』世界思想社、二〇一五年）を加筆修正

第三章　「ウェブに見られるテレビ・オーディエンスの活動と公共性」（大石裕編『戦後日本のメディアと市民意識――「大きな物語」の変容』ミネルヴァ書房、二〇一二年）を加筆修正

第四章　書き下ろし

第五章　「インターネット利用の大衆化とオンライン・コミュニティの変容――「都市化」の観点からの考察」（慶應義塾大学メディア・コミュニケーション研究所『メディア・コミュニケーション』第六七号、二〇一七年三月）を加筆修正

第六章　「なぜウェブで炎上が発生するのか――日本のウェブ文化を手がかりとして」（情報通信学会『情報通信学会誌』第一〇一号、二〇一二年三月）を加筆修正

第七章　書き下ろし

第八章　書き下ろし

第九章　書き下ろし

あとがき

本書を斜め読みすると単なる「2ちゃんねる（5ちゃんねる）論」である。これまで論考に取り組む中で、一層のこと「2ちゃんねる論」にすれば、研究対象が絞り込まれ、主眼も明確になると考えたことは幾度もある。ただ、筆者は「2ちゃんねる」について詳しくはない。二〇〇〇年代前半に「ニュース速報板」を流し読みしていた程度である。二〇〇〇年代後半の「ニュース速報（VIP）板」の勢いにはついていけず、二〇一〇年代以降に多くのユーザーを集めた「なんでも実況（ジュピター）板」の閲覧頻度は相当低い。まして特定の話題に特化した板（専門板）の閲覧経験は皆無に等しい。もし、2ちゃんねるを網羅した分厚い研究書があるならば本書より価値があり、個人的にも本書より読む気が起こる。

「日本社会を文脈とするネットカルチャーなど、しょせんは2ちゃんねるのようなもの」という把握は間違っていない。「2ちゃんねるはオワコン」と言われて久しいが、「オワコン」以降、つまり、二〇〇〇年代後半以降の2ちゃんねるに見られた現象にも議論の余地はある。むしろ看過されてきたように思う。その穴埋めを少し手掛けた本書は、その意味では「続・2ちゃんねる論」である。だが、筆者は2ちゃんねるに明るくない。二〇〇〇年代後半以降、まとめサイトやニコニコ動画、ウィキサイトなどを通じて「2ちゃんねるのようなもの」に触れてきた。それらをかつて筆者は苦し紛れに「2ちゃんねる圏」という言葉で説明した（本書第三章、第六章参照）。だが、「2ちゃんねる」という言葉自体がそぐわない。そこで包括的な「ネットカルチャー」という観点で論考を手掛けることにした。その成果が本書である。「それでもこれは2ちゃんねる論ではないか」という指摘に抗するつもりはない。ただ、そのような指摘は2ちゃんねるの理解が乏しく、ネットカルチャーの理解も一面的である。

もちろん、2ちゃんねるであれ何であれ、ネットカルチャーなど論ずるに値しないという態度はまっとうであり、もっともである。ネットカルチャー論は、一方で、バズワードへ寄生し、アテンションを拠り所とする情報通信分野の言説市場では商品価値に欠ける。他方で、学術的にも、規範的、あるいは批判的アプローチを標榜する立場から見れば当為に乏しい。本書でも述べたとおり、ネットカルチャーは「取るに足らない」あるいは「くだらない」ものである。実際、民衆に端を発する文化、すなわち、ポピュラー文化は「その程度」であろう。時に政治や経済と接点を持ち、サブカルチャーや抵抗・転覆の意味合いを帯びることもある。それでも「その程度」に変わりはない。ただ、そこにはまっとうな議論で構成されない現実がある。そうした現実の理解に努めることは社会科学の目的から逸脱しているわけではない。本書は学術的な研究としての課題や弱点が顕著に見られる。それでも、社会科学に立脚するインターネット研究の発展に少しは寄与できるのではないだろうか。

本書が物語るように、筆者は冗長かつ漫然と文字を書き連ねる悪癖があり、この「あとがき」も言い訳や自分語りに物足りなさを覚える。だが、紙幅には限りがある。そこで「あとがき」の鋳型に従い、これまでの研究生活で特にお世話になった方へのお礼を申し上げたい。

慶應義塾大学大学院社会学研究科でご指導いただいた大石裕先生には感謝という言葉では言い表せないほどお世話になった。何処の馬の骨ともわからぬ筆者を受け入れていただき、これまで多くのご指導をいただいた。同門の方々は皆が、大石先生が専門とする研究領域のまっとうな後継者であるが、筆者は何を継承しているのかわからない。ただ、論文を執筆する際、筆が滞るとき、迷いが生じたとき、あるいは、何となく危ない感じがするとき、脳裏に浮かぶのは常に大石先生の言葉である。「取るに足らない」あるいは「くだらない」問題を扱っている本書が一応の体を成しているとすれば、それは大石先生のご指導の賜物に他ならない。このように考えると、筆者は研究者としての根幹を大石先生から受け継いでおり、不肖の弟子として末席に名を連ねる程度の資格はあると思う。何を学んだのかと首をかしげることを今後も続けると思うが、これまでと同様に笑顔で見守っていただきたい。

大学院の先輩諸兄である津田正太郎氏、烏谷昌幸氏、山腰修三氏、山口仁氏にも大変お世話になった。先輩方には様々な機会を与えていただいた。だが、未熟な筆者は期待に応えられなかった。今後、恩に報いるよう励み、はるか先を邁進する先輩方の姿を見失わない程度には歩んでいければと思う。

日本大学法学部新聞学科のゼミナールでご指導いただいた小林義寛先生にも心より感謝を申し上げたい。大学二年生の秋に行われたゼミナール入室試験で日時の確認を怠ったことで不受験・不合格となり途方に暮れていたところ、翌年の春に小林先生が着任され、拾っていただいた。結果として僥倖であったと心底思うが不幸の幕開けでもあった。それまで体系だったディシプリンに基づく学術的知見に触れる機会がなかった筆者にとって、先生のお話はすべてが新鮮であり、そして、まったくわからなかった。向こう見ずであった（というよりイキっていた）筆者は甚だ不遜に振る舞い、相当迷惑をかけた。大学院への進学を相談した際に「不幸になる」と仰せられたことが耳に残っている。確かに不幸になった。ただ、筆者は不幸な道が性に合っているようである。思い返せば本書は卒論の続きである。だが、書き終えた感はない。そういうわけで不肖のゼミ生として引き続き教えを請いたい。

本書の出版に際しては小川浩一先生に七月社の西村篤氏を紹介していただいた。小川先生の紹介がなければ本書は日の目を見ることはなかった。そして、七月社の西村篤氏には諸々の事情を汲んでいただき、本書の出版をお引き受けいただいた。この場を借りてお礼を申し上げるとともに、不義理にならないよう尽くすつもりである。

最後に、気恥ずかしいところではあるが、型通り両親に感謝を述べたい。父・敏弘は研究者になるという意味不明なことを言い出した筆者に相当肝を冷やしたのではないか。いまどうにかなっているのは寡黙に見守ってくれた父のおかげである。そして母・見江子は筆者が成人になると同時に他界したので今の姿を知らない。もしその後について話ができたとしても真っ先にからだの心配をするだろう。その答えとして少し照れながら本書を差し出したい。

二〇二一年一月　　平井智尚

［さ］

［た］

［な］

［は］

◉ 索引

［著者略歴］

平井智尚（ひらい・ともひさ）

1980年　新潟県生まれ
2003年　日本大学法学部新聞学科卒業
2009年　慶應義塾大学大学院社会学研究科社会学専攻後期博士課程単位取得退学、博士（社会学）
現　在　日本大学法学部新聞学科准教授
主　著
『ニュース空間の社会学——不安と危機をめぐる現代メディア論』（共著、世界思想社、2015年）、『戦後日本のメディアと原子力問題』（共著、ミネルヴァ書房、2017年）、ニック・クドリー『メディア・社会・世界——デジタルメディアと社会理論』（共訳、慶應義塾大学出版会、2018年）

「くだらない」文化を考える
——ネットカルチャーの社会学

2021年1月26日　初版第1刷発行
2023年7月14日　初版第2刷発行

著　者……………………平井智尚
発行者……………………西村　篤
発行所……………………株式会社七月社
〒182-0015　東京都調布市八雲台2-24-6
電話・FAX　042-455-1385
印刷・製本……………株式会社厚徳社

Printed in Japan　ISBN 978-4-909544-14-8　C0036

ジブリ・アニメーションの文化学
——高畑勲・宮崎駿の表現を探る

米村みゆき・須川亜紀子編

類稀な作家性とそれを支える技術力で、世界を虜にするスタジオジブリ。見て楽しく、考えて深い、その魅力の秘密を、最先端アニメーション研究の多彩なアプローチから解き明かす。

四六判並製352頁／本体2200円＋税
ISBN978-4-909544-28-5 C0074

グローバリゼーションとつながりの人類学

越智郁乃・関恒樹・長坂格・松井生子編

グローバリゼーションを経た現代社会において、人々が紡ぎ出す「つながり」はいかなる意味をもつのか。世界各地でのフィールドワークから、境界を越えて結びつく人やモノを、ローカルで微細な日々の生活実践に着目して描き出す。

A5判上製400頁／本体5600円＋税
ISBN978-4-909544-19-3 C1039

電話と文学——声のメディアの近代

黒田翔大著

文学は電話をどのように描いてきたのか。電話事業が始まる明治期から、「外地」にまで電話網が拡がった戦時期、家庭や街路に電話が遍在するようになる昭和戦後期までを通観し、「文化としての電話」を浮かび上がらせる。

A5判上製224頁／本体4500円＋税
ISBN978-4-909544-21-6 C1095